B1+B2 Textbok

Paula Levy Scherrer • Karl Lindemalm

Natur & Kultur

NATUR & KULTUR

Box 27323, 102 54 Stockholm
Kundservice: Tel 08-453 87 00, kundservice@nok.se
Redaktion: Tel 08-453 86 00, info@nok.se
www.nok.se

Order och distribution: Förlagssystem
Box 30195, 104 25 Stockholm
Tel 08-657 95 00, order@forlagssystem.se
www.fsbutiken.se

Projektledare: Karin Lindberg
Textredaktör: Inger Strömsten
Bildredaktör: Emma Glaumann
Grafisk form: Cristina Jäderberg
Omslag: Carina Länk
Illustrationer: Eva Thimgren

© 2015 Paula Levy Scherrer, Karl Lindemalm och Natur & Kultur, Stockholm

Tryckt i Lettland 2015
Andra upplagans andra tryckning
ISBN 978-91-2743423-3

Till läraren

Rivstart B1 + B2 är en enspråkig fortsättningskurs i svenska som främmande språk som vänder sig till personer i och utanför Sverige. Boken är kopplad till Gemensam europeisk referensram för språk (GERS) och täcker nivån B1 och första delen av nivå B2.

Materialet består av textbok, övningsbok och lärarhandledning. På www.nok.se/rivstart finns bland annat ordlistor, interaktiva övningar, självdiagnostiska framstegstest med facit, verblista samt facit till text- och övningsboken. Där finns också ljudfiler till texter och hörövningar som du kommer åt via inloggningsuppgifterna på insidan av bokens pärm.

Rivstart B1 + B2 är tematiskt upplagd och speglar det moderna Sverige men tar också upp svenska seder och traditioner. Varje kapitel i textboken innehåller sekvenser av kommunikativa aktiviteter med ett modernt och naturligt språk. Progressionen är relativt snabb men varje kapitel innehåller repetitionsdelar där ord och grammatik från tidigare kapitel befästs. Längst bak i textboken finns en grammatiköversikt och en uttalsdel. Nytt för denna utgåva är att uttalsövningarna är integrerade i varje kapitel.

I övningsboken kan deltagarna i detalj studera de olika grammatiska moment som tas upp och arbeta med ordkunskap. Varje kapitel avslutas med ett repetitionsavsnitt.

Lärarhandledningen innehåller tips på hur du kan jobba med *Rivstart* och ett avsnitt om uttal. Där finns kopieringsunderlag med kommunikativa övningar, samt de självdiagnostiska framstegstesten.

Rivstart vill locka deltagarna att själva i möjligaste mån lista ut språkliga mönster och grammatiska regler. Deltagarna uppmuntras på så sätt till en aktiv språkinlärning, något som även främjar språkutvecklingen utanför klassrummet. De lär sig klara vardagliga situationer men blir även väl för-beredda för fortsatta studier.

Paula Levy Scherrer och Karl Lindemalm

Skriv på separat papper	Arbeta i par/liten grupp	ÖB Arbeta i övningsboken
Hörförståelse	Fokus på-ruta	Lyssna på ljudfil
Arbeta med uttal	Språkliga verktyg	

Innehåll

Kapitel	Tema	Språkfokus	Skriv!
8 sidan 101	Sveriges och Nordens historia	• Tempus • *Allt* + komparativ • Tidsuttryck • Tidsuttryck: varje, varannan, vartannat	En historisk person
9 sidan 116	Sanning och lögn	• Verb: *tycker, tänker, tror* • Substantiv: bestämd form • Adjektiv: superlativ bestämd form	Process/utveckling/orsak/konsekvens
10 sidan 131	Resande och turism	• S-passiv • Substantiv: bestämd och obestämd form	Berättande text
11 sidan 144	Brott och straff	• Pronomen: personliga, possessiva och reflexiva possessiva • Verb: *är/blir* + perfekt particip • Verb med -*s* • Tempus: konditionalis 2	Nyhetsnotis
12 sidan 158	Utmaningar, konflikter och sociala medier	• Satsadverb: *nog, väl, ju* • Tempus: presens perfekt för framtid • Frågeord + *som helst* • Jämförelser	Insändare
13 sidan 171	Högtider och årstider	• Substantiv: obestämd form med eller utan artikel • Ord: slang och interjektioner • Utrop	Dikt
14 sidan 188	Konsumentregler och klagomål, pessimister och optimister	• Emfatisk omskrivning • Transitiva och intransitiva verb	Referat

1 Soffpotatis eller hurtbulle?

 A Titta på bilderna. Skriv ner 5–7 ord som du associerar med dem. Jämför med din partner och med ett annat par. Prata om era tankar om bilderna.

B Läs frågorna i testet här nedanför högt för varandra och svara båda två. Välj det svarsalternativ som passar bäst. Notera din partners svar och räkna ihop poängen enligt instruktionerna på nästa sida.

Test

Är du en soffpotatis eller en hurtbulle? 1

1 Vad är idrott för dig?
a En stor öl på en sportbar med en gigantisk teveskärm.
b Idrott är jobbigt men ibland måste man träna.
c Idrott är fantastiskt roligt.

2 Vad gör du när du kommer hem från jobbet?
a Jag går direkt till kylskåpet, tar fram en läsk och en påse chips och lägger mig framför teven.
b Jag städar hela huset inklusive badrummet.
c Jag tar på mig löparskorna och springer en mil.

3 **Hur ofta tränar du?**
   a Varje gång jag springer till bussen.
   b Mellan en gång i månaden och en gång i veckan.
   c Två gånger i veckan eller mer.

4 **Hur länge tränar du varje gång du tränar?**
   a Så lång tid det tar att springa till bussen: 2 minuter ungefär.
   b Jag tränar i 20–40 minuter.
   c Jag tränar i mer än 40 minuter.

5 **Hur snabbt springer du 5 kilometer?**
   a Herregud! Så långt springer jag aldrig.
   b Jag springer 5 kilometer på 30 minuter.
   c Jag springer 5 kilometer på mindre än 30 minuter.

6 **Vad gör du helst på din semester?**
   a Jag ligger på en strand och slappar och dricker paraplydrinkar.
   b Jag åker till en storstad och går på alla museer och kulturattraktioner.
   c Jag vandrar i fjällen med 50 kilos packning eller åker på träningsresor.

7 **Vad är bra mat för dig när du tränar?**
   a Choklad och en påse chips – jag får mycket energi och orkar mer.
   b En banan – jag får kolhydrater som gör att jag orkar mer.
   c En proteinkaka och en lättyoghurt. Jag vill inte gå upp i vikt.

8 **Hur är ett bra träningspass för dig?**
   a Jag har snygga träningskläder och är fin i håret hela tiden.
   b Jag blir lite lagom trött.
   c Jag blir dödstrött och svettas flera liter.

9 **Hur börjar du träna efter ett uppehåll?**
   a Jag har alltid uppehåll.
   b Jag springer långsamt i början och bygger gradvis upp konditionen.
   c Jag springer 2 mil jättesnabbt och gör 100 armhävningar efter det.

10 **Planerar du att vara med i några tävlingar/lopp?**
   a Absolut inte. Jag joggade i en kvart för två veckor sedan.
   b Ja, jag ska springa Vårruset, 5 kilometer, om en månad.
   c Ja, jag ska delta i triatlon om ett halvår. Och nästa år ska jag springa ultramaraton.

C Jämför era resultat med ett annat par.

Räkna ut din poäng.
a = 1 poäng
b = 2 poäng
c = 3 poäng

25–30 poäng
Du är en riktig hurtbulle! Det är bra att röra på sig och äta nyttig mat, men kanske ska du tänka på att det finns annat än träning i livet. Kroppen behöver vila ibland också.

15–24 poäng
Du är ingen hurtbulle men inte heller en soffpotatis. Du tränar ganska lagom. Men kanske kan du träna lite extra någon gång ibland och testa dina gränser?

1–14 poäng
Du är helt klart en soffpotatis med dåliga matvanor! Det är skönt att vila och ta det lugnt och chips är gott. Men det är bra att röra på sig ibland eller att äta en grönsak då och då. Du blir både piggare och friskare av det.

Varför ska man träna egentligen?

Alla vet att det är bra att träna. Man blir piggare, starkare och man mår bättre. Men många tränar lite eller inte alls. Det finns många argument för att träna och många för att inte träna.

 D Titta i rutan här nedanför på några vanliga argument. Person A väljer ett argument och person B försöker hitta motargument. Byt sedan roller. Exempel:

> – Jag får ont i knäna om jag springer.
> – Du kan ta det lugnt i början, gå snabbt och springa bara lite. Så bygger du upp musklerna i benen. Sedan kan du springa lite mer och gå lite mindre varje gång du är ute.

Jag får ont i knäna om jag springer.
Det är roligare att titta på teve än att träna.
Alla på gymmet ser så snygga, smala och starka ut. Jag känner mig ful.
Jag har inte tid att träna. Jag jobbar jättemycket och har en stor familj.
Jag gillar inte att bli svettig.
Det kostar så mycket att träna.
Det är jobbigt att träna.

Unga svenskar motionerar ganska mycket. I åldern 7–19 år är det 85 procent som motionerar minst en gång i veckan. Av dem som är mellan 20 och 29 år är siffran 77 procent.

Källa: Ungdomsstyrelsen 2013

Jag springer 2 mil jättesnabbt.
Idrott är fantastiskt roligt.

Adverb

 E Titta på meningarna här nedanför. Är de understrukna orden adjektiv eller adverb?

De har en snabb bil.   Bilen är otroligt snabb.
De kör snabbt.   De kör otroligt snabbt.

F Adjektiv beskriver substantiv och pronomen. Vilka ordklasser beskriver adverb?

G Läs texten tillsammans och stryk under alla adjektiv och adverb.

Jag sover ofta djupt på natten och jag är väldigt trött när jag vaknar. Men jag tar en kall dusch så att jag blir pigg och sedan sätter jag på mig träningskläderna. Innan jag springer äter jag en banan och lyssnar på radio. Jag brukar sjunga lite till musiken men jag sjunger otroligt falskt. Varje morgon springer jag fem kilometer. Först springer jag långsamt men när jag blir svettig börjar jag springa snabbt. Det är härligt att springa!

H Välj adverb ur rutan här nedanför och säg olika exempel med dem. Exempel:

– Jag läser långsamt.

– Min pappa kör långsamt.

långsamt	dåligt	vackert	slarvigt
snabbt	falskt	djupt	ordentligt

ÖB 1:1–3

Jag tränar en gång i månaden.	Tidsprepositioner:
Jag tränar en gång om dagen.	Hur ofta?
Jag tränar i 20–40 minuter.	Hur länge?
Jag springer 5 kilometer på 30 minuter.	Hur snabbt?
Jag joggade för två veckor sedan.	När (preteritum)?
Jag ska delta i triatlon om ett halvår.	När (presens futurum)?

I Säg exempel med tidsprepositionerna.

– Jag åker till London om en vecka.

– Jag diskar två gånger om dagen.

ÖB 1:4

2 Sport och träning

 A Titta i rutan här nedanför. Diskutera:

- Vilka sporter är populära i andra länder?
- Vilka sporter tror ni är populära i Sverige?
- Vilka sporter tycker ni bäst och sämst om? Varför?

badminton	handboll	skateboard
bandy	hästpolo	skridskoåkning
basket	innebandy	snowboardåkning
bordtennis	ishockey	stavgång
cykling	kampsport	styrketräning
dans	längdskidåkning	surfning
e-sport	löpning/joggning	tennis
fotboll	orientering	utförsåkning/slalom
golf	ridning	volleyboll
gympa/aerobics	simning	yoga

B Välj några sporter ur rutan. Vad behöver man för utrustning och egenskaper för respektive sport? Välj ur rutan här nedanför eller hitta på egna saker. Exempel:

– För bandy behöver man skridskor, en klubba och en hjälm. Man måste ha bra kondition och vara stark och snabb. Och man måste ha bra bollkänsla.

Utrustning		**Egenskaper**
träningsskor	en racket	ett glatt humör
en skivstång	ett nät	tålamod
badkläder (badbyxor/	en puck	styrka
baddräkt)	ett skydd	kondition
simglasögon	musik	envishet
en hjälm	pjäxor	taktkänsla
en boll	skridskor	snabbhet
en dator	skidor	taktik
ett mål	löparskor	bollkänsla
stavar		uthållighet
en klubba		fantasi
en kompass		intelligens

Sportsnack

Alla områden i livet har sina speciella ord och uttryck. På sport- och motions-området finns förstås alla redskap och kläder, men också många andra ord som har att göra med sport och motion.

 C Läs dialogerna i par. Vilken sport eller motionsform talar personerna om? (2)))
Det finns en sport för mycket.

> gym   simning   tennis
> golf   löpning   ridning

1 _____

– Jag har sådan träningsvärk!
– Varför då?
– Jag körde tolv kilometer igår.
Och sedan glömde jag stretcha.
– Oj då, det är viktigt att stretcha.
– Ja, jag vet.

2 _____

– Kan jag gå emellan?
– Ja, vänta lite, jag ska bara göra tjugo till.
– Vad ska du köra sedan?
– Biceps.

3 _____

– Vem vann matchen igår?
– Det gjorde Pelle.
– Jaha. Han har hårda servar.

4 _____

– Hallå! Kan ni skynda på lite?
– Ta det lugnt. Det blir er tur sedan!
– Ja, men nu har vi väntat här på tredje hålet i tjugo minuter. Man ska faktiskt släppa igenom dem som spelar snabbare.
– Vi var här först.
– Men, kan ni inte reglerna?!

5 _____

– Hur många längder har du kört nu?
– Hmm ... trettiotre tror jag.
– Ska vi ta sextio längder? Det blir en och en halv kilometer.
– Ja, det blir bra. Jag har mest kört rygg. Jag ska nog byta nu.
– Ja, det är bra att variera träningen.
– Ska vi bada bastu sedan?
– Ja, vad skönt!

D Lyssna på dialog 5 på föregående sida igen. Vilka ord har betoning? Ringa in dem. Exempel:

– Hur många (längder) har du (kört) (nu?)

E Lyssna igen. Har de betonade orden lång vokal eller lång konsonant? Markera. Exempel:

– Hur många längder har du kört nu?

F Lyssna igen. Vad uttalar vi inte? Markera.

3 Fritid

Vad gör vi på fritiden?

I en undersökning av SOM-institutet fick 9 000 svenskar i åldrarna 15–85 år svara på frågor om livsstil och fritidsvanor. Här är exempel på aktiviteter som svenskarna säger att de har gjort minst någon gång i månaden de senaste tolv månaderna.

 A Titta på listan. Vilka saker har ni gjort det senaste året?

- Arbetat i trägården/odlat på balkongen
- Bakat/syltat/saftat
- Spelat teater/deltagit i lajv
- Sjungit i kör
- Besökt gudstjänst eller religiöst möte
- Skrivit dagbok/poesi
- Motionerat
- Besökt bibliotek
- Gått på teater

B Gissa hur många procent av svenskarna som uppgav de olika alternativen i A. Välj ur rutan. Se sedan facit längst ner på sidan.

65%	2%	4%	7%	1%
13%	20%	38%	55%	

C Vad brukar folk i andra länder göra på fritiden? Berätta för varandra.

D Rätt eller fel? Läs meningarna här nedanför innan ni läser texten *Fritid förr och nu* och gissa om de är rätt eller fel.
Skriv R (rätt) eller F (fel) vid varje påstående.

1 Ordet *fritid* är ganska nytt i svenskan. _____

2 På 1930-talet ville staten vara med och påverka vad svenskar gjorde när de var lediga. _____

3 Staten tyckte att segling var en bra fritidsaktivitet på 1930-talet. _____

4 Ungefär lika många kvinnor som män arbetade på 1930- och 40-talet i Sverige. _____

5 På 1940-talet ordnade man speciella sommarläger för kvinnor där de kunde slippa allt hushållsarbete. _____

6 En majoritet av dagens svenskar tycker att de har en dålig balans mellan fritid och arbete. _____

 E Jämför era svar med era grannar.

F Leta efter svaren i texten på s. 16–17. Läs inte hela texten. Hade ni gissat rätt?

G Läs hela texten.

Arbetat i trädgården/odlat på balkongen 55 %, bakat/syltat/saftat 38 %, spelat teater/deltagit i lajv 1 %, sjungit i kör 4 %, besökt gudstjänst eller religiöst möte 7 %, skrivit dagbok/poesi 13 %, motionerat 65 %, besökt bibliotek 20 %, gått på teater 2 % (Källa: SOM-institutet 2012)

Fritid förr och nu

Att ha något att göra på sin fritid är viktigt för många. Enligt en undersökning har nästan alla i Sverige någon typ av intresse eller hobby som de sysslar med på fritiden, i genomsnitt 2,5 intressen per person. Och 95 procent av svenskarna säger att de blir lyckliga av sina fritidsintressen.

Ordet "fritid" är historiskt sett ganska nytt. På 1800-talet, före Sveriges industrialisering, var det bara överklassen som hade ett fritidsliv då de kunde syssla med olika trevliga aktiviteter. De flesta andra människor arbetade hårt i jordbruket från tidig morgon till sen kväll. Under den arbetsfria tiden behövde de vila för att orka med nästa arbetsdag. I slutet av 1800-talet och början av 1900-talet, när den industriella revolutionen började i Sverige, växte en ny samhällsklass fram, arbetarklassen. Många lämnade jordbruken och flyttade till städerna för att arbeta inom industrin. Arbetarna jobbade en stor del av dygnet och hade inte många lediga dagar.

I mitten av 1930-talet var Sverige på väg att få en lag som gav alla rätt till två veckors semester och staten tyckte att det var viktigt att människor använde sin ledighet till något meningsfullt. Man var orolig att arbetarna skulle få sämre moral om de inte använde fritiden på ett bra sätt. Därför ordnade man år 1936 en stor nationell fritidsutställning, *Fritiden*, i Ystad. Utställningen skulle hjälpa människor att hitta passande fritidsaktiviteter. Mer än

I utställningskatalogen kunde man bl.a. läsa att "fritiden skall skapa lyckliga, harmoniska människor". "

250 000 personer besökte utställningen och i samband med den blev begreppet fritid känt bland de flesta. I utställningskatalogen kunde man bl.a. läsa att "fritiden skall skapa lyckliga, harmoniska människor". Folk skulle använda fritiden till att bli friska och hälsosamma människor som sedan presterade bättre när de kom tillbaka till arbetet. Intellektuella och kulturella aktiviteter var lämpligt att syssla med på fritiden. Frimärks- och fjärilssamling gick bra. Andra exempel på bra aktiviteter var friluftsliv och cykling. Att lata sig och dricka alkohol var naturligtvis inte bra, men inte heller att syssla med dans, segling eller golf.

På den tiden hade kvinnorna inte lika stor möjlighet som männen att vila under semestern. Kvinnorna hade, mer än idag, ansvar för hushållet och så var det förstås också på semestern. Därför ordnade man på 1940-talet s.k. husmorssemestrar, då kvinnorna kunde åka iväg ett par dagar för att koppla av och slippa allt hushållsarbete.

Vad är då svenskar intresserade av idag? Musik, resor, mat och media toppar listan över svenskars fritidsintressen. Träning, husdjur, inredning, trädgård, litteratur och språk är också populärt. Det verkar vara mindre intressant att spela teater och läsa poesi.

Svenskar gör mycket mer på fritiden nu än förr och en del säger att de känner sig stressade när de är lediga. Det kan också vara svårt att kombinera fritid, familjeliv och arbete. Men en europeisk undersökning visar att åtta av tio svenskar tycker att de har en bra balans mellan arbete och fritid. Enligt samma undersökning är schweizarna mest nöjda. Bara 16 procent menar att arbetet tar för mycket tid. Minst nöjd är man i Storbritannien, där fyra av tio säger att deras arbete är så stressigt att det påverkar deras fritid negativt. ∎

H   Kommer du ihåg vad siffrorna stod för?

250 000   95 %   åtta av tio   2,5   16 %

 I   Skriv 6–7 frågor om texten *Fritid förr och nu*. Ställ frågorna till
paret bredvid.

J   Stryk under de 7 första substantiven i texten *Fritid förr och nu*.
Är de i obestämd eller bestämd form? Singular eller plural?
Skriv orden i alla fyra former. Se Minigrammatik s. 279.
Tänk på att det finns ord som inte har någon pluralform.

 K   Lyssna på två personer som pratar om fritid. Skriv nyckelord.

L   Lyssna igen och svara på frågorna.

1   a   Vad tycker mannen om löpning?
    b   Vad gillar han att göra på fritiden?

2   a   Vad gör kvinnan när hon kommer hem från jobbet?
    b   Varför ska hon börja träna?
    c   Vad händer imorgon?

Sveriges första semester-
lag kom 1938. Då fick alla
rätt till två veckors betald
semester. År 1951 beslu-
tade riksdagen om tre
veckors semester och tolv
år senare, 1963, ökade det
till fyra veckor. Sedan 1979
har alla rätt till fem veckors
semester.

ÖB 1:5–9

Skriv!

Ibland vill man skriva till klubbar, organisationer och liknande för att få information eller för att bli medlem. Välj en av uppgifterna. Fantisera gärna.

- Du vill utbilda dig till gyminstruktör. Skriv ett mejl till en idrottsförening som har den typen av utbildning. Skriv lite om dig själv och varför du vill bli gyminstruktör.

- Du är duktig på att spela schack och vill bli medlem i en schackklubb och kanske börja tävla. Skriv kort om dig själv i ett mejl och be att få mer information.

- Du spelar mycket dataspel och vill börja med e-sport. Skriv ett kort mejl till Svenska e-sportföreningen. Presentera dig och be om mer information.

Berätta varför man skriver
Jag skriver till er för att ...
Anledningen till att jag skriver är ...
Jag har alltid varit intresserad av ...
Jag är mycket intresserad av ...
Jag skulle vilja ...

Berätta hur man har hittat klubben eller organisationen
Jag hittade ... på nätet.
Jag har hört talas om er genom kolleger/kurskamrater ...

Be om information
Kan ni/Skulle ni kunna skicka lite information om ...?
Jag vore tacksam om ni kunde ...

Avsluta
Tack på förhand!
Vänligen ...
Vänliga hälsningar ...
Hälsningar ...

Vanliga förkortningar

t.ex.	till exempel	etc.	et cetera
o.s.v.	och så vidare	bl.a.	bland annat
m.m.	med mera	d.v.s.	det vill säga
p.g.a.	på grund av	s.k.	så kallad/t/de

1 Vänner

 A Läs citaten om vänskap här nedanför.
Förklara med egna ord vad de betyder. Håller ni med?

5))

> Goda vänner kan göra allting tillsammans men bara de bästa vännerna kan göra ingenting tillsammans.
> A.A. MILNE

> Bättre ensam än i dåligt sällskap.
> ITALIENSKT ORDSPRÅK

> Gamla vänner och gamla skor är bekvämast.
> GREGORY PECK

> Den som är god vän med alla är inte vän med någon.
> DROTTNING KRISTINA

> Det är lättare att förlåta en fiende än en vän.
> FRIEDRICH NIETZSCHE

> Det är de vänner som man kan ringa till klockan fyra på natten som räknas.
> MARLENE DIETRICH

> Jag känner honom så väl att jag inte har pratat med honom på tio år.
> OSCAR WILDE

B Diskutera vilket citat ni tycker bäst respektive sämst om.

C Berätta för paret bredvid vilka citat ni valt och varför.

D När lärde du senast känna en ny person? Berätta för din partner.

E Hur skaffar man nya vänner? Diskutera och gör en lista med fem olika idéer.

Man kan skaffa vänner på många olika sätt.
Man kan till exempel ... men ett problem med den metoden är att ...
Ett annat sätt är att ... Det kanske är bättre eftersom ...

F Berätta för paret bredvid om era förslag. Diskutera de olika sätten.
   Vad har de för fördelar och nackdelar?

G Titta på orden i rutan. Vilka egenskaper är viktiga hos en vän? Markera
   dem med +. Vilka egenskaper är inte viktiga? Markera dem med –.

Adjektiv			Substantiv
ärlig	rolig	religiös	icke-rökare
generös	sportig	musikalisk	djurvän
utåtriktad/social	snygg	hjälpsam	vegetarian
händig	intelligent/smart	pratsam	nykterist
lojal	pålitlig	spontan	
äventyrlig	rik	modeintresserad	

ÖB 2:1

H Jämför din lista med din partners lista. Diskutera era val.

Om man inte vill skriva eller säga *han eller hon* kan man använda *hen*, ett könsneutralt pronomen.

För mig är det viktigt att han eller hon är …
En riktig vän måste vara …, men han eller hon behöver inte vara …
Det är bra/en fördel om han eller hon är …, men det är inte jätteviktigt.
För mig spelar det (absolut) ingen roll om han eller hon är …

Tycka detsamma
Jag håller med./Det tycker jag också.
Det tycker inte jag heller.

Tycka olika
Ja kanske, men för mig är det viktigare att han eller hon är …
Ja, det är möjligt, men jag tycker …
Nja … Det beror på …

Tycka helt olika
Va? Tycker du?

I Lyssna på telefonsamtalet mellan Ville och Rasmus. (6))

J Kombinera meningar med ungefär samma betydelse.

1 Något i den stilen.	a	Är det sant!
2 Vad säger *du*?	b	Ringa.
3 Lägg av!/Du skojar!	c	Kontakta någon.
4 Slå en signal.	d	Hälsa på.
5 Titta förbi.	e	Vad tycker du?
6 Höra av sig.	f	Du också.
7 Du med.	g	Ungefär så.

K Lyssna igen och svara på frågorna.

  1 Vad jobbar Ville med?

  2 Varför flyttade Rasmus till Östersund?

  3 Hur länge har Rasmus och Lena bott i Östersund?

  4 Hur fick Rasmus nya kompisar i Östersund?

  5 Vad gjorde de tillsammans?

  6 Vad gör Ville med sina kurskompisar från universitetet när de träffas?

  7 Vem är Karina?

  8 Vad jobbar hon med?

  9 När planerar Ville och Rasmus att träffas?

L Jämför era svar.

M Här är några fraser skrivna som man ofta uttalar dem. Hur skriver man dem på vanligt sätt?

  1 [hulängesenvare]

  2 [durå]

  3 [devisstejante]

  4 [hurereåbo]

  5 [ibörjanvare]

  6 [huskaffarunyjakompisarå]

  7 [ensåndä]

  8 [åbaravahemma]

  9 [senbörjajaträffaråmä]

  10 [harunånkontakt]

  11 [jaabörja]

  12 [vemede]

N Lyssna på samtalet igen och lyssna efter fraserna i uppgift M.

O Repetera reglerna för assimilationer och reduktioner i Uttal på s. 262.

2 Kompis.se

A Läs de tre inläggen i forumet om vänskap här nedanför.
Sammanfatta varje inlägg muntligt eller skriftligt med en eller två meningar.

igår 18.10

Bästizen
25 år, Sala

Min kompis och jag har känt varandra i mer än tjugo år. För ett år sedan skilde han sig och efter det är han som en annan person. Förut var han så sportig, pigg och fräsch, men nuförtiden är han slarvig och bara latar sig. Han luktar ofräscht. Han rakar sig inte och kammar sig aldrig. Håret är långt och smutsigt. Han borde verkligen klippa och tvätta sig! Ska jag säga något till honom eller är det oartigt?

igår 20.37

Naiv
47, Göteborg

Nu har det hänt igen. Jag har lånat ut pengar till min kompis trots att jag vet att det är jättedumt. Oj, vad jag ångrar mig! Jag har lånat ut pengar en massa gånger men jag får aldrig tillbaka dem. Min kompis är hopplös med pengar, men hon är ju ändå min bästa kompis. Vad ska jag göra?

igår 23.42

Kärochgalen
33, Ystad

Jag har ett hemskt problem. Jag har blivit kär i min bästa väns flickvän! Jag är säker på att hon älskar mig också. Vi brukar träffas alla tre och göra saker tillsammans. När vi gick ut alla tre förra veckan viskade hon att hon ville träffa mig ensam, i hemlighet. Efter det har hon skickat sms till mig och ibland ringer hon på nätterna. Hon är så snygg och rolig, men hon är ju tillsammans med min bästa vän och jag vet att han vill gifta sig med henne. Jag känner mig desperat! Jag tänker på henne hela tiden. Jag kan inte somna på kvällarna och försover mig ofta på morgnarna. Och på jobbet kan jag inte koncentrera mig. Hjälp mig!

B Läs de olika kommentarerna/svaren här på nästa sida. Vilka inlägg hör de till? Det finns två kommentarer till varje inlägg.

a Jag tycker att du ska lyssna till ditt hjärta. Om ni älskar varandra måste ni
   berätta det för din vän. Du förlorar en vän, men vinner en flickvän.

b Din vän går igenom en kris efter skilsmässan. Var en riktig vän och försök att
   göra honom glad igen. Bry dig inte om att han luktar.

c Du måste akta dig för att låna ut pengar till din vän. Säg att du inte har några
   pengar nästa gång hon frågar.

d Jag tycker att man alltid ska vara ärlig mot sina vänner. Säg sanningen, att han
   behöver en uppfräschning! Och att han måste börja aktivera sig igen. Ingen
   tycker om en soffpotatis! Gå tillsammans och simma en gång i veckan.
   Ge honom en klippning på fin salong i födelsedagspresent. Tipsa också om
   att han kan anmäla sig till en danskurs. Snart kommer han att bli som förr.

e Jag tycker att du och din vän ska sätta er och prata ut om det här problemet.
   Förbered dig innan ni träffas. Skriv upp hur mycket pengar hon är skyldig dig.
   Gör en plan för hur hon kan betala tillbaka. Om det inte hjälper ska du kanske
   kontakta polisen.

f Du och din kompis flickvän kan inte bli lyckliga tillsammans. Tänk på att hon är
   oärlig mot sin pojkvän/din vän. Hon kanske är oärlig mot dig också senare. Jag
   tycker att du ska berätta allt för din kompis. Vänskap är viktigare än kärlek!

C Diskutera de olika svarsalternativen. Vilket/vilka tycker ni är bäst?
   Finns det något bättre alternativ?

Jag tycker att det här är en fantastisk/bra/dålig/usel idé, för att …
Nej, fy, så kan man inte göra mot en vän. Det är fräckt/osjyst/taskigt.
Nja, det är inte så snällt/sjyst/bussigt att …
Man skulle kunna … istället.
Det skulle vara bättre/sjystare/bussigare att …
Skulle det inte vara bättre att …?

D Berätta för paret bredvid vad ni tycker.

För ett år sedan skilde han sig.
Han rakar sig inte och kammar sig aldrig.

Reflexiva verb

Hon kammar sig.

Hon kammar henne.

E Stryk under alla reflexiva verb ni kan hitta i inläggen och svaren på s. 24–25.
Vad betyder de?

Pronomen

Subjekt	Objekt	Reflexiva
jag	mig*	mig*
du	dig*	dig*
han	honom	sig
hon	henne	sig
man	en	sig
den	den	sig
det	det	sig
vi	oss	oss
ni	er	er
de**	dem**	sig

* I informella texter skriver man ibland *mej* och *dej*.
** I informella texter skriver man ibland *dom* för både *de* och *dem*.

F Säg rätt pronomen.

1 Axels flickvän är i USA just nu. Han tänker ofta på (1) …. (2) … chattar med
   varandra varje dag. Igår frågade hon (3) … om (4) … ville komma och hälsa
   på i USA. Han har inte bestämt (5) … för om han ska åka ännu.

2 Vi har blivit mycket intresserade av tango, så nu har vi anmält (1) … till en
   danskurs. Vi har ringt Arne och Linn och frågat (2) … om de också vill börja.
   Linn sa att det var en bra idé, för de behöver aktivera (3) …. De ligger mest
   och latar (4) … i soffan.

ÖB 2:2

G Titta på de reflexiva verben i rutan. Vilka hör ihop, tycker ni?
Sortera dem i grupper och motivera varför de hör ihop. Gör gärna roliga
förslag. Diskutera olika alternativ. Exempel:

– Bestämma sig, förbereda sig, gifta sig, ångra sig och skilja sig,
för alla hör ihop med att gifta sig.

akta sig	förbereda sig	koncentrera sig	skilja sig
aktivera sig	försova sig	känna sig	sätta sig
anmäla sig	gifta sig	lata sig	torka sig
bestämma sig	kamma sig	lägga sig	tvätta sig
bry sig om	klippa sig	raka sig	ångra sig

H Skriv korta texter med samma verb. Exempel:

Kalle och Charlotte har bestämt sig för att gifta sig. De förbereder sig
mycket noga för bröllopet. På bröllopsdagen kommer de för sent till kyrkan.
Det blir en stor katastrof. Kalle ångrar sig och efter ett halvår skiljer de sig.

ÖB 2:3

> Jag har lånat ut pengar en massa gånger
> men jag får aldrig tillbaka dem.
>
> Jag tycker att man alltid ska vara ärlig mot sina vänner.
> Om det inte hjälper ska du kanske prata med polisen.

Huvudsats

Bisats

I Titta på meningarna i fokusrutan. Hur är ordföljden (subjekt, verb, satsadverb)
i huvudsats respektive bisats?

J Läs meningarna och stryk under huvudsats (H) och bisats (B). Exempel:

Ska jag säga åt honom att han borde tvätta sig?
    H   B

1 När vi var ute förra veckan sa hon att hon ville träffa mig ensam.

2 Efter det har hon skickat sms till mig och ibland ringer hon på nätterna.

3 Jag tycker att du ska berätta allt för din kompis.

4 Säg till din kompis flickvän att hon måste sluta kontakta dig.

5 Om ni älskar varandra måste ni berätta det för din vän.

ÖB 2:4–5

3 Tre kulturpersonligheter runt 1900

 A Det här är Ernest Thiels liv i koncentrat. Fantisera om hans liv med hjälp av nyckelorden.

> bankkarriär → mycket rik → fyra barn → skiljer sig → gifter om sig →
> konstnärer och fester → konstsamling → palats → kärleken tar slut →
> förlorar mycket pengar

 B Lyssna på texten *Ernest Thiel* utan att titta i boken och anteckna nyckelord. Jämför med en partner. Har ni antecknat samma saker?

C Läs texten.

Ernest Thiel (1859–1947)

I mars 1907 hade bankdirektör Ernest
Thiel en stor maskeradbal i sitt palats på
Djurgården i Stockholm. Under Rosen-
balen, som den kallades, var väggarna
dekorerade med rosor och rosenblad föll
som snö från taket. Skådespelare, förfat-
tare, filosofer och konstnärer dansade och
drack champagne hela natten. På fotot från
festen (s. 32) ser vi bland andra författaren
Hjalmar Söderberg i frack och konstnären
Eugène Jansson som sjöman.

Ernest Thiel målad av Eugène
Jansson 1902.

Ernest Thiel var vid den här tiden en
av Sveriges absolut rikaste personer. Han
hade precis byggt klart sitt palats som bostad och galleri för sin privata
konstsamling. Thiel började sin karriär på bank. Han gjorde praktik utom-
lands, skaffade kontakter och lärde sig tyska och franska. Han jobbade
ett tag på familjen Wallenbergs bank och lärde känna Knut Wallenberg.
Tillsammans finansierade de många projekt: de byggde förorten Saltsjö-
baden och järnvägslinjer för gruv- och skogsindustrin i det expanderande
Sverige. Thiel finansierade också det nya operahuset i Stockholm. Han blev
mycket rik och investerade sina pengar i aktier.

Ernest Thiel gifte sig med Anna Josephson som kom från en av de äldsta judiska släkterna i Sverige. De levde ett borgerligt liv med sträng moral och tydliga regler. Hos familjen umgicks släktingar och kollegor från finans-världen. De hade fyra barn tillsammans och väntade sitt femte. Men innan barnet föddes lämnade Ernest sin fru. Han var kär i Signe Hansen som var barnens privatlärare och Annas sällskapsdam. Skandalen blev stor. På den här tiden var en skilsmässa något ovanligt och skamligt.

Med Signe började en ny period. Hon kände många konstnärer och filosofer som hon introducerade för Ernest. De reste runt i Europa, tittade på konst och träffade kändisar. Ernest började samla på samtida konst. Det var viktigt för honom att lära känna konstnärerna och han hjälpte dem också ekonomiskt. De närmaste konstnärsvännerna var Carl Larsson, Eugène Jansson och Bruno Liljefors. Ernest lärde också känna den norske konstnären Edvard Munch och byggde upp en av de största Munchsamling-arna utanför Norge. Bland hans vänner fanns också flera stora författare, bland andra Hjalmar Söderberg.

Ernests konstsamling växte och lägenheten blev för liten. Det var nu som han byggde palatset på Djurgården för Signe och deras två barn. Inne-arkitekten Ferdinand Boberg ritade det stora huset. Några lyckliga år följde med vänner, konst och många fester. På tisdagar var det spelkväll hemma hos Thiel, och Jansson och Söderberg var ofta där och spelade kort eller schack.

Men efter en tid började det gå sämre. Förhållandet med Signe tog slut och hon flyttade ut. Några år senare dog hon av en överdos morfin, kanske var det ett självmord. På tjugotalet förlorade Thiel nästan alla sina pengar. Han blev tvungen att sälja palatset och hela konstsamlingen till staten som gjorde om privatpalatset till ett museum, öppet för alla. När han dog var han långt ifrån Sveriges rikaste man. Än idag finns den fantastiska samlingen i det vackra palatset på Djurgården i Stockholm. Förutom Jansson, Liljefors och Larsson kan du se tavlor av Ernst Josephson, Edvard Munch, August Strindberg (författaren som också målade) och Anders Zorn.

 D En av er läser texten om Eugène Jansson på s. 30, den andra läser texten om Hjalmar Söderberg på s. 31. Gör en lista över viktiga ord i din text. Skriv nyckelord från texten och öva att berätta om personen.

E Gå igenom listorna med nya ord tillsammans. Förklara för varandra vad orden betyder.

F Berätta om personerna för varandra. Kontrollera ibland att den andra
   förstår och säg till om du inte förstår.

Be om hjälp	Fråga
Nej, nu förstår jag inte precis. Vad är ...?	Förstår du?
Kan du prata lite långsammare?	Är du med?
Vänta, vänta! Jag hänger inte med riktigt!	Hänger du med?

Eugène Jansson (1862–1915)

Jag. Självporträtt av Eugène Jansson 1901.

Eugène Janssons kallas ofta "blåmåla-
ren" för hans mest kända målningar
är stora, ofta mörka, suggestiva mål-
ningar med grynings-, skymnings- och
nattmotiv från Stockholm. Från sitt
hem på Södermalm hade han utsikt
över Riddarfjärden. Ernest Thiel lärde
känna konstnären när han letade
efter svensk konst att köpa. Han köpte tre tavlor redan vid första besöket i
Janssons ateljé och byggde snart upp en stor samling. Thiel hjälpte Jansson
ekonomiskt så att han kunde resa ut i Europa – till Frankrike, Tyskland och
Italien – för att gå på museer och njuta av livet.

Jansson kom från en kulturintresserad familj. Hans föräldrar hoppades
att han skulle bli musiker, men stöttade honom när han bestämde sig för
att bli konstnär. Han studerade på Konstakademien men tog inte examen.
Undervisningen där var omodern och Jansson gick med i en grupp som hette
Opponenterna som försökte förändra konstutbildningen. Han var också med
och startade ett fackförbund för konstnärer – Konstnärsförbundet.

Janssons blå målningar var inte populära från början, men med hjälp av
Thiels stöd blev han en etablerad konstnär. Efter några år tröttnade han på
sina blåa motiv. Han började måla nakna män istället, både gymnaster och
akrobater och motiv från badhus. De flesta av männen blev hans vänner,
några hans älskare och en av dem, Knut Nyman, blev hans partner.

Jansson var sjuk sedan barndomen. Han hade problem med hjärtat och
var nästan döv. Han dog också tidigt. Efter Janssons död brände hans bror
alla hans teckningar och brev, eftersom homosexualitet var förbjudet på
den tiden. I konsthistorien fokuserade man länge på hans blå period, men
på senare år har man också börjat upptäcka och ställa ut nakenmåleriet.

Hjalmar Söderberg (1869–1941)

10))

Hjalmar Söderbergs mest kända bok heter *Doktor Glas* och är en dagboks-roman som handlar om en läkare som blir kär i en gift kvinna, Helga. Hon är gift med den hemska pastor Gregorius men har en affär med en annan man. Doktor Glas dödar pastor Gregorius för att hjälpa Helga. När boken kom tyckte många att det var konstigt att Glas inte ångrar sig efter mordet på Gregorius. Söderberg blev tvungen att poängtera att han själv inte skulle kunna mörda någon.

Söderberg började sin karriär som journalist på Svenska Dagbladet. När han debuterade som författare vid 26 års ålder var han redan etablerad journalist. Han skrev romaner och noveller och översatte också flera franska författare.

Söderberg var gift med Märta Abenius och de hade tre barn. På en semester i Skåne träffade han en dansk kvinna som han blev kär i. Men det var svårt att skilja sig på den här tiden. Med hjälp av mäktiga vänner lyckades Söderberg få Märta intagen på sinnessjukhus, trots att hon inte var psykiskt sjuk. På så sätt kunde han skilja sig. Resten av sitt liv bodde Hjalmar Söderberg i Köpenhamn och han dog också där. I slutet av sitt liv var han aktiv mot nazismen.

Hjalmar Söderberg lärde känna Thiel hos en gemensam författarvän. De blev snabbt vänner och Thiel hjälpte Söderberg både praktiskt och ekonomiskt. I palatset på Djurgården hade Söderberg till och med ett eget rum. Där bodde han flera perioder och skrev bland annat *Doktor Glas*. I en annan roman, *Den allvarsamma leken,* finns karaktären Henry Steel som har Thiel som förebild.

Söderberg och Thiel spelade gärna schack tillsammans hela nätterna. När de inte kunde träffas spelade de schack per brev. Det fortsatte de med hela livet. Breven innehöll också tankar om teater, politik, livet och deras vänskap, och Söderberg skickade ibland böcker som han tyckte att Thiel borde läsa. Thiel skrev i ett brev 1939 att vänskapen med Söderberg var en av ljuspunkterna i livet.

ÖB 2:6

Hjalmar Söderberg målad av Gerda Wallander 1916.

Rosenbalen i Thielska palatset.

 G Svara muntligt på frågorna. Titta inte i texterna.

1 Vad gjorde Ernest Thiel i mars 1907?

2 Hur började Thiel sin karriär?

3 Vem var Thiels första fru?

4 Hur var deras liv tillsammans?

5 Vad hände när de väntade sitt femte barn?

6 Vem var Signe Hansen?

7 Hur var livet tillsammans med Signe?

8 Varför byggde Thiel ett palats?

9 Hur dog Signe Hansen?

10 Hur slutade Thiels liv?

11 Varför kallas Eugène Jansson "blåmålaren"?

12 Vilka motiv målade Jansson i slutet av sin karriär?

13 Vad hände efter Janssons död?

14 Vad handlar romanen *Doktor Glas* om?

15 Vad hände Söderberg under en semester i Skåne?

16 Vad gjorde Thiel och Söderberg gärna tillsammans?

> Från 1864 kunde kvinnor studera vid Konstakademien. Men omkring 1900 blev könsrollerna mer traditionella. Flera kvinnor som haft framgång exkluderades när den svenska konsthistorien skrevs. Hanna Pauli, Eva Bonnier, Karin Larsson och Jenny Nyström är några som ändå förblivit kända.

H Välj ut två saker som du tyckte var intressanta i texterna om Thiel, Jansson och Söderberg. Berätta för varandra och motivera era val.

I Skriv en text om en konstnär från ett annat land. Eller skriv en text om vänskapen mellan två berömda personer från ett annat land.

J Berätta om personen/personerna för din partner.

K Ta reda på mer om någon/något av följande. Berätta för gruppen.

Hanna Pauli	Bruno Liljefors	August Strindberg
Familjen Wallenberg	Anders Zorn	Ferdinand Boberg
Edvard Munch	Carl Larsson	Eva Bonnier

ÖB 2:6–9

Skriv!

När man skriver mejl använder man ofta vissa fraser.
Skriv ett mejl till en person du känner. Välj en av uppgifterna.

- Skriv till en vän och berätta om något som har hänt.
- Skriv till en vän och berätta om en resa.
- Skriv till en vän som du inte har träffat på länge och berätta lite om ditt liv.

Hälsa och fråga hur någon mår

Hej …,
Hejsan …,
Kära …,
Allt väl?
Hur är läget?
Är allt bra med dig?

Börja berätta någon nyhet

Jag måste berätta något …
Har du hört vad som har hänt?
Det hände en så rolig sak …
Vet du vem jag träffade?

Berätta något från en resa

Nu är vi framme i …
Här är allting toppen/underbart/ härligt …
Vi har det jättebra här i …

Avslutningsfraser

Hoppas ni alla/du mår bra!
Hoppas att vi ses snart!
Längtar efter dig!
Sköt om dig!
Hälsa …!
Hör av dig snart!
Hälsningar …
Puss och kram …
Kramar …

1 Pengar, pengar ...

 A Titta på bilderna. Skriv ner 5–7 ord som du associerar med dem.

 B Jämför med två andra personer.

C Läs påståendena här nedanför och bestäm hur mycket du håller med.
Skriv en siffra intill varje påstående.

> 1 = håller inte alls med   3 = håller helt och hållet med
> 2 = håller delvis med   0 = vet inte/ingen åsikt

_____ Världen skulle vara bättre utan pengar.

_____ Man ska aldrig låna ut pengar till andra för man riskerar att inte få tillbaka dem.

_____ Det är roligare att ge än att få.

_____ Man behöver varken pengar eller status. Det finns annat som är viktigare i livet.

_____ Både pengar och fritid är jätteviktigt i livet.

_____ Ett jobb måste antingen vara kreativt eller ge hög lön.

_____ Man behöver inte spara pengar utan det är bättre att göra av med allt direkt.

D Jobba 3–4 personer tillsammans. Berätta vad ni tycker om de olika påståendena.
Motivera era åsikter.

... antingen vara kreativt eller ge hög lön.
... både mycket pengar och fritid.
... varken pengar eller status.
Man behöver inte spara pengar utan det
är bättre att göra av med alla direkt.

Konjunktioner

E Titta på exemplen med konjunktioner i fokusrutan.
Matcha konjunktionerna med betydelserna här nedanför.

1 x och y   _____

2 inte x men y   _____

3 x eller y   _____

4 inte x inte y _____

F Säg exempel med konjunktionerna i fokusrutan. Exempel:

– Vi kan antingen ta bussen eller tåget till stan.

ÖB 3:1

G Läs de fyra citaten här nedanför. Förklara med egna ord vad de betyder.   (11))
Håller ni med?

> Pengar gör dig inte lycklig,
> men de lugnar nerverna.
> SEAN O'CASEY

> Pengar gör ingen lycklig,
> men jag gråter hellre i en
> Jaguar än på en buss.
> FRANÇOISE SAGAN

> Rikedom är som havsvatten,
> ju mer man dricker desto
> törstigare blir man.
> ARTHUR SCHOPENHAUER

> Pengar öppnar alla dörrar
> utom himlens.
> TRADITIONELLT ORDSPRÅK

H Kan ni några andra citat eller ordspråk om pengar och rikedom?
Sök på svenska på nätet. Berätta för varandra vad ni har hittat.

> Ju mer man dricker,
> desto törstigare blir man.

> Konjunktioner: *ju … desto*
> *ju* + adjektiv i komparativ + subjekt + verb
> *desto* + adjektiv i komparativ + verb + subjekt

 I Komplettera fraserna muntligt. Använd fantasin. Exempel:

— Ju mer pengar man har, desto mer kan man köpa.

1 Ju mer pengar man har …

2 Ju mer man arbetar …

3 Ju hårdare man tränar …

4 Ju kallare det är … ÖB 3:2

2 Vad drömmer vi om?

Tänk att ha så mycket pengar att man kan göra precis vad man vill.
Man kanske vill fira jul på Bahamas, köpa en lyxvilla eller sluta jobba och
bara syssla med sina intressen. Frågan är hur vanlig drömmen om att ha
mycket pengar är. I en undersökning fick svenskar svara på frågan "Vad
drömmer du om i livet?" Det visade sig att hälften av alla svenskar vill bli
ekonomiskt oberoende. Men det populäraste svarsalternativet var "att bli/
vara frisk" (68 %).

Källa: Drömbarometern 2013

 A Vad drömmer ni om i livet? Välj alternativ i rutan här nedanför eller
hitta på egna saker. Berätta för varandra.

> ett friskt och långt liv   balans i livet   träffa en idol
> det perfekta jobbet   kärlek   resa till rymden
> ekonomisk frihet   resa   vara vacker hela livet

 B Tänk på möjliga och omöjliga sätt att bli rik. Gör en lista över 10 sätt.
Exempel:

> *Spela gitarr och sjunga på gatan*
> *Råna en bank*

Kopiering av detta engångsmaterial är förbjuden enligt lag och gällande avtal.

C Diskutera för- och nackdelar med de olika metoderna.

- Är de snabba, svåra, lagliga, moraliska, praktiska o.s.v.?
- Hur behöver man vara som person för att lyckas med de olika metoderna? Välj adjektiv ur rutan eller hitta på egna.

modig	tålmodig
smart	stark
bra på matte	arbetsam
musikalisk	snygg
oärlig	fräck

$$\frac{n^2 - 3n + 4}{2}$$

Å ena sidan är det … men å andra sidan är det …
Det är ganska …, men det är också ganska …
Ett bra sätt kan vara att … Men det finns ett problem med den metoden …
Att … är en annan idé. Det är lagligt, men …
För att lyckas med den metoden måste man vara …

D Ulf och Jenny berättar om hur de blev rika.
Titta på nyckelorden i rutan och gissa hur de gjorde för att bli rika innan du lyssnar.

13))

> Ulf: salamikorvar, aktier, datorer, singlar, hunddagis
> Jenny: jobbar hårt, bankkonto, 10 år, skrapar lotter

E Lyssna på Ulfs och Jennys berättelser och anteckna det viktigaste.

F Jämför dina anteckningar med en eller två andra. Stämde era idéer?

Prat om pengar

Många tycker att det är ofint att prata om pengar. Man brukar till exempel inte fråga bekanta vad de tjänar. Men om man känner någon väl pratar man kanske mer om pengar. Och många samtal handlar om vad saker kostar och vad man ska köpa. På nästa sida kan du läsa fem samtal om pengar.

G Vad pratar de om? Välj ord ur rutan och skriv dem ovanför varje text. (14)))
Det finns ett alternativ för mycket.

> arbetslöshet   sjuklön   veckopeng   husköp   lön   skatter

1 _____

– Å, vad fint! Får jag fråga vad ni fick
ge för det?
– Knappt sju miljoner.
– Och vad fick ni för det ni sålde?
– Drygt sex miljoner, så vi behövde
inte låna så mycket.

2 _____

– Hur klarar du dig nu när du har
a-kassa?
– Ganska okej. Jag får 80 % av lönen
och sedan har jag sparat lite pengar.
Men jag har inte råd att gå ut och äta
så ofta nuförtiden.
– Nej, det är klart.

3 _____

– Får du några pengar nu när du är
sjuk?
– Första dagen är ju karensdag, så då
får jag ingenting. Sedan får jag 80 %
av lönen.
– Det är inte så dåligt.

4 _____

– Hur mycket tjänar du egentligen?
– Hmm. Det är lite privat men jag
tjänar ungefär 35 000. Du då?
– Mycket mindre. Jag förhandlade så
dåligt när jag började. Nu är det svårt
att höja.

5 _____

– Jag behöver mer, mamma!
– Ja men du får ju 100 kronor i veckan.
Är inte det lagom?
– Näe, det är pyttelite! Det räcker inte
till någonting!
– Hmm. Priserna har nog gått upp lite
sedan jag var barn.

 H Säg egna exempel med orden i rutan.

– Lägenheten kostar knappt 3 miljoner, 2 850 000.

> knappt   lagom   hälften   räcka
> drygt   pyttelite   ha råd   förhandla

3 Jobbet – himmel eller helvete?

En del hoppar upp ur sängen på morgonen för att springa till jobbet. Andra ser en lång tråkig arbetsdag framför sig och vill hellre ligga kvar i sängen. Lön, arbetsuppgifter och arbetskamrater är tre saker som många tycker är viktiga.

 A Skriv upp tre jobb som du tycker verkar bra och tre jobb som du absolut inte kan tänka dig att ha. Jämför med en eller två personer.

B Vad har du för yrke/yrkesplaner? Varför valde du det yrket? Vad är du nöjd/missnöjd med?

C Titta på yrkena i rutan här nedanför. Diskutera följande frågor:

- Vilka yrken tror ni är högavlönade och vilka är lågavlönade?
- Finns det några yrken som borde ha högre lön än de har nu?
- Kan man säga att några yrken är viktigare än andra? Varför/varför inte?

en präst	en civilingenjör	en städare
en läkare	en gymnasielärare	en politiker
en servitris	en receptionist	en vd (verkställande
en advokat	en sjuksköterska	direktör)
en förskollärare	en busschaufför	en skådespelare

Jag tror att ... har hög/låg lön för de har ...
   lång/kort utbildning
   mycket/lite ansvar
   bra/dåliga arbetstider
   bra/dålig arbetsmiljö

Att arbeta som ... är
   stressigt
   roligt
   tungt
   tråkigt

... borde ha högre lön eftersom ...

D I vilka jobb behöver man dessa egenskaper?

> vara bra med människor   vara förstående   vara noggrann
> vara stark   kunna förklara   ha tålamod
> tycka om att läsa   vara bra på att lyssna   vara serviceinriktad
> vara en bra ledare   ha fantasi   vara en bra talare

Exempel:

– En präst måste vara bra med människor och bra på att lyssna.

E Hur är du? Vilket jobb passar för dig, tror du?

F Lyssna på orden här nedanför. Hur många stavelser har de?   15))
Exempel: pengar → *peng-ar* = 2

> problem   _____   advokat   _____   priserna   _____   servitris _____
> ekonomisk _____   nerverna   _____   förhandlade _____   politiker _____
> lön   _____   miljoner   _____   lönen   _____   tre   _____
> privat   _____   investering _____   riskerar   _____

G Lyssna igen och säg orden i F. Vilken grupp hör orden till?
— = lång stavelse. ᴗ = kort stavelse.

1 —   5 —ᴗᴗ
_____ _____   _____ _____

2 —ᴗ   6 ᴗ—ᴗ
pengar   _____   _____ _____

3 ᴗ—   7 ᴗᴗ—ᴗ
_____ _____   _____ _____

4 ᴗᴗ—   8 ᴗ—ᴗᴗ
_____ _____   _____ _____

4 Livsstil och livskvalitet

A Titta på fotona av Maria och Ulrika i artikeln *Skilda världar* och läs
deras citat. Vilka vanor och attityder tror du Maria och Ulrika har?
Diskutera utifrån underrubrikerna i texten, utan att läsa texten.

> Jag tror att ... bor i/på ...
> Jag tror att ... jobbar med ...
> Jag tror att ... tycker att pengar är ...
> Jag tror att ... brukar ...
> Jag tror att ... blir lycklig av ...

B Läs artikeln. Vem tror du säger vad?
Skriv M för Maria och U för Ulrika vid styckena 1–13.

C Stämde era idéer om Maria och Ulrika? Berätta för varandra.
Kontrollera sedan i facit.

Skilda världar

 16))

Ulrika och Maria är två kvinnor i 30-års-
åldern. De har en hel del gemensamt, båda
har studerat på universitetet och de är
båda gifta och har barn. Men en sak skiljer
dem åt: de har helt olika syn på pengar
och livsstil.

> **"Lycka kan
> man inte
> köpa för
> pengar"**
>
> MARIA

Om boende

1 _____ – Jag känner att jag måste bo mitt
i stan! Det är ju här saker händer. Jag och
min man älskar att gå ut på restaurang och
på teatrar och museer. Shopping är ett stort
fritidsintresse för oss. Vi skulle bli galna om vi
bodde långt ute landet.

> **"Pengar är en
> guldnyckel
> som öppnar
> dörrar"**
>
> ULRIKA

2 _____ – Eftersom jag köpte min första lägen-
het för 15 år sedan så har jag bara tjänat på
de högre priserna. Det har blivit som en extra
karriär för mig.

3 _____ – Huspriserna i stan blev mer och mer hysteriska. Vi kände att hela livet handlade om att jobba för att kunna betala lånen på huset. Men varken jag eller min man vill jobba så mycket så vi flyttade till ett billigt hus på landet 13 mil från stan.

Om jobb

4 _____ – För mig betyder jobbet jätte-mycket. Jag är pr-konsult och måste jobba extremt hårt i vissa perioder. Men å andra sidan tjänar jag bra och får ofta en bonus i slutet på året.

5 _____ – Klart att barnen och familjen får lida ibland. Jag sitter ofta på jobbet till sent på kvällen och min man jobbar också långa dagar. Ibland blir vi tvungna att ringa till barnvakten och fråga om hon kan stanna längre.

6 _____ – Vi vill ha tid för vår familj och vårt stora fritidsintresse, att odla. Jag är bibliotekarie och har gått ner till deltid. Nu jobbar jag 30 timmar i veckan. Min man har möjlighet att jobba hemifrån så han slipper resorna till och från jobbet.

Om sparande

7 _____ – Som jag sa, så känner jag att jag behöver pengarna för familjens livsstil. Det kostar att bo i stan helt enkelt och att ha de vanor som vi har. Men boendet är ju också en investering. Självklart sparar jag i aktier och fonder också men boendet är den största investeringen.

8 _____ – Jag sparar faktiskt nästan ingen-ting. Jag och min familj försöker bli mer och mer oberoende av pengar. Vi prioriterar tid istället. Därför har jag också tid att planera och göra billiga saker, t.ex. när det gäller mat.

9 _____ – Jag brukar baka bröd och bullar. Sedan kokar jag en massa sylt och marmelad på som-maren och konserverar grönsaker och svamp. Jag älskar när mitt skafferi är fyllt med saker som jag själv har gjort.

10 _____ – Jag skulle kunna leva mycket billigare om jag hade tid och lust. Men för mig är pengar en guldnyckel som öppnar dörrar.

Om lycka

11 _____ – Tänk när vi bodde hela familjen på ett lyxhotell i Brasilien och satt på balkongen och tittade på solnedgången över havet. Det var lycka för mig, och utan pengar hade det inte funkat.

12 _____ – För mig är lycka ingenting man kan köpa för pengar. Lycka hittar jag i vardagen i småsaker som t.ex. att gå ut till mina egna hönor och plocka ägg.

13 _____ – Det vackraste jag vet är solupp-gången över sjön där vi bor. Vi semestrar ofta i Sverige, antingen på vandrarhem eller i tält.

2
korta frågor

Vad kan du inte vara utan?
Maria: Min härliga familj och min fina trädgård.
Ulrika: Vår stora, ljusa lägenhet och vårt underbara lantställe.

Vad vill du köpa?
Maria: En fin, brun häst till mina snälla barn.
Ulrika: Den fina väskan som jag såg i en damtidning, och nya golfklubbor.

D Stryk under två saker som du håller med om och två saker som du inte håller med om i texten. Jämför med din partner.

E Vem är du mest lik, Maria eller Ulrika? Berätta för din partner.

F Hitta ord med följande betydelse i de olika styckena.
Siffrorna är nummer på de olika styckena.

3	galna	6	behöver inte
4	jobba mycket, extra lön	9	skåp där man har mat
5	arbete	11	fungera

> Min härliga familj och min fina trädgård.
> Den fina väskan som jag såg i en damtidning.

Adjektiv + substantiv

G Säg fraser med ord ur de tre kolumnerna a, b och c. Exempel:

– en moralisk person

a	b adjektiv	c substantiv	
en/ett/två/tre …	jätteviktig	bil	person
trehundrafemtionio …	hysterisk	barn	sanning
den/det/de	tung	film	tåg
min/mitt/mina …	tråkig	fråga	väska
Peters/kungens/dagens …	stressig	fåtölj	år
	snabb	historia	
	sjuk	kvinna	
	rolig	land	
	rik	lektion	
	praktisk	man	
	obekväm	musik	
	moralisk	möte	
	laglig	nyhet	

ÖB 3:3

H Titta på frågorna i intervjun med Berit Lyckeberg på nästa sida. Vad tror ni att hon svarar? Diskutera innan ni läser texten.

Lyckoforskning

Naturligtvis vill vi alla bli lyckliga. Men vad gör oss lyckliga egentligen? Och hur ska vi göra för att bli lyckliga? Berit Lyckeberg, som har forskat om lycka i över 20 år, hjälper oss att få svar på dessa frågor.

Är det så att pengar gör oss lyckliga?

– Nja, så enkelt är det inte. Om man får mycket pengar kan man känna sig väldigt lycklig, men ganska snart är man nere på samma lyckonivå som tidigare. Det beror på att man vänjer sig vid det man har. Samma sak gäller om man till exempel skaffar den fina lägenheten man har drömt om eller om man lyxrenoverar köket. Så svaret är att pengar kan göra oss lyckliga, men bara för en stund.

Betyder det att folk i fattiga länder kan vara lika lyckliga som de i rika länder?

– Det beror på. Först och främst måste alla våra basbehov vara fyllda. Det är svårt att vara lycklig om man fryser, inte har någonstans att bo och inte har mat för dagen. Och folk som lever i diktaturer med korruption, förtryck och otrygghet är naturligtvis olyckligare än andra.

Är religiösa människor lyckligare än andra?

– Både ja och nej. Vår forskning visar att religiösa människor bara är lyckligare i länder där livet är hårt, inte i länder där det är lättare att leva.

Vad är det som gör oss lyckliga då?

– Det som har störst positiva effekter på lyckan är sociala relationer, kärlek och vänskap. Andra faktorer är ett intressant arbete och en fritid där vi är fysiskt aktiva. Sedan är vår personlighet viktig också. En del människor ser lite ljusare på livet än andra. De kan glömma ett misslyckande, acceptera förändringar och göra det bästa av situationen – det som man brukar kalla "gilla läget". De här personerna känner sig ofta lyckligare än de som går och tänker länge på olika problem och misslyckanden.

Berit Lyckeberg har forskat om lycka i över 20 år.

Berits fem bästa tips för ett lyckligare liv

1 Ta hand om dina nära och kära
Kärlek och vänskap gör dig lycklig, men du måste sköta om dina relationer!

2 Tänk inte för länge på problem och misslyckanden
Du blir inte lyckligare av att ligga vaken på natten och fundera på problem. Öva dig på att släppa negativa tankar!

3 Var tacksam
Fokusera på det du har och var tacksam för det, istället för att längta efter det du inte har.

4 Var snäll
Hjälp en granne, håll upp dörren för andra, le. Du får glada leenden tillbaka och det blir du glad av.

5 Rör på dig
Motion kan vara en riktig lyckokick – särskilt om du motionerar tillsammans med andra!

I Stämde era teorier? Stryk under några saker som är konstiga, nya eller intressanta. Jämför med andra par.

 J Vad är lycka för er? Skriv en lista tillsammans med fler tips för ett lyckligare liv. Berätta för paret bredvid.

ÖB 3:4–10

Skriv: "Bästa sättet att bli rik".

A Gör en lista med olika metoder, gärna både möjliga och omöjliga metoder så att texten blir rolig att läsa. Exempel:

> *råna en bank   panta tomflaskor   gifta sig rikt*

B Skriv upp för- och nackdelar med metoderna. Exempel:

> **Råna en bank**
> *+ man behöver bara göra ett jobb*
> *– det är olagligt (man kanske hamnar i fängelse)*

C Gör en disposition, ett skelett, för din text. Exempel:

> *Inledning*
> *Metod 1 för/emot*
> *Metod 2 för/emot*
> *Avslutning/slutsats*

D Skriv texten och använd gärna dessa fraser.

Ett bra sätt kan vara att … Det är … Det finns dock ett problem med den metoden.
Det är … och … , men man måste också tänka på riskerna …
Å ena sidan är det … men å andra sidan är det …
Att … är en annan idé. Det är lagligt, men …

4

1 Djur

 A Vilka adjektiv associerar ni med de olika djuren? Välj ord ur rutan eller hitta på egna.

självständig	busig	intelligent	pålitlig	ilsken
trofast	stilig	stark	graciös	korkad
tyst	vacker	lekfull	påhittig	farlig
lydig	gullig	opålitlig	klumpig	sällskaplig

B Vilka av djuren på bilderna passar som husdjur/sällskapsdjur, tycker ni? För vem passar de? Motivera era svar.

Jag tycker att … är ett perfekt husdjur för … eftersom …
… passar absolut inte för … eftersom …
En fördel/nackdel med … är att de är …
Jag tycker att det är jobbigt/tråkigt/svårt/roligt med … eftersom …
Om man ska ha en … som husdjur måste man …

C Berätta för varandra och diskutera.

    1 Har ni eller har ni haft djur? Varför? Varför inte?

    2 Varför skaffar så många människor husdjur?

 D Lyssna några gånger på historien som Maggi berättar.   18))

 E Gå igenom verben och verbfraserna i rutan och kontrollera att ni vet vad de betyder.

rida	spara	leka (med)	vara rädd (för)	stirra (på)
drömma (om)	gå förbi	ta hand (om)	tro	spola ner
övertala	klappa	gå ut med	växa upp	
skaffa	trösta	tjata	längta (efter)	

 F Lyssna på Maggi igen och anteckna nyckelord och fraser.

G Återberätta så mycket ni kan för varandra.

H Lyssna igen och svara på frågorna.

    1 Vad ville Maggi bli när hon var i tioårsåldern?

    2 Vad för sorts häst ville hon ha?

    3 Varför fick hon ingen häst?

    4 Vad för sorts hund ville hon ha?

    5 Varför ville hon ha en hund?

    6 Varför fick hon ingen katt?

    7 Varför var hon rädd för fåglar?

    8 Varför köpte Maggis mamma fiskar?

    9 Vad hände med fiskarna till slut?

I Jämför era svar. Lyssna igen om det behövs och kontrollera att ni har svarat rätt.

J   Vilken verbgrupp hör verben till? Vilken form står de i? Titta på s. 272
i Minigrammatik om ni behöver repetera verbgrupperna. Exempel:

– Verben i ruta … är grupp … och står i imperativ, tror jag.

a	b	c	d	e	f
tro	fick	acceptera!	drömde	försöker	blivit
må	gick	betala!	glömde	hjälper	kommit
	förstod	börja!		leker	ridit
	gjorde	klappa!		läser	sovit
	kunde	prata!		reser	tagit
	låg	simma!		tycker	
	sa	skaffa!		tänker	

Grupp 1	Grupp 2a	Grupp 2b	Grupp 3	Grupp 4a (-it)	Grupp 4b (SPECIAL)

K   Skriv alla formerna för verben i uppgift J. Exempel:

Imperativ	Infinitiv	Presens	Preteritum	Supinum
dröm!	drömma	drömmer	drömde	drömt

ÖB 4:1

L   Vilket djur passar i uttrycket?

Hungrig som …   Arg som …   Envis som …   Att äta som …   Tyst som …
Flitig som …   Stark som …   Snabb som …   Hal som …

en vessla   en mus   en ål

en myra   en åsna   ett bi

en varg

en häst

en oxe

M Vilka uttryck med djur finns på andra språk?

2 Farliga djur i Sverige

Många tror nog inte att det finns farliga djur i Sverige. Vi har till exempel inga krokodiler, skorpioner eller riktigt giftiga spindlar. Men det finns faktiskt djur i Sverige som på olika sätt kan vara mycket farliga för människan.

A Vilka av djuren i rutan när nedanför tror ni är farliga för människan? På vilket sätt kan de vara farliga? Exempel:

– Hundar kan vara farliga för de kan bita människor.

älg	orm	fästing	geting	katt	varg
kanin	hund	häst	björn	fågel	råtta

B Gör en lista över Sveriges farligaste djur. Det farligaste får siffran 1, nästa får 2 osv. Motivera ordningen.

C Berätta för hela gruppen/klassen om era listor.

D Rätt eller fel? Läs påståendena här nedanför innan ni läser texten *Stickande och bitande djur i Sverige* och gissa om de är rätt eller fel. Skriv R (rätt) eller F (fel).

1 Många dör av huggormsbett varje år. _____

2 Huggormar är rädda för människor. _____

3 Getingar kan vara farliga för alla människor. _____

4 Varje år dör ungefär tio personer av getingstick. _____

5 Fästingar suger bara djurblod. _____

6 Man kan få farliga sjukdomar av fästingar. _____

7 Man kan vaccinera sig mot alla fästingsjukdomar. _____

E Läs texten och kontrollera om ni gissade rätt.

Stickande och bitande djur i Sverige

Huggormar biter sällan människor. Ormarna är nämligen rädda för människor och försvinner oftast snabbt när en människa närmar sig. Ett huggormsbett är normalt inte så dramatiskt. Det svider och gör mycket ont och området runt ormbettet svullnar upp. Det kan dock vara mycket farligt om man blir biten direkt i en blodåder eller om man är allergiker, och man ska alltid kontakta sjukhus om man blir biten. Men det händer mycket sällan att människor dör av huggormsbett. Ungefär en person vart åttonde år gör det. Många är ändå rädda för huggormar och vågar därför inte gå på platser där de vet att det finns huggormar.

Getingar är mycket farliga för människor som är allergiska mot getingstick. För dem kan ett getingstick orsaka en allergichock som kan vara livsfarlig. Det är också farligt om en geting sticker någon i munnen, på tungan till exempel. Då kan tungan svullna upp så att man inte kan andas. En person om året brukar dö av getingstick.

Fästingen är bara några millimeter stor men orsakar mycket lidande varje år. Den är ett blodsugande djur som gärna suger blod från människor. Fästingen i sig är inte farlig, men den kan överföra flera farliga sjukdomar. Varje sommar får cirka 10 000 personer behandling för sjukdomen borrelia på grund av fästingar. Vissa blir mycket sjuka med feber, värk i lederna och ibland ansiktsförlamning. Det finns inget vaccin mot borrelia än. Man kan däremot vaccinera sig mot virussjukdomen TBE, som fästingen också kan överföra till människor. Man rekommenderar att de boende i bland annat Stockholms skärgård vaccinerar sig, eftersom det finns många smittade fästingar där. ■

F Skriv 6–7 frågor till texten *Stickande och bitande djur i Sverige*.

G Byt frågor med paret bredvid. Svara muntligt på frågorna utan att titta i texten.

H Samla alla ord i texten som har att göra med kroppen och sjukdomar. Gör egna meningar med dem. Exempel:

> **Verb**
> *svider*   *Det svider om man får schampo i ögonen.*

I Lyssna på orden. Markera korta stavelser med ∪ och långa stavelser med — . `20`))
Exempel:

allergi   allergiker   allergisk

komik   komiker   komisk

politik   politiker   politisk

kritik   kritiker   kritisk

akademi   akademiker   akademisk

dramatik   dramatiker   dramatisk

musik   musiker   musikalisk

J Kan ni se ett system för vilken stavelse som har betoning i ord som slutar på *-i, -ik, -iker* och *-isk*?

K Markera lång vokal eller konsonant i orden i uppgift I.

L Skriv några exempelmeningar med orden i uppgift I och träna på att uttala dem. Exempel:

> *Eva har allergi mot hundar. Soraya är allergisk mot getingar.*
> *De är båda allergiker.*

3 Två vilda djur i Sverige

A En i paret läser texten om björnen, den andra läser texten om vargen.
Gör en lista på nya, viktiga ord. Anteckna nyckelord från texten och öva
att återberätta den. Spela gärna in dig själv och lyssna på hur det låter
när du berättar.

B Gå igenom listorna med nya ord tillsammans.
Förklara för varandra vad orden betyder.

C Berätta om djuren för varandra.

Björn

Björnen ser ganska dåligt men den hör bra
och har ett mycket bra luktsinne. Om björnen
blir orolig reser den sig på bakbenen för att
höra ljud och känna lukter bättre. Och om den
förstår att det finns en människa eller en större
björn i närheten brukar den snabbt vända och
lufsa därifrån. Björnar är normalt fredliga djur
och attackerar mycket sällan människor. Och
vi människor står inte på brunbjörnens meny.

Om björnar attackerar beror det nästan alltid på att de är skadade av
skott från jägare, eller att någon plötsligt har kommit för nära en björnhona
med små ungar. Björnar kan också vara farliga om människor överraskar
dem. I sådana situationer brukar de visa med ljud och "maktdemonstra-
tioner" att de inte vill att man ska komma närmare.

Björnar har dödat tre personer i Sverige på 2000-talet. Innan dess hade
ingen blivit dödad av björn i Sverige sedan 1902. Man tror att björn dödade
sammanlagt 27 personer i Skandinavien mellan 1750 och 1962. Många dog
inte av själva attacken, utan av infektioner som de fick i såren. Idag hade
man troligtvis kunnat bota de flesta med antibiotika. Som jämförelse kan
man nämna att 8–12 människor dör i trafiken varje år efter att ha krockat
med älgar.

Om du möter en björn i skogen ska du göra så här:
• Prata lite med björnen så att den hör att du är där. Hosta lite
eller harkla dig. Du kan också klappa i händerna.
• Gå försiktigt från platsen. Ta samma väg som du kom.

- Spring inte. Björnar springer mycket snabbare än människor.
- Klättra inte upp i ett träd, björnar är skickliga klättrare.
- Om björnen följer efter dig kan du släppa några av dina saker på marken, dina kläder till exempel. Då brukar björnen stanna en lång stund för att lukta på sakerna.
- Om björnen attackerar ska du lägga dig ner på marken i fosterställning med ansiktet mot marken och skydda huvudet och nacken med händerna och armarna. En björnattack slutar oftast med att björnen går iväg när den har visat vem som bestämmer.

> Björn är ett vanligt namn i Sverige och visste du att namnet Ulf kommer från ulv, alltså varg?

Fakta

För 70 år sedan fanns det bara omkring 500 brunbjörnar i Sverige. Idag är den siffran uppe i cirka 3 300. I Sverige finns det mest björn i Värmland, Dalarna, Hälsingland, Gästrikland och norrut.

Storlek: 170–280 cm lång.
Vikt: 60–200 kilo (honor) och 100–300 kilo (hannar). Stora hannar kan väga upp till 350 kilo.
Föda: Bär och växter, myror, älg, ren och kadaver.

Ungar: I januari–februari föder honan sina ungar, oftast två–tre stycken. Ungarna väger bara 300–600 gram när de föds.
Under vintern går björnen i ide, då den sover djupt. Kroppstemperaturen sjunker och björnen andas långsammare.

Varg

(22))

I många generationer har man läst sagor som handlar om elaka vargar, *Rödluvan och vargen* och *Peter och vargen* till exempel. På gammal svenska hette djuret *ulv*, men man var rädd att säga det namnet högt eftersom man trodde att ulven skulle komma då. Därför kallade man djuret för *varg*, som betydde ungefär "en som använder våld" på gammal svenska.

Vargen är symbol för något elakt och blodtörstigt, men samtidigt är den stamfader till dagens hundar. Hunden, människans bästa vän, är med andra ord direkt släkt med vargen. Man tror att separationen mellan hund och varg skedde redan för 100 000 år sedan. En del hundar är fortfarande lika vargen, till exempel jämthund, grönlandshund och schäfer.

En varg kan ensam döda en älg. Givetvis kan den också döda en människa, men det händer mycket, mycket sällan. Vargen är ett intelligent djur och är normalt mycket rädd för människor i alla åldrar. Ibland händer det dock att en varg kommer nära människor. Ofta är det en ensam varg som letar efter sällskap och mat.

Man tror att vild varg (icke rabies-smittad) har dödat högst fem människor i Europa under de senaste 60 åren. Under samma period har hundratals människor blivit dödade av sina egna eller andras hundar. Ett par människor dör också varje år när de ramlar av hästar och bryter nacken. Men vargar som människan har hållit i fångenskap kan vara mycket farliga. År 1821 blev nio personer, de flesta barn, dödade av en varg. Det var en varg som man hade hållit i fångenskap och som man sedan släppte ut i skogen. Den vargen hade aldrig lärt sig att jaga. Flera olyckor har också skett med vargar i djurparker som har attackerat och ibland dödat personal och besökare. Vargen passar absolut inte som husdjur, och så kallade hybrider, korsningar mellan varg och hund, har angripit och dödat flera människor i både USA och Ryssland.

Om du stöter på en varg i skogen ska du göra så här:
- Prata med vargen, hosta eller klappa i händerna så att den vet att du är där. Då brukar vargen långsamt ge sig iväg.
- Gå sjungande eller pratande därifrån om vargen inte ger sig iväg. Spring inte.
- Vänd dig om och ta ett par steg mot vargen om den följer efter. Vifta med kläder, en väska eller liknande så att du ser stor och farlig ut.
- Spela inte död om vargen trots allt skulle anfalla. Sparka och slå så mycket du kan.

Fakta

Ingen vet exakt hur många vargar det finns i Sverige, men troligtvis är de ungefär 400. Ett flertal vargar rör sig över gränsen mellan Norge och Sverige. Förr i tiden fanns det varg i hela Sverige, men numera finns de framför allt i Värmland, Dalarna, Dalsland, Närke, Uppland, Hälsingland och Gästrikland.

Storlek: mankhöjd upp till 90 cm.
Vikt: 35–55 kilo.
Föda: älg, rådjur, bäver, grävling och om det finns tillfälle även får, ren och hund.
Ungar: Valparna föds under perioden april–juni, 5–10 stycken. Valparna väger ca 400 gram när de föds.

> Det är viktigt att betona partikelverb rätt. Ibland kan ett verb + preposition ha en helt annan betydelse än samma verb + partikel, fast det ser likadant ut när det är skrivet. Det är bara betoningen som är olika.
>
> Partikelverb: *Jag stötte på̱ Eva på restaurangen igår.* (= *Jag träffade Eva utan att det var planerat.*)
>
> Verb + preposition: *Jag stö̱tte på Eva på restaurangen igår.* (= *Jag flörtade med Eva.*)

D   Jobba 3–4 personer tillsammans. Diskutera vilket djur som är farligast för människan. Motivera med fakta från de olika texterna.

E   Skriv en text om farliga djur i ditt land.

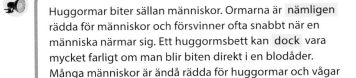

Stickande och bitande djur
De boende i skärgården…
Fästingen orsakar mycket lidande varje år.
Gå sjungande eller pratande därifrån…

Presens particip

F   Titta på fraserna i fokusrutan här ovanför. Vilken funktion har presens participformerna i de olika exemplen? Fungerar de som substantiv, adjektiv eller adverb?

G   Vad heter verben i rutan ovanför i imperativ? Försök att formulera regler för hur man bildar presens particip.

ÖB 4:2

Huggormar biter sällan människor. Ormarna är nämligen rädda för människor och försvinner ofta snabbt när en människa närmar sig. Ett huggormsbett kan dock vara mycket farligt om man blir biten direkt i en blodåder. Många människor är ändå rädda för huggormar och vågar därför inte gå ut och vandra på ställen där de vet att det finns huggormar.
Man kan däremot vaccinera sig mot virussjukdomen TBE, som fästingen också kan överföra till människor.

Sambandsord

H   Titta på exemplen i rutan här ovanför. Uttrycker de markerade orden förklaring eller kontrast?

I Välj sambandsord ur fokusrutan och sätt in dem där de passar.
   Tips: Börja inte en mening med *dock*.

   1 Hundar är fina sällskapsdjur. … är vargar helt olämpliga som husdjur.

   2 Vargen var mycket nyfiken. … kom den så nära människorna.

   3 Man måste vara försiktig med björnhonan. Hon har … ungar nu.

   4 Björnar är normalt fredliga djur. De kan … vara farliga om man
      kommer för nära.   ÖB 4:3

4 Älgnyheter

A Gör ordkunskapsövningen i övningsboken innan du jobbar med
   älgnyheterna.   ÖB 4:4

B Välj verb ur rutan och skriv dem i rubrikerna där de passar in.

   ----
   provsmakar   attackerade   skrämmer   emigrerar
   ----

   a **79-årig man** _____ **älg med stavar**

   b **Älgar** _____ **nytt vägsalt**

   c **Svenska älgar** _____

   d **Berusad älg** _____ **skolbarn. Barnen jätterädda!**

C Läs snabbt igenom älgnyheterna. Välj rubriker
   från övning B och skriv dem på linjen över
   rätt artiklar.

1 _____

I flera dagar har en arg och berusad älg
skrämt barnen på Vallaskolan i Brösarp.
Personalen beskriver älgen som "helt ga-
len". I morse låg den halvsovande älgen
vid skolans entré och hindrade barnen
från att komma in i skolan. Efter ett tag
reste den sig och gick sakta iväg.

– Barnen är jätterädda och igår var
älgen så aggressiv att vi ringde polisen,
säger skolans rektor Eva Nilsson.

När polisen kom låg älgen och vilade
i skogen och var hur lugn som helst.
Polisen har dock älgen under uppsikt.

– Det kan vara en fylleälg, säger polis-
intendent Claes Jönsson. Det är inte helt
ovanligt på höstarna. Vi tror att älgen
har ätit jästa äpplen på marken i villa-
trädgårdarna och blivit berusad.

2 _____

Nu ska man exportera svenska älgar.
Sveriges Radio Jämtland rapporterar
att en dräktig älgko och en älgkalv från
en älgfarm i Jämtland ska bilda grun-
den för en ny älgstam i Skottland. För
ungefär tusen år sedan fanns det älg i
Skottland, men sedan dess har landet
varit älgfritt. Nu ska alltså de svenska
älgarna ändra på det.

– Idén är att plantera in Skottlands
ursprungliga djur igen och tanken
känns bra tycker jag, säger älgfarmaren
och älgexportören Arne Lindqvist.

3 _____

I Sverige har man länge saltat isiga
vintervägar. Nu testar Vägverket nya
blandningar av salt och socker. Om man
blandar socker i vägsaltet blir nämligen
den negativa effekten på både bilar och
miljö mindre. Risken finns dock att
socker skulle kunna locka upp älgar
och rådjur på vägarna och därmed öka
antalet trafikolyckor. Därför ska man
nu testa de nya salt- och sockerbland-
ningarna på älgarna på en älgfarm i
Jämtland. Under sex veckor ska älgarna
få välja mellan stenar med rent salt eller
med sockerblandning. Om älgarna inte
föredrar sockret talar mycket för att
man ska börja använda sockerbland-
ningen på vägarna.

4 _____

Ett par stavar räddade en 79-årig man
från en attack av en ilsken älgko.
Mannen var ute och gick med sina
stavar i skogen när han plötsligt stötte
på en älgko. Den ilskna älgkon gick till
attack mot mannen.

– Jag hann aldrig bli rädd. Jag ställde
mig som en sumobrottare, bredbent
med böjda ben och koncentrerade mig
på att sticka med stavarna mot älgens
ögon, säger mannen till Värmlands-
tidningen. Enligt mannen försökte
älgkon attackera honom åtta gånger.
Efter en stund gav den upp och för-
svann in i skogen igen.

D Läs artiklarna en gång till. Den ena i paret frågar, den andra svarar utan att titta i artiklarna.

1 Vad gjorde älgen vid skolentrén?

2 Vad gjorde älgen när polisen kom?

3 Hur kunde älgen bli berusad?

4 När fanns det älgar i Skottland?

5 Varifrån kommer älgarna man ska exportera?

6 Vad gjorde den 79-åriga mannen när han stötte på älgkon?

7 Varför vill man blanda socker i vägsaltet?

8 Vad finns det för risker med sockerblandningen?

9 Hur ska man göra provsmakningen?

ÖB 4:5–11

Det finns en del ord i svenskan som man inte ska ha först i en mening.
Ibland kan man använda andra ord som betyder samma sak.

Skriv inte dessa ord först:	Skriv istället:	Dessa ord ska stå på samma plats som inte:
också	dessutom	dock
därför att	eftersom	nämligen
förstås	naturligtvis/självklart/givetvis	absolut
faktiskt	faktum är att	verkligen

Skriv om meningarna, så att de blir korrekta. Ibland finns det flera varianter.

1 Förstås är det bra att bo nära jobbet.

2 Därför att vi bor nära kan vi cykla till jobbet.

3 Också är det praktiskt att barnen bor nära skolan.

4 Faktiskt är det billigt att bo här.

5 Absolut måste du komma och hälsa på.

6 Verkligen hoppas vi att ni kommer snart.

1 Äntligen fredag

 A Titta på bilderna och prata om dem.

- Vad har personerna för relation tror du?
- Vad gör de?
- Vad får ni för associationer? Skriv ner 5–7 ord.

B Jämför vad ni har sagt och skrivit med paret bredvid.

C Har ni hört talas om *fredagsmys*? Vad betyder det? Om inte, vad tror ni
att det kan betyda? Skriv ner några ord och fraser om fredagsmys.
Läs texten och se om ni hade rätt.

Fredagsmys

24))

Folk har i alla tider kopplat av när arbetsveckan är slut. Förr i tiden
samlades familjen framför "den elektroniska brasan" – radion – på
lördagskvällar. Söndagen var nämligen den enda lediga dagen. På 60-talet
blev lördagar arbetsfria och 1968 blev de också skolfria. Nu hade de flesta
en teveapparat och man började äta chips tillsammans framför teven
på fredagskvällarna.

På 1990-talet kom ordet *fredagsmys*. När man fredagsmyser äter man ofta någon lättlagad mat, gärna plockmat som tacos eller hemgjord pizza eller hämtmat som sushi. Efter maten äter man godis och snacks och dricker läsk. Och teven är fortfarande i centrum. Så ser det i alla fall ut i många barnfamiljer. Par och singlar myser på andra sätt eller inte alls.

Fredagsmyset blev mer och mer etablerat och år 2006 kom ordet med i Svenska Akademiens ordlista (SAOL). En undersökning visar att två av tre fredagsmyser oftare än varannan vecka. Man kan se fredagsmys som en sorts ritual som markerar gränsen mellan arbete och fritid. Den skapar gemenskap både inom familjen, men också mellan familjer eftersom man vet att många familjer gör på samma sätt.

Det finns förstås både för- och nackdelar med fredagsmys. En fördel för barn är att man kopplar av och får tid att umgås med föräldrar och syskon. En nackdel är att onyttig mat, godis, läsk och snacks bidrar till övervikt och diabetes hos barn och vuxna. Många har börjat fundera över vad det finns för nyttiga alternativ till fredagsmyset. Samtidigt använder godis- och snackstillverkarna fredagsmyset som ett säljargument.

Topp 3

I en undersökning svarade 15 000 svenskar på frågan "Hur myser du helst?".

Kläder		Snacks
Män	Kvinnor	Män och kvinnor
1. Mjukiskläder (43 %)	1. Mjukiskläder (62 %)	1. Chips
2. Shorts (4 %)	2. Pyjamas (5 %)	2. Smågodis
3. Träningskläder (4 %)	3. Morgonrock (4 %)	3. Popcorn

Källa: Expressen.se 2012

D Prata om siffrorna i rutan.

På första/andra/tredje plats kommer ...
De flesta ...
Fler män än kvinnor myser i ...

E Skriv en text på temat *mys*. Finns fenomenet mys i andra länder? Varför tror du att svenskar i allmänhet tycker så mycket om det? Brukar du mysa? Hur?

Kopiering av detta engångsmaterial är förbjuden enligt lag och gällande avtal.

F Tre personer berättar om att de gör lite annorlunda saker på fredagar. Titta på nyckelorden i rutan och gissa hur de fredagsmyser innan du lyssnar. (25)))

Jan: badhuset, bubblor, hopptornet, apelsiner, pyjamas
Ullis: som "alla andra", tröttna, en gammal hatt, lappar med aktiviteter
Fatima: musikvideor, diskokula, saxofon, singelvänner

 G Lyssna på dialogen igen och skriv svaren på frågorna.

1 När åker Jan och hans barn till badhuset?

2 Vad gör de där?

3 Vad gör de när de har badat färdigt?

4 Vad gjorde Ullis familj tidigare?

5 Vad gör de nu?

6 Vad tycker Ullis om deras nya fredagsmys?

7 Vad gör Senadas familj på fredagar?

8 Vad gör de när de blir trötta?

9 Vem fredagsmyser hemma hos Senada?

 H Jämför era svar.

Sammansatta ord har två betoningar, en på det första ordet och en på det sista ordet. Den första betoningen är viktigast.

I Lyssna på de här sammansatta orden. Markera långa ljud. Exempel: (26)))

a̱rbetsfri̱   ba̱rnfamiljer

1 arbetsveckan	6 lördagskvällar	11 säljargument
2 fredagsmys	7 nackdelar	12 teveapparat
3 hemgjord	8 plockmat	13 undersökning
4 hämtmat	9 skolfria	14 övervikt
5 lättlagad	10 snackstillverkarna	15 fördelar

2 Barrunda eller fredagsmys?

Gabriella: Hallå Mange!

Mange: Tjena Gabriella! Läget?

Gabriella: Jo, det är helt okej. Du då?

Mange: Det är fint. Du, har du några planer för kvällen? Jag ska ut med min kompis Siri från Stockholm. Hänger du med?

Gabriella: Nja, jag tror inte det. Jag är supertrött och hade bara tänkt vara hemma och mysa.

Mange: Men, kom igen! Vi ska göra en riktig barrunda. Det kommer att bli hur kul som helst!

Gabriella: Nej, jag orkar inte i kväll. Dessutom är jag helt pank. Jag har inte ett öre.

Mange: Äsch, det ordnar sig. Jag bjuder. Du kan bjuda mig en annan gång, när du har pengar.

Gabriella: Jaaa, jag vet inte.

Mange: Snälla …! Du behöver komma ut och träffa lite nya människor! Du kan inte bara sitta hemma jämt och ha det tråkigt.

Gabriella: Okej då, men bara en liten stund. Bli inte sur om jag går hem tidigt.

Mange: Nej, jag lovar!

 A Välj en aktivitet ur rutan. Försök sedan övertala din partner (som inte alls vill följa med) att följa med på aktiviteten.

> gå på en Strindbergspjäs   gå på Historiska museet
> gå på tangokurs   ha en myskväll
> ta en långpromenad i skogen spela bingo

Fråga	Svara (negativt)	Övertala
Har du lust att …?	Nja, jag tror inte det/jag vet inte.	Kom igen!
Vad sägs om att …?	Jaaa. (stigande ton)	Snälla! (familjärt/bedjande)
Hänger du med …?	Tjaaa, jag vet inte riktigt.	Jo, det blir kul!/Jo, det är ju hur kul som helst!
Ska vi …?		

Ett mejl

Gabriella skriver ett mejl till sin kompis Agnes och berättar om utekvällen med Magnus.

Till: _____   Skicka:

Hej Agnes!

Jag gick och la mig jättesent och jag vaknade klockan sju för att gå ut med hunden så jag är ganska trött. Vet du vad som hände i går? Jo, jag var ute på en barrunda med Mange och hans kompisar (trots att jag egentligen var jättetrött och ville vara hemma …☺). Jag pratade en massa med en jättetrevlig tjej, Siri. Innan jag gick hem frågade hon ifall jag hade lust att åka upp till Stockholm och hälsa på nästa helg. Det är ju långhelg eftersom det är klämdag på fredag. Först sa jag ja utan att tänka, men sedan kom jag på att du och jag skulle göra något tillsammans. Då frågade hon om du inte kunde följa med också. Men jag sa att jag inte kunde bestämma något förrän jag hade kollat med dig. Häng med! Det blir jättekul!

Jag vet att det kostar hur mycket som helst att åka dit och egentligen kanske vi borde vänta tills vi får lön. Men man kan väl ha skoj i Stockholm, även om man inte har en massa pengar? Vi kan ju snåla lite genom att ta bussen dit istället för tåget. Vet du när bussarna går? Och Siri sa att vi självklart kan bo hemma hos henne. Jag vet inte exakt var hon bor, men det är någonstans strax utanför stan.

Visst låter det kul? Bestäm dig snabbt så att jag kan ringa Siri och säga hur vi gör. Medan du funderar ska jag kolla upp lite grejer att göra i Stockholm! Förresten, vet du vem som frågade efter dig? Ring mig i kväll, eller kom hem till mig så ska jag berätta …

Puss puss
Gabriella

Siri sa att vi självklart kan bo hemma hos henne.
… kom hem till   mig så ska jag berätta …

hemma hos + objektspronomen
hem till + objektspronomen

B Titta på meningarna i fokusrutan. När säger man *hem till* och när säger man *hemma hos*?

ÖB 5:1–2

C Skriv ett svar från Agnes till Gabriella. Ta med informationen i rutan.

> inte nästa helg   rolig fest hemma
> inga pengar   jobba extra

D Titta på subjunktionerna i rutan. Vilka hör ihop, tycker ni? Varför?
Om ni är osäkra på vad de betyder kan ni leta efter dem i texten
på s. 63 eller slå upp dem i en ordbok.

> att   genom att   medan   tills
> därför/eftersom ifall   när   utan att
> fastän/trots att innan   om   även om
> för att   inte ... förrän så att

Exempel:

— *Trots att och fastän hör ihop eftersom de visar en kontrast.*

E Säg rätt subjunktion.

1 Jag gick till kursen ... jag hade huvudvärk.

2 Vi kan stanna hemma ... du vill.

3 Han brukar sjunga ... han städar.

4 Hon tar en dusch ... hon går ut.

5 Jag stannar hemma ikväll ... jag är så trött.

F Ändra på satserna i övning E, så att bisatsen kommer först.   ÖB 5:3

> Jag sa att jag inte kunde bestämma något ...
> Hon frågade ifall jag hade lust att åka till Stockholm.
> Vet du när bussarna går?

| Indirekt tal |

 G Stryk under alla meningar med indirekt tal i Gabriellas mejl till Agnes.

H Komplettera meningarna muntligt.

1 Adam säger alltid att …

2 Vet du om …?

3 Birgitta undrar varför …

4 Varför säger Eva att …?

5 Jag skulle vilja veta hur …

6 Vet du inte varför …?

Direkt tal	Indirekt tal
Vem frågade efter dig?	Vet du vem som frågade efter dig?
Vad hände igår?	Vet du vad som hände i går?
Vad gjorde jag igår?	Vet du vad jag gjorde i går?

Direkt tal och indirekt tal med *som*

I Titta på meningarna i direkt tal i fokusrutan? Titta sedan på meningarna i indirekt tal. När måste man ha *som* i indirekt tal?
Tips: Vad är subjekt i direkt tal?

J Säg meningar med indirekt tal. Tänk först på om frågeordet är subjekt eller inte.

1 Vet du … (Vem ska åka till Stockholm nästa helg?)

2 Vet du … (Vad ska du gör nästa vecka?)

3 Jag vill veta … (Vem ringde du?)

4 Vet du … (Vem ringde mig?)

5 Vet du … (Vilka ska gå på festen?)

6 Jag undrar … (Vad sa han?)

7 Jag har ingen aning om … (Hur många följer med ut ikväll?)

K Skriv en fråga på ett separat papper till varje person i gruppen.
Be din lärare dela ut frågorna. Exempel:

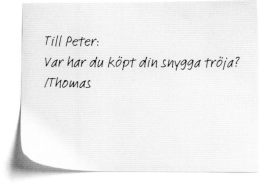

Till Peter:
Var har du köpt din snygga tröja?
/Thomas

Kopiering av detta engångsmaterial är förbjuden enligt lag och gällande avtal.

KAPITEL 5 • 65

L Skriv svar på de frågor du får. Läraren lämnar tillbaka de besvarade frågorna.
Exempel:

> Till Thomas:
> Ska vi ta en fika efter lektionerna?
> /Carla
>
> Jag kan tyvärr inte idag. Jag måste
> åka hem direkt.
> /Thomas

M Läs igenom de svar du får. Välj ut 3–4 frågor med svar som du läser upp för
alla i gruppen. Använd indirekt tal. Exempel:

– Jag frågade Thomas om vi ska ta en fika efter lektionerna.

Han svarade att han tyvärr inte kan. Han skrev att han måste hem direkt.   ÖB 5:4

3 Bilar, löständer och annat

A Läs orden i rutan och gissa vad artikeln på nästa sida handlar om:
alternativ a, b, c eller d.

salta sillar   Ferraribilar
sura bomber   sega råttor
stekta ägg   blåa delfiner
mormors löständer

a Familjemiddag i Italien

b Ovanliga djur

c Hotellfrukost

d Smågodis

B Läs artikeln och se om ni hade rätt.

Ingen annanstans äter man lika mycket godis som i Sverige. Svenskarna äter 17,6 kilo godis per person och år. Konsumtionen har ökat mycket sedan 1960 då den låg på 6,7 kilo.

Hur kommer det sig att man just i Sverige äter sådana mängder godis? Leif Claesson, produktchef på Godisbomben AB, tror att det bland annat handlar om Sveriges tradition med många kiosker.

– I Sverige hade vi länge en speciell kioskkultur. När vi var små stod vi i kioskluckan med en krona i handen och pekade på godiset som låg i olika burkar – "en sån, en sån och en sån" – tills kronan var slut. Vi svenskar är vana att välja och plocka ihop vårt godis själva, menar Leif Claesson.

På 1980-talet började man sälja plockgodis, eller lösviktsgodis, i en liten mataffär utanför Stockholm. Kunderna tog själva en tom påse och plockade ihop det godis som de ville ha. Inom några år var succén med plockgodis ett faktum. Nuförtiden har alla mataffärer plockgodis i mängder, oftast strax innan kunderna kommer till kassan. Här kan man välja mellan en massa olika sorter: salta sillar, mormors löständer, stekta ägg, blåa delfiner, sura bomber, Ferraribilar och sega råttor till exempel.

– På senare tid har man börjat exportera plockgodis också, både fenomenet att plocka själv och de speciella godissorterna. I Storbritannien och flera andra europeiska länder har en stor matvarukedja börjat sälja plockgodis och ett stort internationellt möbelvaruhus har börjat med plockgodis världen runt. Svenska fiskar, alltså geléfiskar med fruktsmaker, har blivit välkända, berättar Leif.

Faktum är att godisexporten är del av en större svensk export av mat och dryck. Det handlar om lite oväntade saker som söt cider, texmexprodukter, ärter och frysta tårtor, förutom gamla vanliga svenska varor som vodka, skorpor och pepparkakor. Sverige har som mål att fördubbla exporten av mat och dryck till 2020 och här spelar godiset en stor roll. Det finns egentligen bara ett hot: hälsodebatten! ■

C Diskutera vilken rubrik som passar till artikeln. Motivera ert val.

Sverige har flest kiosker i världen

Svenskarna riktiga godisgrisar

Snart slut med plockgodiset

D Svara muntligt på frågorna.

1 Varför tror man att svenskarna äter så mycket godis?

2 Hur började trenden med plockgodis?

3 Vad exporterar Sverige för mat och dryck?

E Stryk under alla verb i texten på s. 67. Står de i presens, preteritum eller presens perfekt? Varför? Repetera reglerna för preteritum och presens perfekt på s. 273–274 i Minigrammatik.

F Säg verben inom parentes i rätt form.

Igår … (gå) Petter och jag på bio och … (ta) en öl efteråt.
Vi … (gå) på bio tre gånger i år. Petter … (röka) ett helt paket cigaretter igår kväll. Han … (röka) i 10 år. Han … (börja) röka när han blev arbetslös. Han … (sluta) flera gånger men han … (börja) röka igen varje gång.   ÖB 5:5

4 Vanor och ovanor

30))

Nästan alla människor har vanor av olika slag. Man vaknar en viss tid varje dag, firar jul på ett speciellt sätt, eller spelar tennis en gång i veckan. De flesta har nog någon ovana också. Man kanske biter på naglarna, smaskar när man äter, svär mycket eller petar sig i näsan.

Om man har svårt att leva utan något kan man tala om beroende. Man kan exempelvis vara sockerberoende, spelberoende eller narkotikaberoende. Ibland överdriver man lite och säger att man är beroende av shopping, en teveserie, en speciell hudkräm eller en viss pizza. En person som missbrukar narkotika kallar man narkoman. Ordet narkoman kan man använda i olika sammanhang; en person kan vara arbetsnarkoman eller träningsnarkoman till exempel.

Att vara sugen betyder att man har stor lust att äta, dricka eller göra något just nu. Det finns mycket man kan vara sugen på. Man kan bland annat vara röksugen, fikasugen eller ressugen. ■

A Diskutera.

    1 Vad har ni för vanor och ovanor?

    2 Finns det några ovanor som är extra irriterande?

    3 Vilka ovanor skulle ni vilja sluta med?

    4 Är ni sugna på något just nu? Vad?

B Skriv och berätta om en eller två ovanor som ni skulle vilja sluta med.
Om ni vill kan ni hitta på.

C Byt papper med paret bredvid och diskutera det andra parets ovanor.

D Ge det andra paret råd om hur de kan sluta med sina ovanor.

Ett bra/effektivt sätt att sluta … kan vara att …
Du skulle kunna prova/försöka att …
Istället för att … kan du prova/försöka att …
Har du provat/försökt att …?

Sedan ligger vi i soffan allihop.
Man kanske biter på naglarna, smaskar när man äter, svär mycket eller petar sig i näsan.

Bestämd form

Sedan ligger vi i ~~vår soffa~~ allihop.
Man kanske biter på ~~sina naglar.~~

ÖB 5:6

Många ord
på -is är slangord:
en alkis (alkoholist), en lantis
(en person från landet),
en bästis (bästa vän),
flintis (flintskallig)

5 Godisets historia

 A Läs texten *Från kåda till Aladdin*. Tio meningar är bortplockade.
De finns i rutan här nedanför med en bokstav framför. Skriv sedan
rätt bokstav på raderna i texten.

a Gränna, vid Vättern, är fortfarande känt för sina polkagrisar och många
   turister stannar till där för att handla.

b Men man vet i alla fall att han hade dåliga tänder.

c När folk gick på bio ville de ha godis med sig in i salongen.

d Idén med lördagsgodis spred sig snabbt i Sverige och lever kvar än idag.

e Choklad var dock fortfarande en lyx och de som inte hade så mycket pengar
   kunde bara köpa enklare karameller.

f Den hade också vissa medicinska effekter och hjälpte till att hålla munnen
   och tänderna rena.

g Sockret var dock en extremt dyr produkt och det var inte många som hade
   råd att äta sötsaker.

h Snart följde fler succéer som Daim, Schweizernöt och Twist.

i Flera generationer stockholmare har njutit av systrarnas gräddkolor, Tjong,
   och stora kokosbollar.

j De gjorde vackra arrangemang på konfektborden och dekorerade eleganta
   marsipantårtor.

Från kåda till Aladdin

Människan har i alla tider tyckt om att
tugga på och äta söta saker. Man tror att
människan för länge, länge sedan smas-
kade på kåda, honung, bär, frukter och
nötter. I Finland har man hittat en bit kåda
av björk med tuggmärken i. Det visade sig
vara en sorts tuggummi som var 5 000 år
gammalt. Kådan var söt och god att tugga
på. 1 _____

Redan på 500-talet kunde man tillverka
socker i Indien och Kina och så små-
ningom kom sockret via Mellanöstern till
länderna runt Medelhavet, framför allt
Spanien och Italien. Men det
var först på 1100-talet som
handeln med socker blev
stor. 2 _____

På 1500-talet var det
apotekarna som till-
verkade och handlade med
konfekt i Sverige. Skillnaden mel-
lan medicin och konfekt var inte stor.
På den tiden trodde man nämligen att
sötsaker var bra för kroppen. Man säger att
Gustav Vasa, som levde på 1500-talet, var
Sveriges första godisgris. Hur ofta och hur
mycket sötsaker kungen åt vet emellertid
ingen. 3 _____

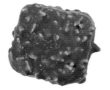

När de långa krigen i Europa var slut på 1600-talet och de svenska militärerna återvände hem, tog de med sig tyska och schweiziska sockerbagare. Rika adelsfamiljer anställde sockerbagarna och man såg dem mer eller mindre som konstnärer. En del av sockerbagarna kallades till och med dessertmålare. 4 _____

Exempel på godis från den tiden är kanderade violer, syrener eller rosenblad och brända mandlar.

Sockerimporten till Sverige blev med tiden mycket stor och de som styrde landet tyckte att man borde minska importen, eftersom så mycket valuta försvann utomlands. Man försökte odla sockerbetor här i Sverige, men det var först mot slutet av 1800-talet man lyckades. Tack vare odlingen av sockerbetor kunde man starta en egen sockerindustri, vilket blev startpunkten för masstillverkning av godis i Sverige. Sveriges första chokladfabrik öppnade i Göteborg på 1870-talet. 5 _____

Under senare delen av 1800-talet var det mest kvinnor som sysslade med karamellkokning. De kokade karamellerna hemma i sina kök och sålde dem sedan på torgen. Två kvinnor har betytt mycket för svenskarnas godisätande. Den ena var änkan Amalia Eriksson. Hennes röd- och vitrandiga polkagrisar som hon tillverkade i Gränna blev mycket populära. Amalia tjänade mycket pengar på sin polkagristillverkning och hon blev med tiden en förmögen kvinna. 6 _____

Den andra kvinnan var Augusta Jansson. Hon kom till Stockholm på 1880-talet och lärde sig koka karameller. Efter en tid öppnade hon eget karamellkokeri i en källarfabrik på Söder. Till en början var det gatuförsäljare som sålde Augusta Janssons godsaker på olika platser i Stockholm. Gummor sålde godiset i pappersstrutar på de platser där stockholmare brukade ta sina söndagspromenader. Tillsammans med sin syster Signe öppnade hon så småningom en godisbutik. 7 _____

På 1920-talet ökade svenskarnas godiskonsumtion. Sverige behövde vid den här tiden inte importera socker och man startade större fabriker som tillverkade kolor, tablettaskar och chokladkakor. Samtidigt fick filmen sitt genombrott, något som också ökade godisförsäljningen. 8 _____

En annan orsak till att folk började äta mer godis var att man öppnade kiosker på olika platser i landet, framför allt vid järnvägsstationer. På så sätt blev det lättare att få tag på godis. På 40-talet lanserade chokladfabriken Marabou pralinasken Aladdin. 9 _____. Aladdin är fortfarande en storsäljare och många svenskar köper den än idag till storhelger som jul och påsk.

Under 40- och 50-talet forskade man om varför man får karies i tänderna och kom fram till att socker var en viktig faktor för dålig tandhälsa. Man upptäckte också att det var skadligare att äta lite godis ofta än att äta mycket godis mer sällan. Därför startade man en kampanj för att barnen bara skulle äta godis en gång i veckan, på lördagar. 10 _____

B Välj 10–15 nya ord från texten som du vill lära dig. Skriv egna exempel
eller en historia med orden.

> Tack vare odlingen av sockerbetor kunde man
> starta en egen sockerindustri, vilket blev start-
> punkten för masstillverkning av godis i Sverige.
> Samtidigt fick filmen sitt genombrott, något som
> också ökade godisförsäljningen.

Relativt pronomen
vilket = något som

ÖB 5:7

ÖB 5:8–11

Skriv!

När man skriver en berättande text om exempelvis en händelse eller
en utveckling över tiden är det bra att kunna olika ord och uttryck som
handlar om tid.

Skriv en berättande text och använd några av tidsuttrycken från rutan
här nedanför. Välj bland ämnena nedanför eller hitta på något eget.

- Ett barndomsminne
- Mina far- eller morföräldrar
- Ett land på ...-talet
- Mina elektroniska prylar (mobil, dator, teve osv.)

för länge sedan	med tiden
förr (i tiden)	så småningom
på den tiden	i alla tider
fortfarande	nuförtiden
samtidigt	än idag
mot slutet av ...	snart
i början av ...	länge

6

1 Om du var kung eller drottning för en dag ...

(32)))

AFTONPOSTEN FRÅGAR:

Vad skulle du göra om du var kung eller drottning för en dag?

Jonas Malmborg, 19 år, sommarjobbare, Trelleborg:
– Om jag var kung för en dag skulle jag ta det lugnt! Bara chilla och lyssna på musik och så. Och så skulle jag bjuda polarna på en stor fest, med en massa god mat och dryck.

Carina Furberg, 53 år, astronom, Uppsala:
– Jag skulle säkert jobba för det är så himla kul! Och så skulle jag bestämma att man skulle bygga ett gigantiskt, ultramodernt teleskop här i Uppsala.

Maria Durell, 7 år, skolelev, Visby:
– Om jag var drottning skulle jag köpa en häst, en egen häst som jag skulle rida på varje dag. Sedan skulle jag köpa hästar till alla mina kompisar.

Vad skulle du göra om du var kung/drottning i Sverige?
Om jag var kung/drottning skulle jag köpa en häst.

Konditionalis 1

A Vad skulle ni göra om ni var kung för en dag? Skriv en lista med
   så många förslag som möjligt. Jämför er lista med paret bredvid.

B Läraren delar ut en fråga från listan nedan till var och en i gruppen.
   Om ni är fler än tio personer får ni komplettera listan med frågor
   så att alla har varsin fråga.

Vad skulle du göra om...

...du vann tio miljoner?
...du var osynlig en dag?
...du bara hade två dagars semester ett år?
...du var finansminister i ditt land?
...en vän ville låna 10 000 kronor av dig?
...någon bjöd dig på surströmming?
...du körde på en annan bil på en parkering?
...du var kung eller drottning i en vecka?
...Beyoncé frågade om du ville dansa i hennes show?
...du fick en chans att resa till månen?

C Gå runt i klassrummet och ställ era frågor till så många som möjligt.
   Anteckna svaren.

   – Vad skulle du göra om du vann 10 miljoner?
   – Om jag vann 10 miljoner skulle jag + infinitiv/Då skulle jag + infinitiv.   ÖB 6:1

D Redovisa de svar du har fått för hela gruppen.

Många sa att...
Det var bara en/två som svarade att...
De flesta svarade att...
Ett par personer/några sa att...
Det var ingen som sa att...

E   På fotot på sidan 73 ser ni ett foto av kungafamiljen. Vad vet ni om
    dem? Vad vet ni om Sveriges statsskick? Skriv så mycket fakta ni kan
    på ett papper. Läs sedan texten nedan och se om ni hade rätt.

Kungafamiljen och Sveriges statsskick

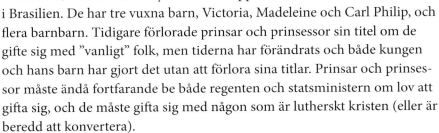

33))

Carl XVI Gustaf tillhör släkten Bernadotte. Jean
Baptiste Bernadotte, som bjöds hit från Frankrike
i början av 1800-talet, blev Karl XIV Johan av
Sverige. Han blev vald till kronprins, eftersom Karl
XIII inte hade någon son.

Den nuvarande kungen har varit gift sedan 1976
med Silvia, som är född i Tyskland och uppvuxen
i Brasilien. De har tre vuxna barn, Victoria, Madeleine och Carl Philip, och
flera barnbarn. Tidigare förlorade prinsar och prinsessor sin titel om de
gifte sig med "vanligt" folk, men tiderna har förändrats och både kungen
och hans barn har gjort det utan att förlora sina titlar. Prinsar och prinses-
sor måste ändå fortfarande be både regenten och statsministern om lov att
gifta sig, och de måste gifta sig med någon som är lutherskt kristen (eller är
beredd att konvertera).

Sverige är en parlamentarisk demokrati. Kung Carl XVI Gustaf är
Sveriges statschef. Han är symbol och representant för Sverige, men han har
ingen politisk makt och han får inte delta i det politiska livet. Den svenska
monarkin är med andra ord konstitutionell.

Före Gustav Vasas tid valde man kung, men 1544 bestämde Gustav Vasa
att kungamakten skulle gå i arv. Kronprinsessan Victoria, född 1977, kom-
mer att efterträda kung Carl Gustaf. En undersökning från 2012 visar att
54 % vill behålla monarkin och bara 17 % tycker att det är ett bra förslag att
införa republik.

F   Berätta för varandra om statsskicket i era länder.

en republik	en president/en premiärminister/en statsminister
en monarki	en kung/en drottning
ett kejsardöme	en kejsare/en kejsarinna
en diktatur	en diktator
ett parlament	en parlamentsledamot

En-ord som slutar på *-or* i singular ändrar
betoning i plural.
Exempel: *en diktator, diktatorer*

G Markera lång vokal eller konsonant i orden. Uttala orden.   (34))

en dator	datorer
en rektor	rektorer
en professor	professorer
en revisor	revisorer
en motor	motorer
en doktor	doktorer

H Uttrycket "Man ska aldrig säga aldrig" finns på många språk. Det betyder
ungefär att man aldrig kan veta helt säkert vad som kommer att hända eller hur
man kommer att agera i olika situationer. Diskutera:

I vilka situationer (om det finns några) skulle ni kunna ...

... stjäla något?
... ljuga för en nära vän?
... slå någon?
... låna ut en stor summa pengar till en vän?

Exempel:

– Om jag var jättehungrig och inte hade
några pengar skulle jag kanske stjäla lite mat.

I Berätta för paret bredvid hur ni har svarat.

2 Svensk politik

A Gör ordkunskapsövningen i övningsboken först. ÖB 6:2

 B Läs om partier och regeringar i Sverige. Börja med text 1. Stanna upp vid varje fråga. Gissa svaret tillsammans. Följ sedan instruktionerna för hur ni ska läsa vidare och få det rätta svaret.

35))

1

Det svenska partisystemet var länge ett av världens stabilaste. De fem partierna som idag heter Vänsterpartiet, Socialdemokraterna (det socialistiska blocket), Centern, Folkpartiet liberalerna och Moderaterna (det borgerliga blocket) satt som de enda partierna i riksdagen …

Hur länge satt de som de enda partierna i riksdagen? Gissa!
a 45 år
b 68 år
c 79 år

Läs **4** för att få svaret.

6

… det socialdemokratiska Folkhemmet. Han menade att Sverige skulle bli som ett gott hem för alla svenskar. Folkhemmet skulle ersätta klassamhället. Där skulle det finnas jämlikhet och samförstånd och …

Vad skulle mer finnas där? Gissa!
a aktiva medborgare
b en stark stat
c låga skatter

Läs **3** för att få svaret.

3

… en stark stat. Under de socialdemokratiska åren växte välfärdsstaten fram. Sverige fick till exempel allmänna barnbidrag, nioårig obligatorisk skola, allmän tilläggspension (ATP), 40 timmars arbetsvecka och fyra veckors semester. Man finansierade reformerna bland annat med …

Hur finansierade man reformerna? Gissa!
a ökad export
b mindre bidrag till jordbruket
c höga skatter

Läs **5** för att få svaret.

4

… från 1920 till 1988. Då kom ett nytt parti, Miljöpartiet, in i riksdagen. I valet 1991 tillkom ytterligare två partier: Kristdemokraterna och Ny demokrati.

Vad hände med Ny demokrati? Gissa!
a De satt i regeringen 1994.
b De blev det största borgerliga partiet i nästa val.
c De åkte ur riksdagen i nästa val.

Läs **2** för att få svaret.

5

... ett högt skattetryck och en progressiv skatteskala. De som tjänade mer betalade mer skatt. Mellan 1976 och 1982 hade Sverige fyra borgerliga regeringar. De borgerliga partierna hade olika problem att lösa. Ekonomin var svag och man försökte minska de offentliga utgifterna. En viktig fråga man diskuterade var om Sverige skulle ha kärnkraft eller inte. Partierna hade olika åsikter i den frågan och samarbetet mellan partierna blev svårt.

1982 tog Socialdemokraterna makten igen och Olof Palme blev statsminister. Fyra år senare hände det som ingen trodde var möjligt i Sverige.

Vad hände? Gissa!
a Det var en statskupp i Sverige.
b Statsministern blev mördad.
c Någon försökte skjuta kungen.

Läs **7** för att få svaret.

OLOF
PALME
1927-1986

2 90
SVERIGE

2

Men Ny demokrati satt bara i riksdagen under en mandatperiod.

Inget annat land har haft ett så långt socialdemokratiskt styre som Sverige. Socialdemokraterna satt vid makten utan avbrott från år 1932 till år 1976. Under tre månader hade Sverige dock en interimsregering (1936). Sverige förändrades mycket under den socialdemokratiska perioden. En av partiets statsministrar, Per Albin Hansson, införde ett nytt uttryck.

Vilket uttryck var det? Gissa!
a Folkhemmet
b Moder Svea
c Storsverige

Läs **6** för att få svaret.

7

Statsministern blev skjuten på öppen gata i centrala Stockholm. Ingvar Carlsson tog över statsministerposten efter Palme. Med undantag för en mandatperiod, 1991–1994, hade Sverige socialdemokratiska regeringar 1982–2006.

Till valet 2006 bildade de borgerliga partierna en koalition, Allians för Sverige, med ett gemensamt valmanifest. De vann valet och Fredrik Reinfeldt, partiledare för det största borgerliga partiet, Moderaterna, blev statsminister. År 2010 kom ett annat parti in i riksdagen, Sverigedemokraterna, ett nationalistiskt parti med rötterna i högerextremism.

Alliansen satt vid makten i två mandatperioder till valet 2014.

3 Ett nytt parti

På senare tid har det dykt upp flera enfrågepartier i Sverige. Några exempel är Spritpartiet som vill halvera svenskarnas spritkonsumtion, Sjukvårdspartiet som har hälso- och sjukvård som huvudfråga och Republikanska partiet som vill avskaffa monarkin. Morgonposten har intervjuat Roine Wigman, partiledare för det nya Fiskpartiet.

Vad är er viktigaste fråga?
– Vår viktigaste fråga är naturligtvis hur vi ska rädda vår fisk. Vi människor måste ändra våra matvanor. Fisken kommer att försvinna från våra vatten om vi inte slutar äta så mycket fisk. Haven kommer att bli utfiskade. Vi måste också sluta släppa ut föroreningar och annat skräp i våra vatten, annars kommer fisken att dö ut.

Hur ska ni vinna folks röster?
– Vi startar en kampanj nästa månad. Vi ska annonsera i olika tidningar och ringa till folk för att informera om problemet. Vi ska också sätta upp affischer runt stan. Sedan ska vi ställa oss vid olika köpcentrum och dela ut flygblad. Det kommer att bli mycket arbete.

Vad gör ni om ni inte lyckas?
– Om det går dåligt tänker jag starta ett annat parti. Jag vet inte riktigt vad för parti, Köttpartiet kanske? ■

 A Välj ett av partierna eller hitta på ett eget, och skriv om er viktigaste fråga. Hur ska ni vinna röster?

Klimatpartiet

Rökpartiet

KUNGAPARTIET

Robotpartiet

Frihetspartiet

B Sätt er tillsammans med paret bredvid. Intervjua varandra om era partier.

C Berätta kort om partierna för resten av gruppen.

Fisken **kommer att** försvinna från våra vatten …
Vi **ska** annonsera i olika tidningar …
Vi **startar** en kampanj nästa månad.
Om det **går** dåligt **tänker** jag starta ett annat parti.

Presens futurum:
kommer att + infinitiv
ska + infinitiv
presens
tänker + infinitiv

D När använder man de olika uttrycken för presens futurum?
Kombinera förklaringarna. Dra streck.

1 *Kommer att* + infinitiv använder man ofta när ingen bestämmer och när något är …

2 Presens som framtid använder man …

3 *Ska* + infinitiv har ofta en extra-betydelse, till exempel …

4 *Tänker* + infinitiv är detsamma som …

a planerar.

b beslut/plan/vilja eller andrahands-information.

c en naturlig process/logisk konsekvens/prognos.

d i temporala och konditionala bisatser och tillsammans med framtidsuttryck.

E Vad är meningarna här nedanför med *ska* exempel på
(beslut, plan, vilja, andrahandsinformation …)? Ibland kan flera
alternativ vara möjliga.

1 Nästa vecka ska jag göra alla läxor.

2 Jag ska hälsa på farfar imorgon.

3 Drottningen ska besöka tre barnhem under veckan.

4 Det ska bli regn på lördag.

5 Jag ska sluta snusa!

F Komplettera meningarna muntligt med *kommer att*.

> – Om fler börjar ta cykeln istället för bilen kommer det att bli trångt
> på cykelbanorna.

1 Om fler börjar ta cykeln istället för bilen …

2 Jag är inte alls nervös för provet. Det …

3 Om du tar den här tabletten …

4 När du blir äldre …

5 Klimatet i världen …

6 Min mormor är otroligt pigg. Jag tror att hon …

ÖB: 6:3–4

 G Lyssna på samtalet mellan Mia och Daniel. Lyssna igen och markera rätt alternativ.

1 Mia ville inte hålla på med politik därför att

  a) hennes föräldrar var ointresserade av politik.

  b) hon hade lyssnat på för mycket prat om politik hemma.

  c) Mias föräldrar protesterade mot hennes politiska intresse.

2 Daniels föräldrar

  a) pratade aldrig om politik.

  b) protesterade mot saker som var fel i skolan.

  c) var politiskt aktiva.

3 Daniel började syssla med politik tack vare

  a) en lärare i skolan.

  b) sina föräldrar.

  c) sina klasskompisar.

4 Daniel

  a) ordnade ett möte mellan skolpersonalen och hela klassen.

  b) satt ensam i möte med skolpersonalen om skolmaten.

  c) var med i en grupp som hade möte med skolpersonalen.

5 Skolmaten blev

  a) inte bättre alls.

  b) lite bättre, men bara för en period.

  c) mycket bättre.

6 I det politiska ungdomsförbundet

   a) gjorde man andra saker
       ibland.

   b) hade man bara politiska
       möten.

   c) pratade man nästan aldrig
       om politik.

7 Mia

   a) hatar fortfarande politik.

   b) jobbar inom EU.

   c) planerar att bli statsminister.

4 Sveriges grundlagar

Sverige har fyra grundlagar: regeringsformen, successionsordningen, tryckfrihetsförordningen och yttrandefrihetsgrundlagen. Grundlagarna ska skydda demokratin och innehåller regler för Sveriges statsskick och människans fri- och rättigheter. Grundlagarna står över alla andra lagar i Sverige.

Titta på förklaringarna av lagarna här nedanför. Skriv sedan rätt siffra vid respektive grundlag.

1 Lagen har regler för vad man får säga till exempel på teve, på film, i radio och på internet.

2 Lagen har bland annat regler för hur valen ska gå till.

3 Lagen bestämmer vem som får bli kung eller drottning.

4 Lagen säger bland annat att alla får skriva vad de tycker i tidningar och böcker.

Regeringsformen, RF   _____
Successionsordningen, SO   _____
Tryckfrihetsförordningen, TF   _____
Yttrandefrihetsgrundlagen, YGL _____

5 Så styrs Sverige

 A Leta snabbt efter svaren på frågorna i texten *Så styrs Sverige*.
Läs inte hela texten.

1 Hur många platser finns det i riksdagen?

2 Vad beslutar man om i landstingen?

3 Hur ofta är det val i Sverige?

4 Skriv tre exempel på ministerposter.

5 Hur många kommuner finns det i Sverige?

6 Hur många procent av befolkningen brukar rösta?

7 Vad kallar man ministrar med ett annat ord?

8 Vilka frågor tar kommunerna hand om?

9 Hur gammal måste man vara för att få rösta?

10 Hur många procent av rösterna måste ett parti få
för att komma in i riksdagen?

 B Läs hela texten. Gör en ordlista på nya ord som du vill lära dig.
Skriv egna exempel med orden.

38))

Så styrs Sverige

Allmänna val
Den tredje söndagen i september vart fjärde år har man allmänna val
i Sverige. Man har val på tre olika nivåer, nationell nivå (riksdagen),
regional nivå (landstingen) och lokal nivå (kommunerna). Alla svenska
medborgare som har fyllt 18 år får rösta i riksdagsvalet. För kommunal-
valen och landstingsvalen är det andra regler. Om man är EU-medborgare
eller kommer från Island eller Norge och bor i Sverige, får man rösta
i kommunalvalen och landstingsvalen. Om man kommer från ett annat
land, måste man ha bott i Sverige i mer än tre år i rad för att få rösta.
I Sverige röstar omkring 80 % av dem som har rösträtt. →

Riksdagen

I riksdagen finns 349 platser. För
att ett parti ska få plats i riksdagen
behöver det få 4 % av rösterna.
Riksdagen röstar om nya lagförslag.
Förslagen kan antingen komma som
propositioner från regeringen eller
som motioner från en eller flera

riksdagsmän. Riksdagen röstar också om budgeten och kontrollerar
hur regeringen och myndigheterna sköter sitt arbete.

Regeringen

Det parti som får flest röster får bilda regering. Ofta får inget parti egen
majoritet och flera partier måste bilda regering tillsammans. I Sverige brukar
de två blocken, det rödgröna (Socialdemokraterna, Miljöpartiet och Vänster-
partiet) och det borgerliga (Moderaterna, Folkpartiet liberalerna, Centern
och Kristdemokraterna), vara ungefär lika stora.

Statsministern väljer vilka personer som ska bli ministrar, eller statsråd
som de också kallas. Exempel på ministerposter är finansminister, utrikes-
minister, utbildningsminister, kulturminister, försvarsminister och miljö-
minister. Statsråden/ministrarna arbetar i olika departement. Det finns nio
departement. En minister kan sitta i flera olika departement samtidigt.

Regeringen styr landet genom att lägga fram propositioner till riksdagen.
Sedan bestämmer riksdagen om förslagen ska gå igenom. Man kan säga att
regeringen föreslår och riksdagen beslutar.

Myndigheterna

Det finns över 300 myndigheter i Sverige. De ska se till att riksdagens och
regeringens beslut blir verklighet. Om riksdagen bestämmer om nya regler
för socialbidrag till exempel, ska de sociala myndigheterna se till att betala ut
bidrag enligt de nya reglerna. I Sverige är ministerstyre förbjudet. Det inne-
bär att myndigheterna arbetar självständigt. Inga ministrar får lägga sig i och
styra arbetet i detalj.

Länen

Sverige är indelat i 21 län och varje län styrs av en länsstyrelse. Den är statens
regionala representant och har hand om till exempel samhällsplanering och
samarbetar med myndigheter på central, regional och lokal nivå.

Landstingen

Det finns 18 landsting och 3 regioner i Sverige som motsvarar länsindel-
ningen. Deras viktigaste uppgift är att ta hand om sjukvården och tandvård
för alla under 20 år. En annan fråga landstingen beslutar om tillsammans
med kommunerna är kollektivtrafiken.

Kommunerna

Sverige har 290 kommuner. De är olika stora, de minsta har bara några tusen
invånare och den största nästan en miljon. Sverige har kommunalt självstyre,
det vill säga att kommunerna själva bestämmer om många lokala frågor som
vägar, skola, barnomsorg och åldringsvård. Kommuner måste bland annat
erbjuda socialtjänst, svenska för invandrare och service till personer med
funktionshinder.

ÖB 6:5–7

Skriv!

När man skriver om statistik återkommer ofta vissa ord och fraser.
Det är viktigt att meningarna inte blir för långa och krångliga.

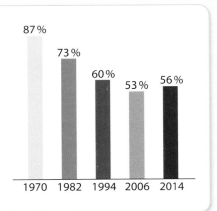

Andel män i riksdagen
- Andelen män i riksdagen sjönk/
  minskade från 87 procent år 1970 till
  53 procent år 2006 och ökade till 56
  procent år 2014.
- Knappt 90 procent av riksdagsleda-
  möterna var män år 1970. 1982 var
  mer än två tredjedelar av riksdags-
  ledamöterna män. Nu är lite mer än
  hälften av riksdagsledamöterna män.
- En majoritet av riksdagsledamöterna
  är män.

Skriv 4–5 meningar om andelen kvinnor i riksdagen. Använd diagrammet
som hjälp.

7

1 Smultronställen

A Titta på fotot. Vilka ord associerar du mest med bilden? Varför?

vackert	vilsamt	tråkigt	spännande
skönt	ensamt	exotiskt	läskigt

 B Jämför vad du har tänkt med några andra personer.
Kommer ni på fler ord som ni associerar med bilden?

Smultronställe

För många svenskar är smultron en symbol för sol och sommar. Barn brukar ta ett grässtrå och trä upp smultron på det. Smultron är godast att äta färska, med grädde, glass eller mjölk. Men om man vill göra sylt eller saft passar jordgubbar, smultronets släkting, bättre.

Kopiering av detta engångsmaterial är förbjuden enligt lag och gällande avtal.

Smultron är, precis som de flesta bär, både goda och nyttiga. Forskaren Carl von Linné tyckte mycket om smultron och han brukade äta dem som medicin. Och poeten och trubaduren Carl Michael Bellman sjöng så här om smultron: "Ulla, min Ulla, säg, får jag dig bjuda rödaste smultron i mjölk och vin, …"

Ett smultronställe är inte bara en plats där det växer smultron. Ordet har också en annan, speciell betydelse. Det beskriver en plats där man mår bra och kan koppla av och dit man gärna kommer tillbaka. Det är en plats som inte är så lätt för andra att hitta och som man kanske vill hålla hemlig.

Carl von Linné (1707–1778) var en svensk botaniker, läkare, geolog, pedagog och zoolog som systematiserade växt- och djurnamn. Hans system används fortfarande.

Carl Michael Bellman (1740–1795) var en poet och trubadur som ibland kallas för Sveriges nationalskald. Han skrev dikter och visor som fortfarande är populära, bl.a. "Gubben Noak" som börjar så här:

*Gubben Noak, gubben Noak
var en heders man.
När han gick ur arken
planterade han på marken
mycket vin, ja mycket vin, ja
detta gjorde han.*

 C Titta på orden i rutan här nedanför. Vilka ord kan ni? Slå upp de andra.

ett smultronställe	brant	ett rådjur	spela in
en skog	en klippa	en hare	slappa
en stig	svettig	en hemlighet	ett råd
gå vilse	ta ett dopp	koppla av	titta in
tät	en macka	en sten	en stämning

 D Lyssna på tre personer som pratar om sina smultronställen.
Vad har de för smultronställen?

 E Välj en av personerna, lyssna och skriv ner det du hör.

F Lyssna igen och svara på frågorna.

Hamid

1 Hur kommer han till sitt smultron-ställe?

2 Vad gör han när han kommer fram?

3 Vilka djur brukar han se?

Isak

4 Vad gör han när han vill vara för sig själv?

5 Vad gör han med familjen?

6 Vad gör de på kvällen?

Lollo

7 Varför vill hon helst komma till fiket på morgonen?

8 Vad gör hon där?

9 Hur är det där efter jobbet?

 G Tänk på ett eget smultronställe. Skriv ner några stödord till frågorna. Berätta sedan om ditt smultronställe för några andra i gruppen.

- Vilket är ditt smultronställe? • Hur ser det ut? • Vad gör du där?
- Vad känner du när du är där? • Varför gillar du det stället?

2 Ingmar Bergman

 A Vad vet ni om Ingmar Bergman? Berätta för varandra.

(42)))

Ingmar Bergman (1918–2007)

Någon har sagt att om man får ett eget adjektiv så är man verkligen berömd. Man brukar ibland använda Ingmar Bergmans namn så här: bergmansk ångest, bergmansk teatertradition, en bergmansk basker.

Ingmar Bergman var regissör inom teater och film och skrev filmmanus, teaterpjäser och flera böcker om sig själv och sitt arbete. Han var en av de största konstnärerna i Sverige under 1900-talet och han blev också mycket känd utomlands.

Men Bergman var aldrig folklig. Många säger att de inte förstår hans filmer och pjäser och att filmerna är tunga och långsamma. Dessutom är de ofta svartvita.

→

B Vilka är filmerna, tror ni? Skriv namnet på filmen på raden.

Det sjunde inseglet   Fanny och Alexander   Sommaren med Monika
~~Persona~~   Smultronstället

---

43))

1 _____

Ett ungt par lämnar sina tråkiga jobb i stan och åker ut i skärgården. De har en romantisk sommar med sol och bad, men när hösten kommer måste de tillbaka till vardagen. Kvinnan är gravid och allt går dåligt för dem. Den här filmen gjorde Bergman känd i Sverige. Den exporterades också till andra länder och gjorde skandal på många ställen. Skandalen berodde på att filmen visade nakna människor. Det var den här och andra filmer under 1950-, 60-, och 70-talen som skapade myten om "den svenska synden".

2 _____

Den här filmen känner nästan alla till, för det finns en mycket speciell scen där en riddare möter en person som säger att han är Döden. Riddaren frågar: "Kommer du för att hämta mig?" Riddaren och Döden spelar ett parti schack. Om riddaren vinner får han leva lite till. Riddaren försöker vinna över Döden, vilket är omöjligt. Titeln innehåller en siffra.

3 _____

En gammal professor bilar mellan Stockholm och Lund tillsammans med sin svärdotter. De gör en paus vid en sjö i skogen där de träffar några ungdomar och den gamla professorn börjar dagdrömma om sin ungdom.

4 _Persona_ _____

Elisabet är skådespelerska men har blivit psykiskt sjuk och slutat tala. Sjuksköterskan Alma tar hand om henne i ett sommarhus på Gotland. Alma talar och talar men Elisabet är tyst. Situationen blir mer och mer konstig och till slut vet de inte vem som är vem.

5 _____

Det här är en släktkrönika som handlar om en bror och en syster vars pappa dör. Deras mamma gifter om sig med en elak präst. Filmen får ett ganska lyckligt slut när prästen dör och livet går tillbaka till det normala. En stor julfest är central i filmen.

→

Bergman återkommer ofta till tre teman: familjen, religionen och konsten. Med dessa tre teman visar han på ett och samma problem, nämligen bristen på kommunikation mellan människor. Hemmet är inte en varm och välkomnande plats. Tvärtom är folk grymma eller oförstående mot varandra.

Guds tystnad är ett vanligt tema i hans filmer. Människor försöker tro, men det är svårt i en hård värld. De söker kontakt med en gud som inte svarar. Konstnärer i Bergmans filmer är ofta parasiter som lever på andra eller bara lever för sin konst och inte bryr sig om familj eller vänner.

Ön Fårö på norra Gotland fick en speciell plats i Bergmans liv och filmer. Landskapet fascinerade honom och han spelade in sex filmer och en teveserie där. Bergman bodde sina sista år på Fårö och han är också begravd där.

Att jobba med Bergman var den största drömmen för många skådespelare. De som gjorde det säger att det var svårt och jobbigt men mycket spännande. Bergman hade ett nära samarbete med några skådespelare, och de spelar i många av hans filmer och pjäser. En av hans favoriter, Erland Josephson, arbetade regelbundet med Bergman mellan 1940 och 2004.

Läs mer om Bergman på www.ingmarbergman.se och om hans hem på Fårö på www.bergmangardarna.se

 C Diskutera. Vad gillar ni för filmer: actionfilmer, kärleksfilmer, dokumentärer, snyftare, komedier, deckare eller skräckfilmer? Varför?

D Har du någon favoritfilm? Vad handlar den om? Varför är den så bra?

Den handlar om …
Den är spännande, gripande, romantisk, läskig, hemsk, viktig, sann, rolig, urkul …
Skådespelarna är …

E Känner du till de här svenska regissörerna? Ta reda på fakta om dem.

Bo Widerberg	Mai Zetterling	Pernilla August	Ruben Östlund
Suzanne Osten	Jan Troell	Lars Molin	Anna Odell
Lasse Hallström	Lukas Moodyson	Ella Lemhagen	Roy Andersson

F Välj en svensk film av någon av regissörerna och titta på den. Se den gärna med svensk text.

G Vad minns du av texten om Ingmar Bergman? Försök tillsammans rekonstruera så mycket som möjligt med hjälp av orden i rutan.

teater och film	Riddaren och Döden	högsta drömmen
bergmansk	gammal professor	Fårö
inte folklig	elak präst	brist på kommunikation
tung och långsam	guds tystnad	
skandal	parasiter	

... en plats som inte är så lätt för andra att hitta.
... en plats där det växer smultron.
... en plats dit man gärna kommer tillbaka.
... en bror och en syster vars pappa dör.
Riddaren försöker vinna över döden, vilket är omöjligt.

Relativa pronomen
och adverb

H Kombinera genom att dra streck.

1 Som

2 Där

3 Dit

4 Vars

5 Vilket

a refererar till en plats. Ett subjekt måste komma efter. Har ingen destination/rörelse.

b refererar till en hel sats.

c refererar till ordet före. Kan vara subjekt.

d refererar till en plats. Ett subjekt måste komma efter. Har en destination/rörelse.

e är genitivformen.

ÖB 7:1

3 Svenska landskap

A Titta på Sverigekartan här nedanför och prata med varandra.

- Vilka platser har ni besökt eller bott på?
- Berätta för varandra om platserna.
- Vill ni resa till någon speciell plats i Sverige? Varför? Varför inte?

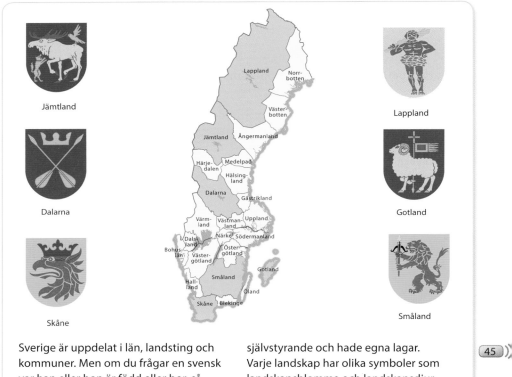

Sverige är uppdelat i län, landsting och kommuner. Men om du frågar en svensk var han eller hon är född eller bor, så blir svaret inte ett län, landsting eller en kommun utan ett landskap t.ex. Småland. Landskapet står för kulturell identitet, historia, seder och traditioner. Inom turistnäringen talar man också om landskap. För mycket länge sedan var landskapen självstyrande och hade egna lagar. Varje landskap har olika symboler som landskapsblomma och landskapsdjur. Älgen är Jämtlands landskapsdjur och kaprifolen är Bohusläns landskapsblomma. Fler och fler inofficiella symboler har tillkommit. Nu har varje landskap bland annat en egen sten, en egen fisk och till och med en egen stjärna på himlen.

45))

B Tänk er att ni arbetar på en turistinformation. En i paret läser texterna om Bohuslän, Marstrand och Käringön, den andra läser om Jämtland, Åre och Thailändska paviljongen. Gör en lista på nya, viktiga ord och fraser. Skriv upp nyckelord från texterna och öva att återberätta dem. Tänk på att du ska berätta om platserna så att den som lyssnar får lust att åka dit.

C Gå igenom listorna med nya ord och fraser tillsammans. Förklara vad de betyder.

D Berätta för varandra om platserna.

Bohuslän – salta bad, klippiga öar, nyfångade skaldjur och en spännande historia

I västra Sverige hittar du landskapet Bohuslän. Landskapet sträcker sig från norra Göteborg, upp till norska gränsen. Bohuslän hörde länge till Norge och Danmark och blev inte svenskt förrän år 1658 efter ett kort krig mot Danmark.

Bohuslän har cirka 8 000 öar. En av dem, Orust, är Sveriges tredje största ö. Varje år kommer många turister till den bohuslänska skärgården för att njuta av naturen, maten och solen.

Ett amerikanskt tevebolag skriver så här om skärgården: "Om du någonsin fantiserat om att sakta och tyst glida fram över vattnet i en kajak, campa på öde stränder, njuta av midnattssolen, upptäcka sälar och uppfyllas av havets själ, så kommer du inte att sakna det här". Tevebolaget placerar Bohuslän på sjunde plats på sin lista över världens vackraste vildmarksområden.

---

www.turistjavisst.se/bohuslän

Marstrand

På Marstrandsön finns något för alla. Gör som kunglig- heter och överklassen på 1800-talet: ta salta havsbad, ät gott och roa dig i det vackra Societetshuset. Om du vill festa dag och natt och se kändisar, är Marstrand den rätta platsen första veckan i juli när det är kappsegling här. Men tänk på att boka boende ett par månader i förväg!

Missa inte ett besök på Carlstens fästning när du är på Marstrandsön. Man började bygga fästningen på 1600-talet på order av Sveriges kung Karl X Gustav. Till det hårda arbetet hämtade man fångar från hela Sverige. Tjuvar, mördare och andra kriminella släpade sten efter sten till bygget. För att fångarna inte skulle rymma hade de en två- kilos järnkula fäst runt ena fotleden. Carlstens fästning fungerade som fängelse också. Här satt bland andra den kända fången Lars Molin, även kallad Lasse-Maja. Följ med på en guidad tur till Suckarnas gång, Galgbacken, Lasse-Majas kök och Fästningskyrkan!

Käringön

Längst ute i havsbandet ligger Käringön. Ön är bara en kilometer bred och en kilometer lång och här bor cirka hundra personer året runt. Man tar sig runt ön till fots, bilar är förbjudna och under sommarmånaderna är det bara sjöräddningen som får cykla.

Många gäster förälskar sig i ön och kommer tillbaka år efter år. Hit ska du åka om du söker lugn och ro, god mat och frisk luft. Och om du älskar havet förstås. På Käringön kan du promenera bland de gamla vackra trähusen som ligger nära varandra på den norra sidan av ön. På sydsidan finns dam- och herrbad. Här badar man naken, damer för sig och herrar för sig.

Hamnen är en naturlig samlingsplats för både stora och små. Barnen älskar att ligga på bryggorna och fiska krabba och de stora kan ta något att äta eller dricka. Det finns flera restauranger som serverar lokal mat och när solen går ner i väster börjar bryggdansen.

Jämtland – höga fjäll, milsvida skogar och vilda djur   47))

I norra Sverige, söder om Lappland, ligger Sveriges näst största landskap, Jämtland. Från början var Jämtland en självstyrande bonderepublik och hade ett av världens första parlament, Jamtamot. På 1100-talet blev området norskt och det var först 1645 som Jämtland blev en del av Sverige.

Jämtland imponerar med sina höga fjäll, stora skogar och sjöar och älvar med kristallklart vatten. Hit kommer folk för att uppleva naturen, vandra, plocka hjortron, fiska och åka skidor, men också för att se världsartister på musikfestivalen Storsjöyran i Östersund eller kanske för att få en chans att se det mystiska Storsjöodjuret. Populärt är också att besöka en älgfarm, där man kan pussa på och klappa de tama älgarna.

Jämtland är också en del av Sápmi, samernas land. Den samiska kulturen har funnits här sedan urminnes tider. Om du vill lära känna den samiska kulturen finns det flera samebyar som välkomnar turister.

Åre

I Åre hittar du den perfekta mixen av allt: gammalt och nytt, tystnad och livligt nöjesliv, lata dagar och dagar fyllda av fysiska aktiviteter. Här vet man hur man ska ta hand om sina gäster! Redan under 1800-talet började Åre växa fram som internationell turistort. Det var den rena, höga luften som lockade gästerna, som man därför kallade "luftgäster". De ville komma ut i naturen. På den tiden kom turister mest på sommaren.

Även idag är det många som besöker Åre sommartid, då man kan vandra i fjällen eller, om man gillar äventyr, cykla mountainbike ner för fjället Åreskutan. Vintertid är Åre det självklara valet för dig som älskar skidåkning, men som också vill ha ett intensivt nöjesliv. Här finns många restauranger som serverar lokalproducerad mat i toppklass och långt in på nätterna är klubbar och diskotek fyllda med partysugna gäster. Om du känner dig trött på skidåkning och party och vill ha en lugn dag, kan du besöka vår 1000-åriga kyrka, gå på spa och fika på något av alla våra caféer.

Thailändska paviljongen

Mitt i den jämtländska björkskogen i Utanede i Ragundadalen står en vänskapsgåva från Thailand till Ragunda kommun, en glittrande thailändsk paviljong i vitt och guld.

Paviljongen är en minnesbyggnad över den thailändske Kung Chulalongkorn som, efter en inbjudan av kung Oskar II, kom till Sverige år 1897 för att besöka den internationella konst- och industriutställningen i Stockholm. Under resan i Sverige besökte han även Ragunda och blev varmt välkomnad av en mängd människor. Femtio år senare döpte man en liten väg i Utanede till Kung Chulalongkorns väg som ett minne av besöket. Och för att fira 100-årsminnet av kungens visit byggdes Kung Chulalongkorns minnespaviljong vid denna väg.

Följ med på guidade visningar av paviljongen och se den 800 kilo tunga bronsstatyn i naturlig storlek av Kung Chulalongkorn, fantastiska utsmyckningar och målningar av thailändska konstnärer. Promenera i den rofyllda parken med vackra blommor eller glid runt i roddbåt i näckrosdammen. När vi har marknader kan du se thailändsk dans och teater, du kan lära dig laga thaimat och lyssna på olika intressanta föreläsningar. Du hittar ingenting liknande utanför Thailands gränser!

Bohus fästning Pater Noster sälsafari Väderöarna Smögen

Kosterhavets nationalpark äggost Tanums hällristningar Näs kyrka Tännforsen

Njarka Sameläger vinterfiske Sylarna älgsafari Kretsloppshuset

 E Titta på orden i taggmolnet här ovanför. Välj ut några av orden och leta efter bilder på dem på internet.

F Prata om bilderna.
- Ser det vackert/intressant/tråkigt ut?
- Finns det något liknande i andra länder?
- Är det något som ser extra intressant ut? Sök mer information på svenska.

G Ta reda på fakta om andra svenska landskap som ni tycker verkar intressanta. Presentera för varandra.

 H Lyssna på de fyra personerna som pratar. Vilken del av Sverige tror du att de kommer ifrån? Pricka in på kartan på s. 92.   (48))

4 Husmanskost – regional matkultur   (49))

Svensk husmanskost (från det tyska ordet *Hausmannskost*) är ett samlings-namn för hemlagad, traditionell vardagsmat som man ursprungligen lagade på landet. Maten är enkel, rustik och tar ofta lång tid att laga. Mycket av det vi kallar husmanskost var från början regionala rätter. På bondgårdarna lagade man mat av det som fanns i närheten, och man var noga med att använda alla delar av djuren och råvarorna. Husmanskosten var ofta ganska tung och fet, vilket behövdes för alla som hade hårda kroppsarbeten.

Idag serverar många finare restauranger en modernare variant av hus-manskost. En anledning till att den här typen av mat har blivit populär igen är klimatdebatten, att man vill äta närproducerad och gärna ekologisk mat. Här är några exempel på traditionella maträtter.

Pitepalt

Pitepalt är kokta bollar som är gjorda av riven, rå potatis och vetemjöl, fyllda med tärnat fläsk. När man äter palt delar man den mitt itu och en klick smör får smälta i fläskgropen inuti. Lingonsylt är ett självklart tillbehör och många dricker mjölk till palten. Som man förstår av namnet äter man mycket palt i Piteå. I Öjebyn, strax utanför Piteå, finns t.o.m. en Paltzeria. Men pitepalt finns också i stora delar av övriga Norrland.

Ett roligt ord från norra Sverige är *paltkoma*. Det är den enorma trötthet som man känner när man har ätit för mycket.

Det finns också en annan rätt, paltbröd, som många svenskar blandar ihop med palten. Men paltbrödet är något helt annat: ett bröd bakat på blod.

Saffranspannkaka

Saffranspannkaka är en ugnsgräddad pannkaka gjord på ris kokt i mjölk och saffran. Den innehåller också ägg, mandel och russin. Man äter pannkakan med vispad grädde och sylt som är kokt på salmbär, en typ av björnbär. Rätten kommer från Gotland och den kallas även Gotlandspannkaka. Man kan undra varför man gjorde en rätt med så många utländska ingredienser på Gotland. Det beror på att ön på medeltiden var ett handelscentrum i Östersjön och man handlade med kryddor och lyxvaror från hela världen.

Gås

Den så kallade gåsmiddagen (*gåsamiddag* på skånska) är en traditionell skånsk festmåltid som man brukar äta på Mårtensafton den 10 november. En klassisk gåsmiddag tar många timmar att laga och man bör ha lång tid på sig när man äter den. Det här är en måltid för den som inte är rädd för fet och kaloririk mat.

Middagen består av tre rätter: svartsoppa, ugnsstekt gås och till sist äppelkaka med hemlagad vaniljsås. Svartsoppan är gjord av gåsblod och den är kryddad med ingefära, kryddpeppar, nejlikor och konjak. Till soppan äter man krås, gjort av hals, mage, hjärta och vingar av gås.

Gåsen är fylld med äpplen och katrinplommon och man serverar den med bland annat gräddsås, potatis som är stekt i gåsfett och kokta äppelklyftor.

> Pitepalt är kokta bollar som är gjorda av riven, rå potatis och vetemjöl, fyllda med tärnat fläsk.

Perfekt particip

A Stryk under alla perfekt particip i texterna på s. 97. Vilka verbgrupper hör de till?

> Man kan böja verbet *kokar* på två sätt: *kokar – kokade – kokat* eller *kokar – kokte – kokt*. Därför finns det två participformer: *kokad* eller *kokt*.

B Kan ni se ett system för hur man bildar perfekt particip? Tips: vad heter verben i supinum? Är substantiven en, ett eller plural?

C Säg rätt form av participet.

> – Det är gott med varm choklad och vispad grädde.

vispar
1 Det är gott med varm choklad och … grädde.
Blanda i ett … ägg i smeten.
Nu är äggvitorna hårt …

fyller
2 Tycker du om … paprika?
Äpplet är … med nötter.
Vi äter ofta tomater … med ris, persilja, vitlök och parmesan.

röker
3 Jag älskar … lax!
Kan du köpa … skinka?
Ska vi äta … korvar ikväll?

brer
4 Nu är smörgåsen …
Är brödet … med vanligt smör?
Jag tar med några färdig-… smörgåsar till jobbet.

river
5 Vill du ha … parmesan på pastan?
Man ska ha … äpple i den här kakan.
Nu är äpplena …

gör
6 Den här kakan är … på päron.
Ölet är … i Sverige.
De här flingorna är … på havre.

ÖB 7:2

D Beskriv en typisk maträtt från ditt land eller din region.

 E Skriv ner receptet.

> *Pitepalt*
> *Riv rå potatis och blanda med vetemjöl ...*

 F Vi uttalar **h** i början av meningen och i betonade ord.
Lyssna på följande dialoger. När uttalar man **h**? Ringa in.
När uttalar man inte **h**? Kryssa över.

1 – Har du ätit hästkött någon gång?

– Nej, det har jag aldrig gjort. Det låter hemskt!

2 – Helena har köpt ett hus i Hälsingland.

– Vad härligt! Jag ska ringa henne och fråga om jag får komma och hälsa på.

3 – Heter din lärare Henrik?

– Ja, men han kallas Henke.

– Hur många år har han jobbat här?

– Länge. Det känns som han har varit här i hundra år!

En del av det vi kallar svensk husmanskost kommer från början från andra länder. Till exempel kom både köttbullar och kåldolmar till Sverige från Turkiet på 1700-talet.

ÖB 7:3–8

Skriv!

När du skriver om en film kan du tänka på de här punkterna:

- Filmens handling/tema
- Miljö
- Tid
- Huvudpersonerna
- Skådespelarna
- Vad var bra i filmen?
- Vad var dåligt i filmen?
- Vem kan du rekommendera filmen till?

A Skriv om din favoritfilm eller en film som du tycker var jättedålig.
   Skriv först en disposition i punktform.

B Skriv sedan texten och använd fraser ur rutan här nedanför.

Filmen handlar om ...
Det är ett drama/en komedi/en actionfilm/en deckare/en skräckfilm.
Filmen utspelar sig i ...
Filmen bygger på en bok av ... /en verklig händelse.
I början ...
Först/sedan/då ...
I slutet ...
... spelar ...
Handlingen är mycket spännande/tråkig.
Skådespelarna är ...
Det här är en film för personer som gillar ...

C Byt text med någon. Läs och säg två saker som du tyckte var bra eller
   intressanta. Ge två råd för hur texten kan bli bättre. Skriv om din egen text.

8

1 Tio decennier

 A Titta på bilderna här ovanför. Vilket årtionde tror ni att de hör hemma i?

B Läs texterna här nedanför. Gissa vilka årtionden de beskriver.

1910-talet	1930-talet	1950-talet	1970-talet	1990-talet
1920-talet	1940-talet	1960-talet	1980-talet	00-talet

1 _____

Det är stor framtidstro och folk får allt bättre ekonomi. Allt fler kvinnor börjar arbeta. Sverige går över till högertrafik. Under slutet av decenniet gör en hel del ungdomar revolt med inspiration från Europa. Vissa tar droger och provar fri sex. Sverige får en lag om lika lön för lika arbete och alla får rätt till fyra veckors semester. Den första pizzerian öppnar i Sverige. P-piller blir godkända i Sverige och kvinnor kan behålla sitt eget efternamn när de gifter sig.

2 _____

Alla myndiga svenskar får rätt att rösta. Men det första valet äger inte rum förrän under nästa årtionde. Tidigare har bara män haft rösträtt. Det finns ungefär 1 500 registrerade bilar i Sverige. Man bygger många biografer. Franska, danska och svenska filmer är populära. I slutet av det här årtiondet genomför man den sista avrättningen i Sverige. Selma Lagerlöf blir den första kvinnliga ledamoten i Svenska Akademien.

3

Nu börjar en ekonomisk globalisering och en digital revolution. Allt fler människor börjar använda datorer och internet. Svenskarna hittar nya resmål och det blir populärt att resa längre bort på semestern, till Thailand till exempel. Därifrån skriver man mejl hem till släkt och vänner. Det blir populärt att dricka kaffe latte och äta gigantiska muffins. Två personer av samma kön kan nu ingå registrerat partnerskap. Man inför en lag mot diskriminering i arbetslivet på grund av sexuell läggning. Sverige blir medlem i EU. Passagerarfärjan Estonia sjunker och över 800 personer drunknar, av dem är cirka 500 svenskar.

4

Den svenska ekonomin får problem på grund av den internationella oljekrisen. Kommunismen blir modern. Miljörörelsen startar. Folk flyttar ut på landet och odlar egen mat, något som kallas *gröna vågen*. Musiken blir mycket politisk och många demonstrerar mot samhället. Samma årtionde slår popgruppen ABBA igenom. I slutet av årtiondet kommer punkmusiken till Sverige. Socialstyrelsen beslutar att inte längre klassa homosexualitet som en sjukdom. Carl XVI Gustaf blir kung och man inför kvinnlig tronföljd. Sverige får en lag om kvinnors rätt till fri abort.

5

Miljö- och klimatdebatten tar fart. Många börjar tänka mer på hur maten är producerad och köper närodlat och ekologiskt. Det "långsamma matlagandet" blir modernt och man syltar, saftar och bakar som förr i tiden. Man bygger ut bredband över hela landet. Folk börjar blogga och använda Facebook. Allt fler har smarta mobiler. Samkönade par får rätt att gifta sig. I grundlagen skriver man in förbud mot hets mot folkgrupp på grund av sexuell läggning. I en folkomröstning säger svenskarna nej till euron. Sveriges utrikesminister, Anna Lindh, blir knivmördad på varuhuset NK i centrala Stockholm. Populära svenska artister är Kent, Robyn, Veronica Maggio och Titiyo. Dj-gruppen Swedish House Mafia blir otroligt framgångsrik.

6

Individualismen står i centrum. De trendigaste färgerna är olika neonnyanser, chockrosa och mintgrönt. Det är högkonjunktur och bankerna lånar ut allt mer pengar. Många tjänar oerhört mycket pengar och kör fina bilar. Andra förlorar sina jobb när fabriker stänger. Cd-skivan börjar konkurrera ut vinylskivan. Alla yrken, även inom försvaret, blir öppna för kvinnor. En allvarlig kärnkraftsolycka inträffar i Tjernobyl, något som också påverkar Sverige. Sveriges statsminister, Olof Palme, blir skjuten på öppen gata i centrala Stockholm.

7 _____

Alla får rätt till två veckors semester. Staten uppmanar arbetarfamiljer att ägna semestern åt hälsosamt friluftsliv. Många hem i städerna får vatten, avlopp och elektricitet. Det är oroligt i landet och under en demonstration i Ådalen skjuter militären ihjäl fem arbetare. I slutet av årtiondet kommer arbetsgivare och fack överens om att tillsammans bestämma om arbetsvillkor och löner, det så kallade Saltsjöbadsavtalet. Det blir tillåtet att informera om och sälja preventivmedel. Arbetsgivare får inte längre avskeda en kvinna för att hon gifter sig.

8 _____

På grund av kriget är det brist på en del varor. Men Sverige blir inte lika påverkat av kriget som grannländerna och resten av Europa. Astrid Lindgren debuterar med Pippi Långstrump, berättelsen om flickan som lever ensam, är jättestark, rik som ett troll och gör som hon vill. Ett svenskt livsmedelsföretag börjar sälja fryst mat. Alla barnfamiljer får barnbidrag. Arbetsgivare får inte längre avskeda en kvinna för att hon blir gravid.

9 _____

Radiosändningar startar och blir populära. Efter tio år har en tredjedel av befolkningen en radio. Många artister som t.ex. Evert Taube slår igenom stort, tack vare radion. Jazzen blir populär, vilket inte alla tycker om. Svenska musikerförbundets ordförande skriver i sin artikel Varning för jazz: "Jazz är en hemsk infektionssjukdom, som med stora steg närmar sig våra friska kuster." Man folkomröstar om spritförbud. Resultatet av omröstningen blir nej till förbud. Sverige får sin första kvinnliga riksdagsledamot.

10 _____

Den svenska industrin går på högvarv och många flyttar till Sverige för att arbeta. Teven gör entré i svenska vardagsrum. Ett av de första programmen är nyhetsprogrammet Aktuellt. Ungdomskulturen föds med pop och rock och speciella ungdomskläder. De första svenska charterresenärerna landar på Mallorca – efter fyra mellanlandningar. Kvinnor får rätt att bli präster. Ungefär 30 procent av kvinnorna arbetar utanför hemmet.

 C Välj ett årtionde och jämför med hur det var i andra länder vid samma tid.

D Välj ett par händelser, fenomen eller personer som ni tycker verkar intressanta i texterna ovan. Ta reda på mer och berätta för varandra.

 E Prata om hur man kan beskriva 2010-talet, i Sverige eller i ett annat land. Skriv nyckelord. Berätta för en annan grupp.

F Prata om hur ni tror att nästa årtionde blir i Sverige eller i världen.

2 En snabbkurs i svensk historia

 A Titta på serien och prata om vad ni tror händer på de olika bilderna.

B Välj verb ur rutan och sätt in dem i rätt form där de passar.

abdikerar	är	blir	grundar	bygger
ligger	styr	förlorar	krigar	

1 Alla fick rätt att rösta och kungen … makt.

2 Gustav II Adolf … och dog i Tyskland.

3 Gustav III gjorde en statskupp, tog tillbaka makten från riksdagen och … Svenska Akademien.

4 Gustav Vasa blev kung och det moderna Sverige föddes. Den lutheranska reformationen började i Sverige.

5 Kristina blev drottning men … sedan och flyttade till Rom.

6 Karl Johan Bernadotte, en fransk general, … kung över Sverige.

7 Man ristade bilder av skepp, människor och djur på stenhällar. Verktygen … av brons.

8 Vikingarna … långbåtar och reste till England, Spanien, Ryssland, Turkiet och andra länder.

9 Många olika kungar … olika små delar av landet. Kristendomen kom till Sverige.

10 Sverige … under flera hundra meter is.

C Sätt meningarna här ovanför vid rätt teckning på föregående sida. Använd siffrorna.

D Välj några viktiga händelser i ett annat lands historia. Berätta mycket kort om dem för varandra.

1700-talet (sjuttonhundratalet) ett århundrade, ett sekel
70-talet (sjuttiotalet) ett årtionde, ett decennium
f.Kr. före Kristus
e.Kr. efter Kristus

---

3 Fyra regenter berättar

När vi talar om historia tänker vi ofta på kungar och deras krig. Sverige har haft många kungar men inte så många regerande drottningar. Här berättar tre kvinnorna som har varit regenter i Sverige och en som ska bli det om sitt liv och sitt arbete.

 A Känner ni igen någon av kvinnorna på bilderna? När tror ni att de föddes?

B Läs texterna. Sätt in meningarna från rutan på rätt plats.

a Det var härligt att bestämma!
b Det var svårt att vinna, men till slut fick jag makten också över Sverige.
c Då skulle ingen kunna slå mig!
d Han var kung men det var jag som hade makten.
e Jag bestämde mig för att abdikera för att kunna leva mitt liv som jag ville.
f Jag lämnade makten till min man som blev Fredrik I.
g Jag var duktig på matematik och astronomi och språk.
h Men min pappa bestämde att jag skulle uppfostras som en pojke.

53))

Drottning Margareta (1353–1412)

Jag, Margareta, ligger på ett skepp och är mycket sjuk. Jag har blivit smittad av pesten. Kanske kommer jag att dö och jag tänker tillbaka på mitt liv.

Min far var Valdemar Atterdag, en stor och mäktig kung. Jag föddes år 1353 i Danmark. Mina föräldrar bestämde tidigt att jag skulle gifta mig med Norges kung, Håkan, och när jag bara var 10 år gammal blev det bröllop.

Jag blev uppfostrad av Märta Ulfsdotter som var dotter till den heliga Birgitta. Märta var mycket sträng och slog mig ofta. Jag tyckte inte om att bli slagen så jag bestämde mig för att bli en mäktig kvinna. 1 _____

Jag blev mor när jag var 17. Min son Olov blev vald till kronprins både i Danmark och Norge. Plötsligt dog min man och eftersom Olov inte var vuxen än, blev jag drottning över både Danmark och Norge. I Sverige regerade den illa omtyckta kung Albrecht av Mecklenburg. Jag bestämde mig för att starta ett krig mot honom. 2 _____

En stor olycka drabbade mig plötsligt; min son dog. För att trygga min framtid på tronen adopterade jag min systerdotters son, Bogislav. Han fick byta namn till Erik och han blev krönt i Kalmar. 3 _____

Nu är jag 59 år gammal. Jag har haft ett långt liv och hunnit med ganska mycket. Jag har varit drottning över det största landet i Europa. Många har tyckt om mig, andra har tyckt att jag varit hård och hjärtlös. Albrecht kallade mig för kung Byxlös, men det brydde jag mig inte om. Det viktiga för mig var hela tiden att göra de nordiska länderna starkare mot tyskarna. Jag ändrade också flera lagar så att kvinnor fick bättre skydd mot våld från män.

Drottning Kristina (1626–1689)

Jag föddes i Stockholm men nu bor jag i Rom. Hit flyttade jag när jag hade slutat som drottning i Sverige år 1654. Många tyckte att det var konstigt att jag abdikerade, men jag var trött på att vara drottning och jag kunde inte acceptera den stränga svenska kyrkan som förbjöd andra trosinriktningar än den lutherska läran. Jag längtade också efter det kulturella livet i Europa.

När jag föddes blev alla väldigt glada för de trodde att jag var en pojke, eftersom jag var så hårig. De hade väntat på en son som skulle bli kung. De blev förstås besvikna när de såg att jag var en flicka. 4 _____

Jag fick lära mig jaga, rida och skjuta. Jag älskade att vara ute i naturen och kunde rida många timmar utan att vila. Jag tyckte om att studera också. Studierna var viktiga för mig, eftersom jag skulle bli drottning. 5 _____

Min kära far dog i ett religionskrig i Tyskland när jag bara var 6 år. Min mor blev mycket deprimerad och hade svårt att ta hand om mig. Man bestämde att regeringen skulle ha ansvar för min uppfostran istället.

Jag blev drottning år 1632. Det var stora festligheter och jag åkte i en fantastisk vagn dragen av sex hästar. Jag älskade fester, musik och teater. Under min regeringstid kom många skådespelare och musiker till slottet och jag bjöd in kända filosofer och vetenskapsmän från hela Europa. Filosofen René Descartes, han med "Jag tänker, alltså är jag", kom också, men tyvärr dog han i Stockholm av lunginflammation på grund av det kalla vädret.

Jag funderade mycket på religion. Jag var inte nöjd med protestantismen och tog i hemlighet kontakt med katoliker – det var ju förbjudet. Men jag tröttnade snart på att gömma mina tankar. 6 _____

Direkt efter abdikationen åkte jag söderut, mot Rom. På vägen dit gick jag officiellt över till katolicismen. Det var en stor skandal i Sverige och resten av den protestantiska världen eftersom min far hade dött för protestantismen.

I Rom fick jag ett fantastiskt mottagande. Påven och alla kardinaler ordnade stora fester för att fira min ankomst. Här har jag startat en akademi och hjälpt sångare och konstnärer. Några gånger har jag rest tillbaka till Sverige, men jag har inte känt mig välkommen. Nu trivs jag bra i min stora trädgård med apelsinträden och påfåglarna. Jag brukar sitta där på kvällarna, lyssna på någon av mina musiker och titta ut över Roms kullar.

Drottning Ulrika Eleonora (1688–1741)

Tidigare var jag drottning, men numera är min man kung. Jag, Ulrika Eleonora, är syster till Karl XII, den så kallade hjältekungen. Han krigade ofta och mycket mot många olika länder. När han var borta hjälpte jag till att styra landet. Som ung hade jag studerat mycket så jag visste hur man gjorde. Min käre bror blev skjuten i Norge år 1718. Denna stora sorg drabbade mig hårt. Men jag meddelade genast att jag var Sveriges drottning. Det var viktigt, för det fanns andra som också ville ha kronan. För mig var det självklart att jag skulle bli drottning, eftersom jag var syster till kungen och han inte hade några barn.

Regeringen ansåg att jag kunde bli drottning – men inte genom arv. De skulle välja mig till drottning. Jag förstod inte alls varför. Gud hade givit mig kronan, den skulle ingen människa ta ifrån mig! Regeringen beslöt också att jag måste skriva under ett dokument som gav dem mer och mig mindre makt. Det lät konstigt, tyckte jag. Min bror och kungarna före honom hade bestämt allting själva och bara lyssnat på riksdagen när de behövde hjälp. Men det var viktigt för mig att makten stannade i familjen, så jag under-tecknade dokumentet.

Nu började den så kallade frihetstiden i Sverige, vilket alltså betydde att regenten fick mindre makt och riksdagen och regeringen mer. År 1719 blev jag drottning. Jag tyckte att det var svårt att regera tillsammans med riks-dagen. Jag föreslog att min man Fredrik skulle regera tillsammans med mig, men riksdagen accepterade inte det. För mig blev det svårare och svårare att regera och till slut bestämde jag mig för att abdikera. 7 _____

Nu läser jag mycket. Jag håller också på med välgörenhet. Ibland längtar jag tillbaka till tiden som drottning. 8 _____

Kronprinsessan Victoria (1977–)

Jag, Victoria, ska bli Sveriges första drottning sedan Ulrika Eleonora. Jag föddes som prinsessa år 1977. Då kunde bara män bli regenter. Min pappa, Carl XVI Gustaf, blev kung trots att han hade fyra äldre systrar. Men år 1980 ändrade riksdagen lagen och det först födda barnet blev kronprins el-ler kronprinsessa. Så jag blev alltså kronprinsessa.

Nu förbereder jag mig för att bli drottning. Det är mycket att lära sig. Jag har studerat språk och praktiserat på många olika ställen, bl.a. på FN i New York. Dessutom har jag gått en utbildning på Utrikesdepartementet för personer som ska bli diplomater. Idrotts- och handikappfrågor intresserar mig mycket och min egen fond stödjer funktionshindrade som idrottar.

År 2010 kunde jag äntligen gifta mig med min Daniel. Vi hade varit tillsammans länge. Många tycker att det är intressant att han var min personliga tränare. Det var så vi träffades. Nu bor jag med min familj på Haga slott i Stockholm. Vi vill att vår dotter, Estelle, ska leva så vanligt som möjligt. Därför satte vi henne i en förskola i Danderyd där barnen får vara ute mycket och lära sig om naturen och miljön. Daniel och jag älskar natur och friluftsliv och vi älskar sport, speciellt skidåkning. Daniel är en duktig golfspelare. Jag är också intresserad av konst och att måla. Det sägs att det ligger i släkten. Min pappas farbror, Sigvard Bernadotte, var en känd designer och min bror, Carl Philip, är utbildad inom grafisk formgivning. Han är, precis som pappa, jätteintresserad av motorsport och tävlar i rally. Min syster, Madeleine, har studerat konst, juridik och historia på universitetet. Hon engagerar sig i barns rättigheter.

C   Välj en text var och skriv 5–8 innehållsfrågor. Ställ frågor till varandra.

D   Välj ut 2–3 saker som du tyckte var intressanta i texterna. Berätta för din partner vad du har valt. Motivera varför.

> Sedan Gustav Vasas tid har de svenska regenterna egna valspråk (motton). Här är exempel på några: Visheten är rikets stöd (Kristina), I Gud mitt hopp (Ulrika Eleonora), För Sverige – I tiden (Carl XVI Gustaf). På www.kungahuset.se kan du läsa fler valspråk.

E   Ta reda på mer om någon av personerna som förekommer i texterna t.ex. den heliga Birgitta, Gustav II Adolf, Karl XII, Carl XVI Gustaf. Fråga någon som vet mycket om Sverige eller sök information på internet. Berätta för de andra i gruppen.

F Många så kallade skvallertidningar skriver gärna om kungligheter från olika länder. Leta efter skvaller i en tidning eller sök på internet. Skvallra för varandra! Överdriv gärna lite när ni berättar och ge respons.

Berätta något intressant/väcka intresse	Ge respons
Har du hört vad XX har gjort?	Nähä!!/Näe!! Det är inte sant!
Vet du vad jag har läst?	Va?! Du skojar!
Jag måste berätta en grej för dig!	Oj! Helt otroligt!
Hade du en aning om/Visste du att …?	Herregud! Stackars …
Har du/ni hört att …?	Oj! Det hade jag ingen aning om.

G Läs ett tänkt brev från Kristina här nedanför och stryk under alla verb. Vilket tempus står verben i?

Kristina:

*"Jag är trött på Sverige. Jag har bjudit hit många vetenskaps-
män och konstnärer men Sverige kommer aldrig att förändras.
Jag har egna planer: Jag ska åka söderut till Rom. Där ska jag
sitta under ett apelsinträd och filosofera och lyssna på musik."*

H Gör ett tidsschema och skriv in de olika verbfraserna på rätt ställe. Tänk att NU-punkten är att Kristina är trött på Sverige. Vad händer före och vad händer efter NU?

FÖRE NU	NU	EFTER NU
	är trött på Sverige	

Om Kristina:
Kristina var trött på Sverige. Hon hade bjudit hit många vetenskapsmän och konstnärer men Sverige skulle aldrig förändras. Sverige var grått och trist. Hon hade egna planer: Hon skulle åka söderut till Rom. Där skulle hon sitta under ett apelsinträd och filosofera och lyssna på musik.

Preteritum perfekt
och
preteritum futurum

I   Läs texten i fokusrutan och skriv in verbfraserna i schemat.

FÖRE DÅ	DÅ	EFTER DÅ
	var trött på Sverige	

J   Leta efter verbfraser i preteritum perfekt och preteritum futurum
    i *Fyra regenter* berättar.

K   Titta på meningarna här nedanför. Vad händer/hände först och vad
    händer/hände sedan?

    – Först äter Erik frukost, sedan läser han tidningen.

    1   Erik läser tidningen när han har ätit frukost.
    2   När Felicia hade städat lägenheten ringde farfar på dörren.
    3   När Amir har repeterat alla verb lyssnar han på musik.
    4   Telefonen ringde när Adriana hade satt på datorn.
    5   Douglas tittar på teve när han har druckit kaffe.

L   Läs texten här nedanför och prata om vad som händer NU, före NU och
    efter NU.

    Jag sitter vid datorn och tittar på olika hotell. Jag har bokat flygbiljetter
    till London och ska boka boende. Jag letar och letar, men hittar inget som
    passar. Min kusin i London har sagt att jag kan bo hos honom. Jag har
    sagt till honom att jag ska försöka hitta ett billigt hotell. Men om jag inte
    hittar något hotell ska jag bo hos honom en natt eller två.

M   Ändra texten till DÅ.   ÖB 8:1

4 Norden och de nordiska språken

 A Läs påståendena här nedanför innan ni läser texten Norden och
de nordiska språken och gissa om de är rätt eller fel.
Skriv R (rätt) eller F (fel) vid varje påstående.

1   Finland var länge en del av Sverige. _____

2   Sverige och Norge var i union fram till år 1920. _____

3   Nordbor kan fritt bosätta sig och arbeta i sina grannländer. _____

4   Alla språk som man talar i Norden kommer från samma språkfamilj. _____

5   Av alla nordbor har svenskar lättast att förstå de andra nordiska
    språken. _____

6   För en svensk är det inte så svårt att läsa en norsk eller dansk text. _____

B Läs texten och kontrollera om ni har gissat rätt.

De nordiska språken

57))

Historiskt sett har de nordiska länderna starka politiska och kulturella band. Allt har dock inte varit frid och fröjd genom historien. I den nordiska historien finns många krig, maktkamper, unioner och uppbrott från unioner.

Finland var en del av Sverige från 1200-talet fram till år 1809, då Finland blev ryskt. Och från slutet av 1300-talet till slutet av 1500-talet var Sverige (med Finland) i union tillsammans med Danmark och Norge, den s.k. Kalmarunionen. Sverige lämnade unionen, men Norge och Danmark var i fortsatt union fram till år 1814, då Danmark förlorade Norge till Sverige. Sverige och Norge bildade en ny union som varade till 1905 när Norge blev självständigt.

Idag är den nordiska gemenskapen på många sätt stark. Inom Norden har vi passfrihet och en fri arbetsmarknad samt en nordisk språkkonvention som ger nordbor rätt att använda sitt modersmål vid kontakt med myndigheterna i ett annat nordiskt land.

Språkligt har de flesta nordbor också mycket gemensamt. De nordiska språken danska, svenska, norska, färöiska och isländska hör till de germanska språken i den indoeuropeiska språkfamiljen och har utvecklats från den så kallade urnordiskan. De flesta i Skandinavien talade detta språk för 1 500 år sedan. Finska och samiska hör däremot till de finsk-ugriska språken, precis som ungerska och estniska. Grönländska hör till den eskimåisk-aleutiska språkfamiljen och är nära släkt med inuitspråken i Canada.

Förstår vi då våra grannspråk? Av de nordiska språken har isländskan förändrats minst genom historien och är svår att förstå för den som inte har studerat språket. Övriga nordbor förstår inte finska. Men både finska och svenska är officiella språk i Finland eftersom det bor en svensktalande minoritet där, finlands-svenskarna, sedan den svenska tiden. Svenska är också ett obligatoriskt ämne i finska skolan, men många tycker att det är fel att de blir tvingade att studera svenska.

Danska och norska är de språk som mest liknar varandra, så norrmän och danskar förstår varandra ganska bra. Svenskar och norrmän har inte heller så stora problem att förstå varandra. Svårast är det för danskar och svenskar. Det är alltid lättare att förstå en text än att förstå när en nordisk granne talar. En svensk som läser en norsk eller dansk text förstår direkt cirka 75 procent av orden.

Även om svenska, danska och norska ligger nära varandra måste man se upp med så kallade "falska vänner", ord som ser lika ut men som betyder helt olika saker. När danskar och norrmän pratar om en *by* tänker svenskar på ett litet samhälle. Men by betyder stad på danska och norska. Och om svenskar som är på besök i Danmark eller Norge frågar efter något *roligt* ställe kan de bli rekommenderade att gå till biblioteket. Rolig betyder nämligen lugn där. Om en norrman säger att han inte har någon *anledning* att gå på din fest, ska du inte bli ledsen. Han menar helt enkelt att han inte har möjlighet att gå på festen.

Trots att nordborna har mycket kulturellt och språkligt gemensamt verkar det som om vi får allt svårare att förstå varandras språk, och det är vanligt att vi väljer att prata engelska med varandra. Det är synd tycker många, för om vi slutar att använda våra egna språk för att kommunicera förlorar vi en del av vår nordiska identitet och samarbetet länderna emellan kanske blir svårare. ■

C Skriv en lista på 10 nya ord eller fraser ur texten som du vill lära dig. Jämför din lista med en partners.

5 Tidssnack

A Stäng boken och lyssna några gånger på dialogerna. Anteckna alla ord som har med tid att göra. (58)))

länge sedan

för fem år sedan

nu

 B Läs dialogerna i par och leta efter fler uttryck för tid.

1 – Hej! Det var länge sedan!
   – Öhh ... Jag är ledsen. Jag minns
   inte riktigt.
   – Datakursen! På folkhögskolan
   utanför Västerås, för fem år sedan.
   – Ja, just det. Nu kommer jag ihåg.
   Pelle! Hur är läget?
   – Jo, det är bara bra. Själv då?
   Bor du fortfarande i Örebro?
   – Nej, jag bor inte där längre. Jag
   flyttade i vintras.

2 – Hej! Jag skulle vilja beställa en tid
   för återbesök. Jag måste laga en
   tand.
   – Jaha, då ska vi se ... Vi har faktiskt
   en tid redan i övermorgon.
   – Nja, det funkar inte så bra.
   Och nästa vecka är jag bortrest.
   – Ja, då får vi titta på nästnästa
   vecka. Kan du på torsdags-
   morgonen, klockan åtta?
   – Ja, det passar bra.

3 – Jag har inte skickat in min
   deklaration än ... Jag hatar att
   deklarera!
   – Det har jag redan gjort. Min man
   är ju ekonom så han brukar hjälpa
   mig.
   – Ja, det är typiskt att man ska
   behöva en ekonom i familjen
   för att deklarera ...

4 – Du, har du skrivit det där
   dokumentet jag bad dig om för
   några dagar sedan? I måndags tror
   jag att det var.
   – Oj, det har jag glömt! Vilken tur
   att du påminde mig! Fast jag vet
   inte om jag hinner den här veckan.
   Är det okej om du får det nästa
   vecka?
   – Nja, jag behöver det senast på
   fredag.
   – Okej. Jag får skynda mig.

5 – Hur ofta tränar du?
   – Förut tränade jag varannan dag,
   men nuförtiden nästan aldrig.
   Jag har faktiskt inte tränat på flera
   månader.
   – Samma här. Jag brukade träna
   flera gånger i veckan men nu
   tränar jag inte alls.

6 – Vad gör ni på somrarna?
   – Vartannat år brukar vi åka till min
   släkt i Kroatien och vartannat år till
   min frus släkt i Argentina.
   – Vad härligt!
   – Ja, det är kul, men i somras kunde
   jag inte åka för jag var tvungen att
   jobba. Jag hoppas att jag kan åka
   i vinter istället.

C Lyssna på orden. Vilka ljud försvinner från ord som slutar på *-ig/t/a* och *-skt*? (59)))

1	riktig	3	riktiga	5	typiskt
2	riktigt	4	faktiskt	6	roliga

D Säg meningarna. (60)))

1 Det var faktiskt roligt på festen.

2 Mina katter är gulliga men lite konstiga.

3 Många säger att det är typiskt svenskt att säga: Jag vet inte riktigt.

4 Jag har många riktigt trevliga kollegor.

5 De var väldigt roliga.

6 Det var hemskt trevligt.

ÖB 8:2–8

Skriv!

När man beskriver en historisk person kan man använda presens (nu) eller preteritum (då) som grundtempus.

- Börja med att berätta varför personen är känd.
  Drottning Kristina är en av de mest fascinerande personerna i svensk historia. Hon föddes som dotter till en protestantisk kung, blev drottning över Sverige och dog i Rom som katolik.

- Berätta sedan lite om personens liv, välj de viktigaste händelserna.
  Kristina föddes i Stockholm år ...

- Avsluta med att berätta vad du tror personen kan lära oss idag.
  Kristina kan lära oss att makt och pengar inte alltid ger lycka och att riktiga vänner och kärlek ofta är viktigare.

Skriv om en historisk person. Använd fraserna i rutan här nedanför.

... är en fascinerande/viktig/bortglömd/spännande/skrämmande person.
... är en viktig person i ... s historia för ...
... är en person som alla i ... känner till.
... är känd för ... /för att ha ...
... uppfann/introducerade/upptäckte/regerade/krigade mot/hjälpte ...

9

1 Faktoider och skrönor

61))

Faktoid

Ordet faktoid är bildat av ordet faktum och suffixet -oid (något som liknar). En faktoid är en osanning, halvsanning eller missuppfattning, som många tror är sann. Ibland kanske man inte kan bevisa att påståendet är felaktigt, men man kan inte heller bevisa att det är sant. Ofta sprider folk faktoider på nätet, men även massmedia sprider faktoider.

Exempel på faktoider är att guldfiskar inte kan minnas längre än tre sekunder tillbaka i tiden och att man kan få kramp och drunkna om man simmar direkt efter en måltid.

A Titta på bilden längst ner på s. 116. Vad tror ni har hänt?

 B Lyssna och anteckna stödord. Vad har hänt?

C Jämför med din partner. Har ni hört samma sak?

 D Skriv en kort tidningsartikel om händelsen. Glöm inte att skriva rubrik.

E Känner ni till andra faktoider? Leta på svenska sidor på nätet
och berätta sedan för varandra.

Vad tänker du på? 63))

– Vad tänker du på?
– Jag tänker på vår lilla hund Ronja som dog förra veckan.
– Åh, vad tråkigt. Det visste jag inte. Tänker ni skaffa en ny hund?
– Nej, jag tror inte det. Min fru tycker att det är ganska skönt att slippa gå ut
tidigt på morgonen. Nu hinner hon äta frukost i lugn och ro.
– Era barn då, är inte de ledsna?
– Jo, det är klart. Men de tror att det finns en hundhimmel där Ronja
springer runt och leker med andra hundar.
– En hundhimmel, det tycker jag låter toppen!

F Stryk under alla fraser med *tycker, tänker* eller *tror* i dialogen
Vad tänker du på?

G Vad betyder orden? Kombinera genom att dra streck.

1	tycker om	a	fokuserar tankarna på någon/något
2	tycker	b	planerar
3	tror (på)	c	vet inte säkert/har ingen erfarenhet
4	tror	d	gillar
5	tänker (på)	e	tror att någon/något finns/är sant/har rätt
6	tänker (+ infinitiv)	f	har en åsikt/värdering/erfarenhet

H Säg *tycker*, *tänker* eller *tror* i frågorna.

1 … du på reinkarnation?

2 Vad … du göra när du har lärt dig perfekt svenska?

3 … du om svensk mat?

4 Hur … du att världen kommer att se ut om 50 år?

5 Vad … du på just nu?

6 … du att svensk grammatik är svår?

7 … du på allt som står i tidningar?

I Svara på frågorna 1–7. Motivera och diskutera era svar.   ÖB 9:1

 64))

Skröna

En skröna är en modern vandringshistoria. Skrönor påminner om folksagor, men med den skillnaden att berättaren bestämt hävdar att skrönan är sann. Folk har berättat skrönor för varandra i alla tider. De lever vidare därför att folk hellre berättar en bra historia än en som är sann.

Skrönor är korta och underhållande historier. Huvudpersonen är ofta en bekant till berättaren och historien är vardaglig med underliga detaljer. Slutet brukar vara antingen roligt eller skrämmande. Ibland innehåller slutet en moralisk aspekt, som historien här nedanför. Det kan också varna för något hemskt, till exempel "lämna aldrig din pudel i mikron" (den kan explodera om någon råkar sätta på mikron) eller "ge aldrig damer lift" (de kan ha en yxa i handväskan).

Har du hört …?   65))

– Du, jag måste berätta något för dig. Det är helt otroligt. Du kommer inte att tro dina öron!

– Vi får väl se. Berätta!

– Jo, det var min kompis som jobbar i kassan i en mataffär som berättade en jättekonstig sak som hände hennes kollega en gång.

– Jaha, vadå?

– Jo, det var en fredag kväll och hon satt i kassan som vanligt. Klockan var väl halv åtta ungefär. Då såg hon en dam med en väldigt stor hatt komma mot kassan. Hon hade inte köpt något, utan sa bara "ursäkta" och gick igenom.

– Okej, men vad var det för konstigt med det?

– Jomen, lyssna nu. Precis när damen hade gått igenom kassan svimmade hon. Och nu kommer det som är helt sjukt … När de skulle hjälpa henne tog de av henne hatten. Och vet du vad de hittade?
– Nej, ingen aning.
– En fryst kyckling! Hon hade snattat en fryst kyckling och lagt den i hatten!
– Äh, lägg av! Det är inte sant!
– Jo, jag lovar! Det var ju min kompis som berättade det!
– Men varför svimmade hon då?
– Fattar du inte? Hon trodde att hon var jättesmart när hon gömde kycklingen i hatten. Det var bara det att hennes hjärna blev så kall av kycklingen att hon svimmade.
– Det låter ju helt otroligt! Hur dum får man vara?

När man hör något som låter som en skröna kan man säga att det låter som en råttan i pizzan eller klintbergare. Bengt af Klintberg har nämligen skrivit en bok med moderna skrönor och en av dem har titeln *Råttan i pizzan*. I den får huvudpersonen, när han äter på en pizzeria, något mellan tänderna. Det "visar sig" senare att det är en del av en råttand och man upptäcker att pizzerian serverar pizzor med råttkött.

J   Läs var sin skröna, *Kaninen* eller *Porschen* på s. 120, och återberätta den för varandra. Försök att övertyga den som lyssnar att historien är sann. Glöm inte att referera till någon person som har berättat historien. Exempel:

> – Du, jag måste berätta en sak för dig! En kollega till min pappa berättade att …

Förvåning och skepsis
Va?!
Nähä!
Otroligt!
Lägg av!
Du skojar!
Det är inte sant!

Hävda att man talar sanning
Jo, det är sant!/Jo, jag lovar!

Kaninen

En kvinna flyttade med sin familj till ett nytt hus. Familjen hade en hund som brukade springa lös i trädgården. En dag kom grannen in och berättade att hans barn hade en kanin i trädgården. Kaninen satt i bur, men den kunde bli skrämd av hunden. Därför bad han kvinnan hålla reda på sin hund. Den nyinflyttade kvinnan lovade att de skulle hålla hunden kopplad.

Men en dag, när hon kom hem från jobbet, upptäckte hon att hunden hade sprungit ut. Efter en stund kom den tillbaka, mycket lycklig, med en död kanin i munnen. Kaninen såg hemsk ut, alldeles smutsig och jordig. Kvinnan vågade inte berätta för grannen vad som hade hänt. Istället tog hon in den döda kaninen och försökte göra den fin igen. Hon tvättade den noggrant och blåste den torr med hårtorken. På natten smög hon över till grannen och la den fina, men stendöda, kaninen i buren. I flera dagar undvek hon grannen, men en dag stötte de på varandra i affären. Grannen berättade att något mycket konstigt hade hänt. Deras älskade kanin hade dött och de hade begravt den i trädgården. Men morgonen därpå hade kaninen legat i sin bur igen, alldeles skinande ren!

Porschen

En man som planerade att köpa ny bil satt och letade på nätet efter bilannonser. Han ville gärna köpa en fräsig sportbil, men problemet var att han inte hade så mycket pengar. Plötsligt såg han att någon sålde en nästan helt ny Porsche för bara 250 kronor. Han kunde inte tro sina ögon. 250 kronor! Det måste saknas några nollor, tänkte han. Men han bestämde sig i alla fall för att ringa och kolla. Han ringde och pratade med kvinnan som hade satt in annonsen och det visade sig att priset stämde. Hon sa att han var välkommen att titta på bilen.

Mannen åkte dit och där stod en snygg Porsche på gatan. Den var i perfekt skick och alldeles skinande blank. Precis en sådan bil hade han drömt om! Han betalade de 250 kronorna, men innan han åkte därifrån frågade han kvinnan varför hon sålde bilen så billigt. Då berättade hon att hennes man hade lämnat henne efter ett långt äktenskap och stuckit iväg till Argentina med sin sekreterare. Efter en tid hade han skickat henne ett kort mejl där det stod: "Sälj Porschen och skicka pengarna!"

K   Kan du någon annan skröna? Berätta för din partner.

L   Vad brukar man berätta för historier i andra länder?

Skrönorna är korta och underhållande historier.
Huvudpersonen är ofta … Slutet brukar vara …
Hon jobbar i kassan i en mataffär.
En kvinna flyttade med sin familj till ett nytt hus.
Familjen hade en hund som brukade springa lös
i trädgården.

> Substantiv bestämd form
> När något är en naturlig del
> av det man pratar om har
> substantivet normalt bestämd
> form.

M   Skriv ner ord man kan associera till orden i rutan här nedanför.

en italiensk restaurang – mat – vin – personal – prisnivå

en italiensk restaurang   en dyr klocka   en rolig fest
en ny lägenhet   en fin skola   en språkkurs

N   Säg exempel med orden.

– Jag var på en italiensk restaurang igår. Maten var god, vinet var
fantastiskt och personalen var trevlig. Prisnivån var helt okej.

ÖB 9:2

Man reducerar ofta **r** i slutet av ett ord (till exempel presens-r) när nästa ord
börjar på konsonant: *Pelle tror på tomten* → [tropå]

I naturligt tal uttalar man ofta **d** i början av ett ord som **r**. Detta händer
när ordet som börjar på **d** är obetonat och kommer efter en vokal:
Ska du äta nu? → [skaru]

Ibland kommer båda reduktionerna i samma fras. Man reducerar **r**
i slutet av ett ord och då hamnar **d** i ett obetonat ord efter vokal och blir **r**:
Tror du? → [Troru]

Man reducerar ofta -**de** (preteritumändelsen) på verb i grupp 1:
Tittade du på teve igår? → [Tittaru]

O Titta på meningarna här nedanför. Vilka **d** kan man uttala som **r** i de understrukna orden? Kan man säga på olika sätt?
Tips: vilka ord är betonade/obetonade?

1 Ska <u>de</u> åka till <u>Danmark</u>?

2 Vad sa <u>du</u>?

3 Ska <u>du</u> se filmen ikväll?

4 Hur <u>dum</u> får man vara?

5 Vet <u>du</u> vad <u>de</u> hittade?

6 Tror <u>du</u> inte att <u>de</u> kommer på festen?

7 <u>Deras</u> älskade kanin hade <u>dött</u>.

8 Hon tvättade <u>den</u> noga.

9 Vad tänker <u>David</u> på nu, tror <u>du</u>?

10 Vad är <u>det</u> för konstigt med <u>det</u>?

11 Vad tänker <u>du</u> på?

12 Fattar <u>du</u> inte?

2 Sanning eller lögn?

 A Läs citaten här nedanför och förklara med egna ord vad de betyder. Tycker ni att de stämmer?

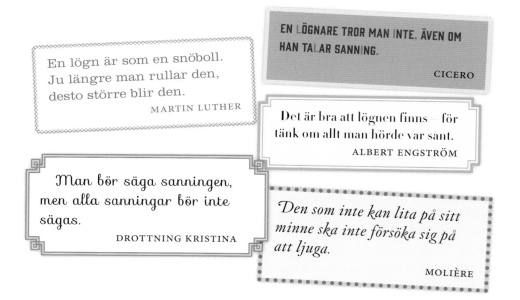

En lögn är som en snöboll.
Ju längre man rullar den,
desto större blir den.

MARTIN LUTHER

EN LÖGNARE TROR MAN INTE, ÄVEN OM HAN TALAR SANNING.

CICERO

Det är bra att lögnen finns – för
tänk om allt man hörde var sant.

ALBERT ENGSTRÖM

Man bör säga sanningen,
men alla sanningar bör inte
sägas.

DROTTNING KRISTINA

Den som inte kan lita på sitt
minne ska inte försöka sig på
att ljuga.

MOLIÈRE

B Diskutera frågorna.

- Ska man alltid tala sanning?
- I vilka situationer kan det vara acceptabelt att ljuga?
- Vad är det för skillnad mellan att överdriva, hitta på och ljuga?

C Kombinera meningarna genom att dra streck.

1 Mördaren går fortfarande fri.

2 Vi ska gå på restaurang idag.

3 Min son har gjort något mycket dumt.

4 Deras dotter vill inte söka jobb, utan ligger bara hemma och spelar dataspel hela dagarna. Hon tycker att hon borde få socialbidrag.

5 Polisen tog mannen med en väska full med hundrakronors-sedlar.

6 Det var inte på allvar.

7 Vi trodde inte att Experiment-cirkusen skulle bli så populär.

8 Förlåt att jag tog din smörgås.

9 En manlig anställd på företaget stal kontorsmaterial under lång tid.

10 Mikaela älskar reor.

11 Jag har inte gjort något fel. Du kan fråga mig vad du vill.

12 Alice tog pengar ur mammas plånbok men sa att det var hennes lillebror som hade gjort det.

13 Susanne röker inte själv.

a Vi gjorde det bara för skojs skull.

b Föräldrarna tycker att hon är en skam för familjen.

c Hon kan inte låta bli att köpa saker till extrapris.

d Men det var förvånansvärt många som köpte biljetter.

e Därför slipper vi laga mat.

f Det var helt omedvetet, jag tänkte på annat just då.

g Ändå sa han att han var oskyldig.

h Jag har inget att dölja.

i Man kan få en belöning på 50 000 kronor om man tipsar polisen.

j Men hon har inget emot att andra röker.

k Hans straff är att han måste diska varje dag den här veckan.

l Det var en städare som avslöjade honom.

m Efteråt kände hon stor skuld.

D Säg egna exempel med de understrukna orden och fraserna i C.

– Min hund får alltid en belöning när hon gör som jag säger.

Lögn

Att ljuga och luras är något de flesta människor gör då och då. Vi ljuger för att få belöning eller slippa straff, för att verka vara bättre än vi egentligen är eller för att undvika skam.

Den mest oskyldiga formen av lögn, den vita lögnen, är ibland nödvändig i det sociala livet. En person som alltid säger sanningen blir i längden omöjlig i sociala sammanhang. Sanningar kan ju vara otrevliga saker som: "Usch, den här maten smakade verkligen illa", eller: "Du ser inte klok ut i den där frisyren".

En annan typ av lögn som inte heller är så allvarlig är skämtlögnen. Man ljuger för

Duktiga lögnare är snabbtänkta, har bra minne och känner sällan skuld. En psykopat har inget emot att ljuga och kan därför ljuga kontrollerat. Därmed är han eller hon också svårare att avslöja. "

skojs skull, för att lura folk att tro på något galet. Exempel på det är aprilskämt. Den 1 april varje år brukar även seriösa dagstidningar och nyheterna på teve publicera någon fantastisk "nyhet". Ett klassiskt aprilskämt är från 1962. Då berättade tevemannen Kjell Stensson att man kunde få färgteve genom att klippa sönder en damstrumpa av nylon och dra den över teveapparaten. Förvånansvärt många svenskar provade hemma i vardagsrummet.

Men ofta är lögner inte så oskyldiga. En person kan medvetet ta till en lögn för att dölja ett fel han eller hon har begått. Extra allvarlig blir lögnen om den kommer från en person som många beundrar, en idrottsstjärna eller politiker till exempel.

Är det lätt att avslöja en lögnare? Svaret på den frågan måste bli nja. En mytoman, en person som inte kan låta bli att ljuga, är ofta lätt att avslöja. Hans eller hennes historier kan vara helt osannolika och alla förstår att de inte är sanna. En av de mest berömda mytomanerna genom historien är baron von Münchhausen som levde på 1700-talet. Det var nog inte många som trodde på hans fantastiska historier. I en av dem berättade han att han åkte på en kanonkula mellan olika krigsplatser när den ryska armén stred mot turkarna.

Det finns också skickliga lögnare. De är snabbtänkta, har bra minne och känner sällan skuld. En psykopat har inget emot att ljuga och kan därför ljuga kontrollerat. Därmed är han eller hon också svårare att avslöja. Ungefär en av tjugo är naturliga lögnare. Nästan lika många kan inte ljuga alls, utan är alltid ärliga och säger precis vad de tycker. ■

E Läs frågorna här nedanför för varandra och svara på dem muntligt. Försök att svara utan att titta i texten *Lögn*.

1 Säg fyra orsaker till att man ljuger.

2 Varför kan den vita lögnen vara nödvändig ibland?

3 Vad är en "skämtlögn"?

4 Berätta om det klassiska aprilskämtet från 1962.

5 Känner du till någon politiker, artist eller idrottsstjärna som har ljugit offentligt?

6 Varför är det ofta lätt att avslöja en mytoman?

7 Berätta om en berömd mytoman.

8 Vad är typiskt för duktiga lögnare?

9 Hur många är bra på att ljuga?

10 Tror du att de som inte kan ljuga är populära bland andra? Varför/varför inte?

Baron von Münchhausen har fått ge namn åt Münchhausens syndrom, där en patient simulerar eller hittar på olika sjukdomar för att bli omhändertagen och få vård.

F Diskutera påståendena innan ni läser texten *Att avslöja en lögnare*. Stämmer de, tror ni?

1 Det är lätt att se på en person att han eller hon ljuger.

2 En person som ljuger flackar ofta med blicken.

3 Poliser, advokater och domare är bättre än andra på att se om en person ljuger.

Att avslöja en lögnare

70))

Det är mycket svårt att avslöja en lögnare. Man har gjort undersökningar där försökspersoner har studerat människor på video för att sedan gissa om de ljuger eller talar sanning. De flesta gissar rätt ungefär varannan gång. Poliser, advokater och domare har i princip samma resultat. Svensk forskning har visat att kriminella är bättre än proffsen på att avslöja lögnare. Man tror att det beror på att kriminella är mer vana vid lögner, både egna och andras.

Många tror att den som ljuger skruvar på sig och att han eller hon inte kan hålla blicken stilla. Lögnare tror också att det är så och därför gör de ofta precis tvärtom. De kan lära sig att kontrollera sitt beteende, precis som skådespelare. En person som ljuger kanske till och med sitter ovanligt stilla

med händerna knäppta i knäet
och möter blicken på den han
eller hon pratar med.

Den som ändå vill försöka
avslöja en lögnare kan tänka på
det här: Ibland kan man höra
på rösten om en person ljuger.
Rösten har nämligen en tendens
att bli ljusare när man ljuger. Den
som ljuger brukar också berätta sina historier kortfattat och utan detaljer.

Det kan också synas på någon om han eller hon inte talar sanning. Den
som ljuger blir ofta stressad, vilket gör att blodet strömmar snabbare, bland
annat till näsan. Det kan leda till att näsan blir rödare och att lögnaren
gärna vill klia sig där. Kroppsspråket kan också avslöja en lögnare. Orden
kanske säger en sak, men lögnarens kropp en annan. Eller så ler munnen,
men inte resten av ansiktet.

Knep att använda för att avslöja en lögnare:
- Lyssna på historien utan att titta på personens ansikte. Då upp-
  täcker du lättare om rösten är annorlunda.
- Ställ faktafrågor som är enkla att kontrollera.
- Be personen upprepa det han eller hon har sagt. De som ljuger
  har ofta svårt att minnas exakt vad de har sagt.
- Titta på pupillerna. De brukar växa när man ljuger.
- Lyssna noga på historien. Flyter den bra? Eller flyter den för bra?

G En i gruppen berättar tre korta historier om sig själv. En av historierna
   ska vara osann, de andra ska vara sanna.

H De övriga i gruppen diskuterar och kommer överens om vilken historia
   som är falsk. Sedan kontrollerar de om de har rätt.

I Byt roller i gruppen.

3 Visste du att ...?

A Välj ord ur rutan och diskutera var de passar in.

dvärgnäbbmusen	Sigtuna	Vänern	Göta kanal
E45	Turning Torso	Essingeleden	björnen
Hundraåringen som	älgen	Jämtland	38
klev ut genom	–52,6	Balder	Kiruna
fönstret och försvann	Härjedalen	Kebnekaise	

1 Den lägsta temperaturen man har uppmätt i Sverige är ... grader. Det var i Vouggatjålme i Lappland i februari 1966.

2 Den högsta temperaturen man har uppmätt i Sverige är ... grader. Så varmt har det varit i Sverige två gånger, 1933 och 1947.

3 Sveriges största byggnadsprojekt är ... Den är 19 mil lång och har 58 slussar.

4 I Malmö ligger Sveriges högsta byggnad, ... Huset är ritat av den spanska arkitekten Santiago Calatrava. Det är 190 meter högt.

5 Sveriges högsta fjäll heter ... och är cirka 2 100 meter över havet (m ö.h).

6 Den största kommunen till ytan i Sverige är ... Den är drygt 20 000 kvadratkilometer, lika stor som Skåne, Blekinge och Halland tillsammans.

7 Sveriges längsta väg är ... Den kallas också Inlandsvägen och går från Göteborg till Karesuando i Lappland. Vägen är ungefär 170 mil lång.

8 Det näst största landskapet i Sverige är ... med sina 34 009 kvadratkilometer. Det är ungefär en tredjedel så stort som Lappland.

9 Sveriges minsta landskap om man ser till folkmängd är ... Det har lite drygt 10 000 invånare.

10 I nöjesparken Liseberg i Göteborg ligger Nordens brantaste berg- och dalbana i trä, ... Den är 1 070 meter lång och den brantaste backen har en fallvinkel på 70 grader.

11 ... är Sveriges äldsta stad. Kungen Erik Segersäll
    grundade den runt år 980.

12 Den största sjön i Sverige, ... , är också Europas
    tredje största sjö. Bara de ryska sjöarna Ladoga
    och Onega är större.

13 Sveriges minsta däggdjur, ... , väger bara mellan
    1,2 och 4 gram.

14 Det största vilda däggdjuret i Sverige är ... Den
    kan ha en mankhöjd på 2,3 meter och väga upp till 450 kilo.

15 Sveriges största rovdjur, ... , kan ha en mankhöjd på 1,3 meter och
    väga 250 kilo.

16 En av de mest sedda svenska filmerna är ... Över 1,5 miljoner har
    sett den på bio i Sverige.

17 ... är en av Sveriges mest trafikerade vägar. Här passerar cirka
    170 000 fordon per dygn.

Nordens brantaste berg- och dalbana i trä ...
Sveriges längsta väg ...

Superlativ bestämd form

En av de mest sedda svenska filmerna ...
En av Sveriges mest trafikerade vägar ...

Perfekt particip

Den mest fascinerande filmen ...
Den mest praktiska apparaten är ...

Presens particip
Adjektiv som slutar på -isk

B Titta på meningarna här nedanför. När slutar superlativ bestämd form
   på -a och när slutar det på -e?

1 Den dyraste kryddan jag har köpt är saffran.

2 Årets kortaste dag är den 22 december.

3 De har sju barn. Elsa är deras yngsta dotter.

4 Vilken är Göteborgs bästa restaurang?

C Titta på de två meningarna här nedanför. Varför har man obestämt substantiv (restaurang) i den andra meningen?

1 Vilken är den bästa restaurangen i Göteborg?

2 Vilken är Göteborgs bästa restaurang?

D Formulera frågor och ställ dem till varandra. Använd orden i rutan eller hitta på egna.

bra/film	Sverige/vacker plats	svår/fråga
snygg/man	intressant/bok	äcklig/mat
konstigt/jobb	god/mat	vacker/kvinna

Exempel:

bra/film

– Vilken är världens bästa film?

Eller:

– Vilken är den bästa filmen du har sett?

E Skriv "Visste du att"-meningar om ditt land. Exempel:

Kinas längsta flod heter..., Det högsta berget är...

F Testa de andra i gruppen. Fråga: "Vet du vad ... längsta flod heter?" osv. ÖB 9:3–10

Skriv!

När man skriver om en process, en utveckling eller om orsak och konsekvens använder man ofta vissa ord och fraser.

Skriv ett par meningar om ämnena nedan med hjälp av fraserna i rutan. Pröva på olika sätt.

- sömnproblem/svårt att sova
- dålig kondition/tränar för lite
- stressar för mycket

Om människor i allmänhet

de flesta + verb ...
många + verb ...
en del + verb ...

allt fler + verb ...
ett fåtal + verb ...
det finns personer som + verb ...

Orsak

det beror/kan bero på
orsaken är/kan vara
en (annan) orsak/anledning kan vara
nämligen
därför

Konsekvens/verkan

... gör/kan göra att
... leder/kan leda till
... orsakar/kan orsaka
på så sätt
på det sättet

Exempel:

> Det finns många som har problem att sova nuförtiden. Det kan
> bero på att de har stressiga jobb och sedan har svårt att koppla av
> på kvällen. En annan orsak kan vara att allt fler är uppkopplade
> på kvällarna.

> Varför har så många sömnproblem nuförtiden? En anledning
> kan vara ...

1 Att resa

 A Titta på bilderna. Vart skulle ni helst resa? Varför?

 B Diskutera. Varför reser folk? Skriv en lista med 5–10 anledningar att resa. Jämför med ett annat par.

C Titta på påståendena. Vad tycker du om dem?

- Den bästa resan gör man i fantasin.
- Resande förstör miljön så man borde förbjuda nöjesresande.
- I framtiden kommer man att resa på semester till rymden.
- Man upplever mer intressanta saker om man reser ensam.
- Allt måste vara planerat i detalj inför en resa.

D Välj ett påstående att diskutera och bestäm vem som ska argumentera för och vem som ska argumentera emot. Förbered er genom att skriva en lista med för- och motargument.

Framföra åsikter	**Argumentera emot**
Jag tycker/tror faktiskt att ...	Nja, det håller jag inte riktigt med om. Jag tror/tycker att ...
	Nja, jag vet inte om det stämmer. Är det inte så att ...?
	Ja/jo, det kanske stämmer men ...
	Ja/jo, det har du rätt i men ...
	Ja/jo, men å andra sidan ...
	Ja/jo, men det är ju faktiskt (också) så att ...

E Prata om orden i rutan här nedanför. Vad innebär begreppen, tror ni? Är det något ni har provat på/gjort? Är det något som ni skulle vilja prova på/göra?

> norrskensturism   upplevelseturism   ekoturism   shoppingturism

F Läs texten *Trender i turism* på nästa sida. Sätt sedan in meningarna vid siffran där de passar. Det finns två meningar för mycket.

> a En stor fråga här är miljökonsekvenserna.
> b Många går också guidade turer på Södermalm i Stockholm för att upp-
>   leva miljöerna i Stieg Larssons deckare om Lisbeth Salander och Mikael
>   Blomkvist.
> c Då kan en tur på en flotte på Klarälven vara den perfekta semestern.
> d Ett kinesiskt företag har byggt ett stort turistcentrum där.
> e Man vill tillbringa sin semester på ett sätt som skadar naturen och djurlivet
>   så lite som möjligt.
> f Våra grannar norrmännen kommer å andra sidan till Sverige för våra
>   förhållandevis låga priser.
> g Stadshuset är ett av Stockholms mest kända turistmål.

Trender i turism

Turism är ingen ny företeelse i Sverige. Under medeltiden var resor till heliga platser populära. Man vandrade gärna och längs vandringsvägarna växte härbärgen, dåtidens hotell, upp. Under 1700- och 1800-talet blev industrier som Falu koppargruva populära besöksmål för svenska och utländska besökare. Ordet turist hittar vi i svenska språket första gången år 1824. Men det var inte förrän med 1900-talets semesterreformer som turism i större skala blev verklighet.

Idag är Sverige ett populärt resmål. Hit kommer mest turister från våra nordiska grannländer och Tyskland. De brukar campa, bo i husvagn eller hyra en stuga. Många tyskar kommer för den svenska naturen, speciellt Smålands skogar och sjöar. 1 _____

Men det är inte bara tyska turister som är lockade av den svenska naturen. I en undersökning gjord av WWF, där man frågade Sverigeturister vad som symboliserar Sverige, kom "vacker, orörd natur" högt upp på listan. Många vill ha en semester med mycket friluftsliv och aktiviteter. Det som kallas upplevelseturism har blivit stort. Det kan handla om att bo på Ishotellet i Jukkasjärvi eller Utter Inn (under vatten!) utanför Västerås. Andra kommer för att köra hundspann eller lära sig något annorlunda hantverk, som att bygga fioler. I Lappland växer också norrskensturismen. Intresset är stort bland utländska turister att få chansen att se ett riktigt norrsken, framför allt bland japaner och engelsmän.

Samtidigt finns det många resenärer som bara vill koppla av från den hektiska vardagen och logga ut helt och hållet under semestern. Här är det med andra ord inte aktiviteter utan avkoppling som lockar. 2 _____ Du flyter med floden och har ingen möjlighet att skynda på eller stressa.

För andra, både svenskar och utlänningar, är det en hjälte i en roman eller film som drar. Ystad i Skåne har fått många turister tack vare böckerna och filmerna om kommissarie Wallander.

Hotell Utter Inn i Västerås är ett av konstnären Mikael Genbergs projekt. Hotellet är placerat mitt i Västerås-fjärden med sovrum tre meter under vattenytan.

Folk reser dit för att se Wallanders miljöer, bo på Wallanderhotell och äta på Wallanderrestauranger. 3 ＿＿＿＿

Kultur, design, arkitektur och olika sevärdheter lockar turister till Sveriges storstäder. Många av dessa turister har gott om pengar och de sätter gärna guldkant på sin vistelse, t.ex. genom att besöka en exklusiv restaurang med lokal mat och att shoppa. Den så kallade shoppingturismen ökar i Sverige och är viktig för handeln. Man beräknar att shoppingturismen har skapat cirka 35 000 jobb i Sverige.

Effekterna av turismen är förstås många och ofta positiva. Turismen skapar arbeten och ger pengar till turistorten och landet. Under 2013 spenderade utländska turister 106 miljarder kronor i Sverige. En annan positiv effekt är att turismen skapar kontakter mellan människor som annars inte skulle träffas.

Mer och mer talar man dock om de negativa följderna av turismen. 4 ＿＿＿＿ Utsläppen vid transporter är stora både för resan till målet och på resmålet. Vattenkonsumtionen ökar också och reningsverk blir överbelastade. På senare tid har dock allt fler blivit miljömedvetna och den så kallade ekoturismen växer. 5 ＿＿＿＿ Många ekoturister reser till vildmarken där det finns olika miljövänliga semesteralternativ. Man kan exempelvis åka till Treehotel i Harads, nära Polcirkeln, och bo i ett rum byggt av trä flera meter upp i ett träd. Eller man kan boka plats i enkla kojor, utan vatten och elektricitet, i skogen vid Skinnskatteberg. Men även vanliga hotellägare börjar inse hur viktig hållbarhet är, och många turister väljer att bo på miljöcertifierade hotell i städerna.

G Skriv ner 5–10 nya och användbara ord eller fraser från texten. Googla orden/fraserna för att se fler exempel på hur man kan använda dem.

H Skriv ner 2–3 saker som du tycker är konstiga eller intressanta i texten om turism.

 I Prata med några andra personer om vad du tyckte var konstigt eller intressant i texten. Jämför era listor från uppgift G och H.

J Gör sammansatta ord av de kursiverade orden. Alla ord finns i *Trender i turism*.

1 En *vagn* som fungerar som ett *hus* är en …

2 En *kant* av *guld* är en …

3 *Turism* med många *upplevelser* heter …

4 En *ort* med många *turister* är en …

5 Det som bland annat fabriker *släpper ut* heter …

6 När man vill *koppla av* vill man ha …

7 Den som är *medveten* om *miljön* är …

8 Ett *mål* för en *resa* är ett …

72))

Deckare

Den svenska deckaren (detektivromanen) föddes på 1950-talet med författarnamn som Stieg Trenter och Maria Lang. Böckerna var klassiska pusseldeckare i Agatha Christies stil. På 1970-talet blev författarparet Maj Sjöwall och Per Wahlöö kända för sina samhällskritiska deckare med Martin Beck som huvudperson.

Idag är bland andra Henning Mankell, Camilla Läckberg, Åsa Larsson, Hjorth & Rosenfeldt, Lars Kepler och Stieg Larsson omtyckta och översatta till många språk. Speciellt Larssons Millennium-trilogi har efter hans alltför tidiga död blivit enormt populär.

Flera av dagens deckarförfattare har i sina böcker, precis som Sjöwall-Wahlöö, en huvudperson som är långt ifrån den traditionella machotypen. Han eller hon är en ganska vanlig person med olika problem som många kan känna igen; det kan vara en dålig relation med barnen, ett äktenskap som inte fungerar eller för hög alkoholkonsumtion.

Det finns också flera kända deckare skrivna för barn, bland andra Astrid Lindgrens *Kalle Blomkvist* och Åke Holmbergs *Ture Sventon*. Ture Sventon är en speciell figur. Han heter egentligen Sture Svensson men eftersom han läspar blir det Ture Sventon. Han äter alltid "temlor" (*semlor* på Ture Sventon-språk) från Rosas konditori där de bakar semlor året runt. Den ständiga boven i Ture Sventon-böckerna är Ville Vessla. Ture är inte så bra på att lösa brott men det brukar ordna sig i alla fall på något sätt.

K Varför tror ni deckare är så populära?

L Hur brukar huvudpersonen i en deckare vara? Beskriv en typisk deckare
på film eller i böcker.

M I deckare finns ibland en del orealistiska inslag. Till exempel kan man
undra varför en person alltid går ensam till en plats som alla vet är
jättefarlig. Kan ni komma på flera sådana saker?

73))

Semlan

Semlor, eller fastlagsbullar som de kallas i Skåne och svensktalande Finland,
görs av vetedeg som smaksätts med kardemumma. Degen formas till bullar
som gräddas i ugn. Bullarna delas sedan och gröps ur. Det urgröpta brödet
blandas med mandelmassa och semlan fylls med denna blandning och
mycket vispad grädde. Locket, som blir kvar när bullen delas, läggs på och
florsocker strös över. En gammal tradition är att servera semlan i en djup
tallrik med varm mjölk, så kallad hetvägg.

Att Ture Sventon äter semlor året runt är något av en skandal för många
människor. Semlan äts nämligen enligt traditionen bara på tisdagar under
fastan, alltså från fettisdagen och fram till påsk. Men nuförtiden säljs semlor
redan från nyår eftersom många är så sugna på dem.

Ursprungligen var inte semlan något som åts under själva fastan utan
före fastan. I katolska länder är de 40 dagarna före påsk fasta för att man ska
påminnas om Jesus 40 dagars fasta i öknen. I det katolska Sverige påbörjades
fastan på askonsdagen och kvällen innan åt och drack man så mycket som
möjligt. Här hade semlan en självklar plats.
Under fastan fick man bara äta fisk och
dricka vatten.

Att äta för många semlor är förstås
inte hälsosamt. Det kan till och med vara
livsfarligt. Det sägs att kung Adolf Fredrik
tisdagen den 12 februari 1771 åt semlor
och kort därefter dog i svåra magsmärtor.
Så njut av semlorna, men med måtta!

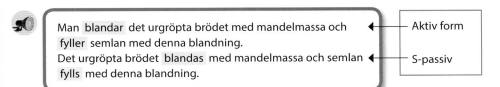

Man blandar det urgröpta brödet med mandelmassa och ◄─── ─ Aktiv form
fyller semlan med denna blandning.
Det urgröpta brödet blandas med mandelmassa och semlan ◄─── ─ S-passiv
fylls med denna blandning.

N Stryk under alla verb i s-passiv i *Semlan*. Vilken form eller vilket tempus står de i? Vad heter verben i aktiv form?

s-passiv	tempus/form	aktiv form
kallas	presens	kallar
görs	presens	gör

O Kan ni se ett system för hur man bildar s-passiv av verb i aktiv form?

P Titta på de två meningarna här nedanför. Stryk under subjekt och objekt. Vad händer med subjekt, verb och objekt när man ändrar aktiv till s-passiv?

Aktiv: Man lägger på locket.

Passiv: Locket läggs på.

Q Säg meningarna i s-passiv.

1 Man steker biffen i fem minuter.

2 Man ska koka potatisen i saltat vatten.

3 Man sålde restaurangen förra veckan.

4 Man bokar bord på nätet.

R Säg meningarna i aktiv form.

1 Pajen serveras med vaniljsås.

2 Receptet måste läsas noga.

3 Bullarna bakades i morse.

4 Löken skärs i tunna skivor.

S Välj några av de passiva meningarna i *Semlan* och säg dem i aktiv form.

– I det katolska Sverige påbörjade man fastan på askonsdagen.   ÖB 10:1

2 Rymdturism

 A Arbeta med orden och fraserna i rutan. Vet ni vad de betyder? Om inte, dela upp sammansatta ord i sina grundord och försök gissa vad de betyder. Fråga sedan något annat par. Om de inte vet, slå upp orden.

> rymdturism   betala pengar i förskott   gå i konkurs
> förverkliga planer   ta emot intresseanmälningar   byta ägare
> konstgjord gravitation utöva sporter   rymdfärder är långt ifrån riskfria
> alla ombord omkom   ytterligare en tid

74))

Rymdturism

För den som vill resa lite längre kan rymdturismen vara ett alternativ. Det första rymd-turistprojektet startades 1985 av ett amerikanskt bolag. Då betalade flera tusen perso-ner 5 000 dollar i förskott för att få chansen att flyga runt jorden i en rymdfärja. Det skulle kosta ytterligare 50 000 att följa med på resan. Tyvärr gick företaget i konkurs innan planerna förverkligades. Men redan 1954, alltså tre år innan Sputnik sköts upp av ryssarna, tog en amerikansk resebyrå emot intresseanmälningar för resor till månen. Trots att "månregistret" inte ens annonserades blev listan över 1 000 personer lång. När företaget bytte ägare glömde man dessvärre bort listan.

I slutet på 1980-talet presenterades idén till ett rymdhotell av ett japanskt företag. Hotellet skulle byggas som ett stort hjul för att skapa konstgjord gravitation för gästerna. Några år senare lanserade ett annat företag en hotellidé som istället byggde på aktiviteter utan gravitation. Gästerna skulle kunna utöva sporter i viktlöst tillstånd, ta rymdpromena-der och äta middagar tillsammans. Man planerade även att bygga ett spa. Även om det låter spännande att sväva i viktlöst tillstånd är det kanske inte så roligt att tillbringa hela semestern på det sättet.

Det skulle dröja ända till år 2001 innan drömmen om rymdturism förverkligades. Multimiljonären Dennis Tito blev den förste betalande rymdturisten när han åkte upp med en rysk raket för att tillbringa en vecka på den internationella rymdstationen ISS som hade börjat byggas några år tidigare. Omkring 20 miljoner dollar fick han betala för kalaset. Fem år senare var det dags för den första kvinnliga rymdturisten, Anousheh Ansari, också hon mångmiljonär. Med resan ville hon inspirera andra människor att följa sina drömmar och hon rapporterade kontinuerligt på internet om sitt liv på rymdstationen.

För den rymdturist som behöver förbereda sig finns numera böcker i ämnet. Här får man bland annat lära sig vad man ska tänka på inför resan: från vilket håll jorden är vackrast, hur man beter sig korrekt i viktlöst tillstånd och annat viktigt.

Rymdfärder är långt ifrån riskfria. År 1986 exploderade rymdfärjan Challenger från USA och alla ombord omkom. Och hösten 2014 kraschade Virgin Galactics rymdskepp under en testflygning över Mojaveöknen i USA. Det var ett svårt bakslag för rymdturismen. Intresset för rymdresor är trots detta stort och många privatpersoner har biljetter bokade. Ett antal företag runt om i världen, även i Sverige, ligger i startgroparna för att skicka iväg turister ut i rymden.

B Ställ frågorna här nedanför till varandra. Försök att svara utan att titta i texten.

1 Vad hände med det amerikanska företaget som startades 1985?

2 Vad var "månregistret"?

3 Vad tänkte man att gästerna på rymdhotellet utan gravitation skulle kunna göra?

4 Vem var den första betalande rymdturisten?

5 Hur mycket betalade han för sin vecka i rymden?

6 Vad kan man lära sig av böckerna om rymdturism?

C Skulle ni vilja bli rymdturister? Varför? Varför inte?
Gör en lista med argument för och emot rymdturism.
Jämför med ett annat par.

Det första rymdturistprojektet startades 1985 av ett amerikanskt bolag.

S-passiv med agent

D Titta på meningarna här nedanför. Vad är subjekt och objekt? Vad händer med subjektet i den aktiva satsen när man gör om den till passiv?

Aktiv: Ett ryskt bolag sköt upp en rymdfärja.
Passiv: En rymdfärja sköts upp av ett ryskt bolag.

E Stryk under alla fraser med s-passiv i texten *Rymdturism*. Skriv om fraserna till aktiv form. Om det inte finns någon agent i de passiva fraserna blir subjektet *man* eller *de* i aktiv form. Exempel:

Rymdfärjan sköts upp förra året.

Man/De sköt upp rymdfärjan förra året.

ÖB 10:2

... för att få chansen att flyga runt jorden i en rymdfärja. Tyvärr gick företaget i konkurs innan planerna förverkligades.
... för att skapa konstgjord gravitation för gästerna. Multimiljonären Dennis Tito blev den förste betalande rymdturisten...

Bestämd form

ÖB 10:3

När tonlösa konsonanter *(p, f, s, t, k)* uttalas precis före eller efter tonande konsonanter *(b, v, d, g)* blir de tonande konsonanterna tonlösa *(b → p, v → f, d → t, g → k)*.

F Lyssna på hur man uttalar orden och säg efter. Lyssna speciellt på de understrukna ljuden.

75))

1 tis<u>d</u>ag
2 S<u>v</u>erige
3 li<u>vs</u>farlig
4 hö<u>gt</u>

5 s<u>v</u>åra
6 sna<u>bb</u>t
7 k<u>v</u>inna
8 lå<u>gt</u>

G Lyssna på dialogen. Läs den sedan i par.

- Vet du vad klockan är?
- Ja, hon är kvart i två.
- Okej. Snart börjar en svensk film från 50-talet.
- Hmm … Då är väl den svart-vit? Och så pratar de så snabbt och högt.
- Jag trodde att du gillade gamla filmer …
- Jodå, men vi har ju lite kvar att se på Tvillingmordet. Det börjar en ny säsong ikväll.

3 Att resa utan att förflytta sig

 A Skumläs texterna här och på sidan 142 under ungefär en minut. Ni kan välja på tre rubriker till varje text. Vilken rubrik tror ni är den rätta?

1 a Sandstrand på färjan
   b Lyxkryssning till Söderhavet
   c Färja fast på tropisk ö

2 a Skrev en guidebok utan att resa
   b Skrev en guidebok om en plats som inte finns
   c Guideboken var kopia av en gammal guidebok

3 a Dataspel i museimiljö
   b Besök museum på nätet
   c Virtuell guide på museet

4 a Världens sevärdheter samlade på ett ställe!
   b Sveriges jordbrukshistoria på ett museum
   c Ett Sverige i miniatyr

1 _____ Ett konstmuseum i Tyskland har skapat en virtuell kopia av museet där besökare kan gå runt och titta på konstverken. Man har gjort en exakt kopia av museet och besökaren rör sig runt som i ett dataspel. Besökaren kan titta närmare på varje konstverk och få fram en mängd fakta om konstnären och historien bakom verket. Än så länge har inte besökarna i det virtuella museet blivit fler än de i det riktiga museet. Wolfgang Künztle, chef för museet i cyberrymden, ser dock positivt på framtiden:
– Vi förbättrar ständigt våra båda museer och de har olika fördelar. I det riktiga museet upplever du förstås atmosfären men i det virtuella har du snabb tillgång till en mängd information som du inte har i det riktiga museet.
→

2 _____ Om du tar en färja från Stockholm till Helsingfors kan du komma till en ö i Söderhavet. Det är faktiskt sant! Här har skapats en miljö som ska påminna turisterna om en härlig sandstrand med sol. Men det handlar förstås om ett poolområde med sollampor. Kvinnan bakom idén, Marit Hellberg, berättar att stranden har blivit så populär att man har infört ett boknings-system och besökarna får vara max en timme på stranden. Visst låter det härligt att koppla av i värmen medan höststormen blåser utanför!

3 _____ I slutet på 1800-talet blev en man vid namn Artur Hazelius inspirerad av ett friluftsmuseum som han hade besökt i Norge. Han ville samla essensen av Sverige på ett ställe, ett enormt friluftsmuseum som skulle visa inte bara svensk kulturhistoria och traditioner utan även svenskt djurliv. På Skansen kan vi än idag se gårdar och hus som flyttats från olika delar av Sverige och Norge. Husen monterades ner och byggdes upp igen. För att fullborda illusionen att vara på en annan plats ville Hazelius att det skulle vara aktivitet i husen. Museivärdar i historiska dräkter visar än idag husen och vissa av värdarna tillverkar godis och bakar, andra håller på med gamla hantverk som glasblåsning. Besökarna kan se tamdjur och även vilda svenska djur från olika delar av Sverige i autentiska lantbruksmiljöer.

4 _____ En guideboksförfattare med en mängd böcker på sin meritlista har erkänt att han för sin senaste resebok nöjde sig med att sitta hemma och prata i telefon med sin flickvän som befann sig på "rätt" ställe. Hon gav honom information om sevärdheter, restauranger och annat som är svårt att hitta på. Resten fantiserade mannen ihop. – Jag fick för lite betalt för att skriva boken. Jag hade helt enkelt inte råd att resa till lan-det i fråga, säger författaren i ett uttalande. Men hittills har i alla fall ingen klagat på guideboken. Ibland verkar det som om fantasin är lika bra som verkligheten.

Hälsningar från Skansen

B Tre personer talar om sina värsta semesterminnen. Lyssna först   (78))
på hela samtalet.

C Lyssna en gång till och fokusera på en av personerna och anteckna
så mycket som möjligt. Berätta för din partner om vad som hände.

D Lyssna igen och lyssna efter ord och fraser som har att göra med
de fem sinnena: hörsel, syn, smak, känsel och lukt. Skriv ner de orden
och jämför med din partner.

E Hur återkopplar personerna till varandras berättelser (t.ex. *Oj, Usch*)?   ÖB 10:4–7

Skriv!

När man skriver en berättelse behöver man ofta berätta om saker som
hände efter varandra. Det är lätt hänt att man använder ordet *sedan* för ofta.
Här nedanför hittar du alternativ till *sedan*.

För att göra en berättelse mer målande och livfull kan det vara bra att
tänka på våra fem sinnen och på att berättelsen innehåller ord och uttryck
som beskriver alla sinnen.

Beskriv en semester eller en resa – den värsta eller bästa du har varit
med om. Använd dig av de fem sinnena i din text. Vad såg du? Vad hörde
du? Vad kände du? Vad kände du för lukter? Vad smakade du? Använd så
många ord som möjligt från övning 4 i övningsboken i din text.

Använd minst fem av alternativen till *sedan* i din text för att variera dig.

Vanlig stilnivå
efter det att vi hade …
efter det
efteråt
men då …
när vi hade …

Formell stilnivå
efter att ha + supinum
därefter
därpå
följande (dag, vecka, månad)

1 Brott och straff

 A Titta på orden här nedanför. Kryssa för dem du förstår. Slå upp de andra orden.

a) snatteri	**h)** illegal fildelning	**o)** langning
b) stöld	**i)** smuggling	**p)** rån
c) inbrott	**j)** förfalskning	**q)** hatbrott
d) rattfylleri	**k)** bedrägeri	**r)** olaga förföljelse/
e) misshandel	**l)** våldtäkt	stalkning
f) skattefusk	**m)** illegal nedladdning	
g) fortkörning	**n)** mord	

B Välj brott ur rutan och skriv bokstaven på rätt plats.

1 _____ En mycket skicklig konstnär målar en tavla som han signerar med namnet Picasso och sedan säljer till rekordpris på auktion.

2 _____ En 15-åring går in i en tobaksaffär, gömmer en påse godis under jackan och smyger ut utan att betala.

3 _____ Ett ungdomsgäng slår ner en medelålders man på gatan. Mannen dör inte, men han måste läggas in på sjukhus.

4 _____ En kvinna lämnar sin partner. Expartnern börjar spionera, följer efter och hotar henne på olika sätt för att få henne tillbaka.

5 _____ En ung kvinna lägger ut skannade sidor ur en bok på nätet, så att andra kan ladda ner dem.

6 _____ Två män går in i en villa och tar en teve och två datorer.

7 _____ En man vill ligga med en kvinna. Hon säger nej, man han har sex med henne mot hennes vilja.

8 _____ Ett gäng går in och tar en kristallvas för 27 000 kronor på ett exklusivt varuhus.

9 _____ Ett par reser utomlands och köper ett halvt kilo kokain. De gömmer narkotikan i väskan och reser tillbaka till Sverige.

10 _____ En kioskägare säljer glass utan att ge kunderna kvitton. Pengarna stoppar han direkt i fickan utan att bokföra dem.

11 _____ En man lägger ut en annons på internet att han säljer en ny bärbar dator. En kvinna vill köpa datorn och skickar pengarna, men får aldrig någon vara.

12 _____ En kvinna går till Systembolaget och köper två flaskor vodka som hon sedan ger till sin 17-åriga brorsdotter.

13 _____ En ung man kör 60 km/h utanför en skola, där hastighetsgränsen är 30 km/h.

14 _____ Tre personer går in med vapen på en bank. De skriker att de vill ha alla pengar i kassorna. De försvinner snabbt med pengarna.

15 _____ En man upptäcker att hans fru har en älskare. Efter en tids planering tar han en pistol, söker upp mannen och dödar honom.

16 _____ Ett par går på restaurang. De äter gott och delar på en flaska vin. Till kaffet dricker de varsin konjak. Kvinnan kör deras bil hem.

17 _____ En tonåring laddar ner en film från en gratissajt.

18 _____ Några killar står vid en kiosk. En man springer fram till dem, skriker "Åk hem jävla invandrare!" och misshandlar en av killarna.

C Prata om de olika fallen (1–18 här ovanför.)
Vilka är allvarligast? Är några av fallen inte så allvarliga brott?

D Läs påståendena och bestäm hur mycket du håller med.
Skriv en siffra bredvid varje påstående.

1 = håller inte alls med   **3** = håller med helt och hållet
2 = håller delvis med   **0** = vet inte/har ingen åsikt

- Det är föräldrarnas fel att unga blir kriminella.   _____
- Det är bättre att ge kriminella vård och terapi än att sätta dem i fängelse.   _____
- Strängare straff leder till minskad kriminalitet.   _____
- Man borde publicera namn och bild på vissa kriminella, så att folk vet
  vilka de är.   _____
- Man ska vända andra kinden till.   _____
- Att jobba svart ibland eller att anlita svart arbetskraft är inte så allvarligt. _____

E Diskutera era svar och berätta sedan för de andra i gruppen.

Personligen tycker/anser jag att …
Jag tycker att det är helt fel …
Det är svårt att svara på. Å ena sidan … men å andra sidan …
Det beror på situationen. I vissa fall kan det vara så, men i andra fall/i vissa situationer …

F Sammanfatta gruppens åsikter.

Alla/de flesta/en majoritet/några/ett fåtal/bara en av oss anser …

G Skriv verb och person till orden i rutan. Använd ordbok.

smuggling	förfalskning	snatteri
bedrägeri	våldtäkt	~~stöld~~
mord	langning	rån

Exempel:

BROTT	AKTIVITET (VERB)	PERSON
stöld	stjäla	en tjuv

H Läs frågorna nedan och lyssna sedan flera gånger tills ni har svaren.

79))

1 Vilka brott har Sonja och Hasse begått?

2 När gjorde de det?

3 Hur gick det till?

4 Vad hände efteråt?

> **Romansbedrägeri**
> En romansbedragare eller en solochvårare inleder relationer för att stjäla pengar från offret.

 I Jämför dina anteckningar med din partner.

J Berätta för varandra: Har ni gjort något olagligt? (Det går bra att fantisera.)

2 Fusk på jobbet

De allra flesta människor är hederliga och begår inte några allvarliga brott. Men hur ser det ut med småfuskandet på jobbet? Här nedan kan du se resultatet av en undersökning där 12 000 svenskar svarade.

A Är några av siffrorna överraskande? Varför?

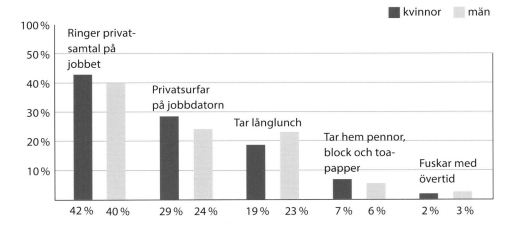

■ kvinnor ■ män

Ringer privatsamtal på jobbet — 42 % 40 %

Privatsurfar på jobbdatorn — 29 % 24 %

Tar långlunch — 19 % 23 %

Tar hem pennor, block och toapapper — 7 % 6 %

Fuskar med övertid — 2 % 3 %

B Läs om fyra dilemman här nedanför. Diskutera hur ni skulle göra i de olika fallen.

Hur ska man göra?

80))

1

Chefen är bortrest på semester. Det är fredag och alla har jobbat hårt hela veckan. Vid lunch föreslår en kollega att ni ska passa på att sluta ett par timmar tidigare.

a Självklart säger man nej till sin kollegas förslag. Ens chef ska alltid kunna lita på en, även när chefen inte är på jobbet.
b Ett par timmar kan man väl tänka sig någon gång. Man jobbar ju ofta över utan att få betalt.
c Nja, man kanske inte går flera timmar tidigare, men en kvart kan väl gå bra.

2

En släkting utomlands är sjuk. Tidsskillnaden gör att den bästa tiden att ringa är under arbetstid.

a Inget att diskutera, man ringer så klart från arbetstelefonen. Då behöver man ju inte betala en massa dyra telefonsamtal själv för sin låga lön.
b Man måste ju ringa sin sjuka släkting, men man gör det naturligtvis från sin egen mobil. Sedan kan det inte hjälpas att det måste bli under arbetstid.
c Ens arbetstid ska inte gå åt till privata telefonsamtal. Man får ringa från den egna mobilen under lunchen.

3

Det är dags att planera semestern. Just nu är det lugnt på kontoret eftersom de flesta kollegerna är på kurs.

a Semesterplaner och annat sköter man utanför sin arbetstid. Hur skulle det se ut om alla planerade sin semester när man ska jobba?
b Någon timme eller två kan man surfa runt för att hitta bra resmål och hotell. Herregud, kontoret går inte under för att man har lite trevligt på arbetstid.
c Man kan prata med sina kolleger under lunchen och fikarasterna och höra om de kan ge en några bra semestertips.

4

Du ska snart gå från jobbet. Ikväll måste du skriva ut flera viktiga dokument. Alla papper till skrivaren hemma är slut. Klockan är mycket, så du hinner inte åka och köpa papper.

a Dokumenten får vänta till nästa dag.
b Man kan låna några papper från jobbet om man lämnar tillbaka dem nästa dag förstås.
c Det finns ju massor av papper på jobbet. Det gör väl inget om man plockar med sig papper och pennor hem.

C Berätta för paret bredvid hur ni skulle göra och varför.

> Självklart säger man nej till sin kollegas förslag.
> Ens chef ska alltid kunna lita på en …

> **Indefinit pronomen**
> *man – ens/sin – en*

D Stryk under *man*, *ens*, *sin* och *en* i frågorna och svarsalternativen i B.
Vilken form är objekt, genitiv och subjekt?

E Titta på de här meningarna. Bestäm först om luckorna är subjekt,
objekt eller genitiv. Säg sedan *man*, *ens* eller *en* på rätt plats.

1 … blir orolig när … barn är ute sent på kvällarna.

Då vill … gärna att de ringer … då och då.

2 … bör ha ett antivirusprogram för att … dator inte ska krascha.

3 Om någon säger till … att … är trevlig, blir … glad. ÖB 11:1

3 Det blir inte alltid som man tänkt sig

Många brott är noga planerade och kan verka som de perfekta brotten
på pappret. Här kan du läsa om några brott där det inte riktigt blev som
brottslingarna tänkt sig.

A Titta på rubrikerna. Välj en av rubrikerna och diskutera.
Vad tror ni har hänt?

a **Dyr haschkaka**

b **Sömnig biltjuv**

c *Väldokumenterat rån – för polisen*

d **Kameran snabbare än tjuven**

e **Pengarna från rånet fick skjuts till polisen**

B Berätta för paret bredvid vad ni tror ligger bakom er rubrik.

C Skumma snabbt igenom tidningsnotiserna.
   Skriv rubrikernas bokstav vid rätt notis.

1 _____ En man i 20-årsåldern bröt sig in i en bil för att stjäla den, men bilstölden blev aldrig det perfekta brottet. Mannen var nämligen så trött och drogpåverkad att han somnade i bilen innan han hann köra iväg. Tjuven satt fortfarande och sov när bilens ägare dök upp. Ägaren låste bilen och ringde sedan polisen. Biltjuven anhölls senare som misstänkt för både bilstöld och narkotikabrott.

2 _____ En man med yxa rånade kassan på ett varuhus på 10 000 kronor. Med pengarna i en plastpåse rusade han ut och stoppade den första bilen som dök upp. Tjuven bankade på biltaket och rutan för att bilföraren skulle öppna dörren, men han vägrade. Till slut lyckades tjuven få upp bildörren i alla fall. Föraren blev naturligtvis livrädd, smällde igen bildörren och trampade gasen i botten. Han styrde mot polishuset och på väg dit upptäckte han att rånarens plastpåse satt fast i bildörren. Hos polisen kunde man konstatera att pengarna fanns kvar i påsen.

3 _____ En 28-åring som gjorde sin sista dag som praktikant på en botanisk trädgård bjöd sina arbetskamrater på en hembakad kaka. 13 av kollegerna blev akut förgiftade och måste uppsöka sjukhus. Det visade sig sedan att kakan innehöll cannabis. Kvinnan sa efteråt att hon bara ville skämta med sina arbetskamrater. Hon sa att det var ett misstag att baka en cheesecake eftersom den kakan innehåller så mycket fett. Fettet i kakan binder nämligen ämnet THC, som är den aktiva substansen i cannabis. Kvinnan dömdes till 44 000 kronor i skadestånd och 100 dagars samhällstjänst.

4 _____ En 84-årig dam skulle fotografera sig i en fotoautomat. Hon hade precis lagt i sina mynt när en ung man lutade sig in och snodde åt sig damens väska. Tyvärr var den fräcka tjuven lite för långsam. Ett foto togs när han var inne i kuren och han fastnade på bild. Bilden publicerades i tidningarna och den unga tjuven kunde strax därefter gripas.

5 _____ Två män drömde i månader om det välplanerade, perfekta brottet. De skulle råna en postbil som transporterade mer än 10 miljoner kronor. Vad rånarna inte visste var att polisen kände till deras planer. När den stora dagen kom och rånet skulle ske blev de överraskade av poliser som väntade på dem med polishelikopter. Det visade sig att männen ett halvår tidigare hade glömt en väska på flygplatsen. Polisen hade tagit hand om väskan som innehöll en nedskriven, detaljerad plan över hur rånet skulle gå till.

D Leta i tidningar efter notiser som handlar om brott. Berätta för varandra.

Chefen är bortrest på semester.
13 av kollegerna blev förgiftade och måste uppsöka sjukhus.

är + perfekt particip
blir + perfekt particip

E Läs exempelmeningarna här nedanför.
Diskutera: Vad är det för skillnad i betydelse mellan *är* + perfekt particip och *blir* + perfekt particip?

- Jag måste promenera till jobbet för min cykel är stulen.
- Min cykel blev stulen medan jag var inne i affären och handlade.
- Farfar är nyopererad och måste stanna i sängen i en vecka.
- Han blev opererad av doktor Lundman för en vecka sedan.

F Säg rätt form av *är* eller *blir*.

1 När jag öppnade dörren till lägenheten såg jag att te-ven ... stulen. Tjuvarna hade brutit sig in genom fönstret.

2 Vår barnvagn ... stulen på natten. Jag märkte att den ... stulen när jag öppnade dörren till barnvagnsrummet.

3 Jag ... stoppad av dörrvakten på klubben. Han sa att jag var för full.

4 Jag tycker om att ... sminkad av min kompis. Hon är jätteduktig på att sminka.

5 Tjuven ... utklädd till kvinna för att ingen skulle känna igen honom. Han ... sminkad också. Han lurade alla!

ÖB 11:2

G Meningarna här nedanför beskriver hur en process kan gå till från det att någon planerar ett brott tills brottslingen eventuellt får sitt straff. Läs meningarna och kontrollera att ni förstår orden.

1 _____ En rättegång börjar.

2 _____ Någon begår ett brott.

3 _____ Hen arresteras.

4 _____ Hen blir eventuellt dömd till ett straff, fängelse till exempel.

5 _____ Hen blir åtalad.

6 _____ Ett brott planeras.

7 _____ Polisen utreder brottet.

8 _____ Polisen skuggar den misstänkta.

9 _____ Hen häktas.

10 _____ Polisen misstänker någon.

11 _____ Den misstänkta erkänner eller förnekar brott.

12 _____ Hen förhörs av polisen.

H Placera meningarna i rätt kronologisk ordning.

4 Vad tycker du?

 A Läs om de här tre fallen och diskutera.

1 Vad är brottet?

2 Vilket straff bör personerna få, tycker ni?

3 Finns det några förmildrande omständigheter?

82))

> **1**
>
> Linus är på semester utomlands. På semestern lär han känna och umgås mycket med en trevlig kille, Anton. Anton är svensk, men bor utomlands sedan ett par år. När Linus ska resa hem ber Anton honom att ta med en keramikelefant till Sverige. Elefanten är en present till Antons mamma som fyller 70 år. På flygplatsen blir Linus stoppad av polisen. Det visar sig att ett kilo kokain ligger gömt i elefanten.

2

Maritza slutar lite tidigare på jobbet en fredag. Hon har fått en ny stor kund och köper en flaska champagne som hon tänker överraska sin man med. När hon kommer hem får hon en chock. Hennes man och hennes bästa väninna sitter och pussas! Maritza blir rasande och slår väninnan i huvudet med flaskan. Väninnan får svåra skador, men hon överlever. Maritza hävdar sedan att hon inte minns något av händelsen.

3

Två ungdomsgäng träffas ute på stan. Loke, ledaren för det ena gänget förolämpar Kristian, den andra ledaren. De två börjar slåss. En ur Kristians gäng drar fram en kniv och sticker ner Loke. Loke blöder kraftigt och slutar andas. Han avlider ett par timmar senare på sjukhus. Killen med kniven säger efteråt att han bara ville skrämmas.

B Berätta för paret bredvid eller för hela gruppen vad ni har kommit fram till.

Två ungdomsgäng träffas ute på stan.
(= De träffar varandra.)
De två börjar slåss.
(= De slår varandra.)
Hennes man och hennes bästa väninna sitter och pussas!
(= De pussar varandra.)

Reciproka verb

Loke blöder kraftigt och slutar andas.
… att hon inte minns något av händelsen.
Han umgås mycket med en mycket trevlig kille

Deponens

ÖB 11: 3

5 En känd svensk brottsling

A Läs snabbt igenom texten om Lasse-Maja. Titta inte i ordbok.
Anteckna nyckelord medan du läser.

83)

Lasse-Maja

På 1800-talet var biografin *Lasse-Majas äventyr* den mest lästa boken i Sverige vid sidan av Bibeln. I boken berättar tjuven och transpersonen Lars Molin själv om sina öden och äventyr. Lars Molin föddes som Lars Larsson, men bytte efter en tid efternamn. Namnet Lasse-Maja kommer av att Lars oftast gick klädd i kvinnokläder.

Lars Larsson föddes 1785 i närheten av Arboga, i södra Bergslagen. Hen var ett busigt barn som tyckte mer om att stjäla, spela kort och lata sig än att arbeta. En bit ifrån Lasse bodde Maja som blev hens första fästmö. Lasse var smal och söt och provade en dag sin fästmös kläder. Maja tyckte att Lasse var mycket fin i kvinnokläder och även hennes föräldrar blev imponerade.

Från den dagen gick Lasse oftast klädd i kvinnokläder och övade sig på allt som en kvinna förväntades kunna. Hen arbetade klädd som bondpiga på gårdar, ibland tillsammans med Maja, och lärde sig att mjölka, laga mat, baka, städa och tvätta. Det verkade som om kvinnojobb passade hen bättre än mansjobb som lätt blev tråkiga.

Lasse-Maja blev en duktig kock och lärde sig också att sy och dansa. Många trodde att Lasse-Maja var en fin fröken och hen fick enkelt tjänst på olika gårdar med hjälp av förfalskade betyg. På gårdarna blev hen ofta omtyckt för sitt glada humör och sin goda mat. Det hände att männen på gårdarna blev förälskade i Lasse-Maja. När risken att bli avslöjad blev för stor brukade hen dra vidare, oftast med en del av gårdens värdesaker i väskan. Snart började ryktet om den kvinnoklädda tjuven sprida sig. Lasse-Maja blev gripen och dömd flera gånger mellan 1805 och 1811, men lyckades alltid rymma på väg till fängelset.

År 1812 vände dock lyckan för Lasse-Maja. Hen hade tillsammans med en kumpan brutit sig in i Järfälla kyrka, strax utanför Stockholm, och stulit kyrksilvret. Nu greps hen och dömdes för såväl kyrkstölden som andra, tidigare brott. Domen blev 40 spörapp och sedan livstids straffarbete på Carlstens fästning. Efter att ha blivit piskad på Barkarby torg i Järfälla fördes Lasse-Maja den långa vägen till ön Marstrand, strax utanför Göteborg, där Carlstens fästning låg. Den här gången var Lasse-Maja strängt bevakad. Hen var 28 år när portarna slutligen slog igen. En livstidsdom på den tiden innebar verkligen livstid. I sin bok berättar Lasse-Maja att "… en kall rysning övergick mig vid tanken på att detta var min grav!"

Livet på fängelset var oerhört hårt och många fångar dog under sin fängelsetid. Lasse-Maja fick arbeta i köket, tack vare sin kokkonst. Förmodligen var det en syssla som var betydligt lättare än de vanliga fängelsearbetena. Så småningom kunde hen röra sig ganska fritt på Marstrand. På söndagarna kom folk på besök till fästningen. Fångarna kunde tjäna en extra slant genom att berätta historier för besökarna. Lasse-Maja var en charmerande och verbal person och det var många som ville lyssna på hens historier. En besökare tyckte att Lasse-Majas berättelser var spännande och hjälpte mästertjuven att skriva sin självbiografi. Det blev bästsäljaren *Lasse-Majas äventyr*.

Efter 25 år på Carlstens fästning blev Lasse-Maja benådad och kunde resa till Stockholm som en fri människa. Åren efter frigivningen gav hen sig ut på små turnéer till olika gästgiverier. Klädd som kvinna berättade Lasse-Maja sina historier för gästerna. Hen lockade stor publik, det var många som ville se och lyssna på den berömda tjuven som gick klädd som kvinna. Tiden på Carlstens fästning hade emellertid gjort Lasse-Maja sjuklig och den 4 juni 1845 dog hen.

Lasse-Maja trivdes bäst i kvinnokläder. Det var bara vid inbrott som hen klädde sig i manskläder av praktiska skäl. Lasse-Maja skämdes inte över att ha på sig kvinnokläder och tycks ha varit stolt över sin skicklighet som kvinna. Ingen verkade heller bli upprörd över att en man klädde sig som kvinna. Enligt Lasse-Majas egna historier blev kvinnorna förtjusta och lånade gärna ut sina kläder. När männen förstod att Lasse-Maja var född till man blev de flesta fascinerade. En man sa ungefär så här om Lasse-Maja: "Om han inte hade varit man, skulle jag ha givit honom en kyss. Så vacker var han".

B Titta på nyckelorden och återberätta det viktigaste ur Lasse-Majas liv.

 C Skriv 7–10 frågor till texten om Lasse-Maja.

 D Ställ frågorna till din partner, som svarar utan att titta i texten.

E Välj ut två saker ur texten om Lasse-Maja som du tyckte var intressanta. Berätta för din partner vad du har valt.

 F Gör en lista på 10–15 nya ord eller fraser från texten som du vill lära dig. Skriv egna meningar eller en historia med dem.

> Om han inte hade varit man, skulle jag ha givit honom en kyss ...

| Konditionalis 2 |
| konstatera efteråt |

G Säg meningar där man "konstaterar efteråt". Exempel:

Lasse/inte klä sig i kvinnokläder/inte kallas/Lasse-Maja

> – Om Lasse inte hade klätt sig i kvinnokläder, skulle hen inte ha kallats Lasse-Maja.

1 Lasse-Maja/inte arbeta på gårdar/inte kunna stjäla värdesaker
2 Lasse-Maja/inte stjäla kyrksilvret/inte komma till Carlstens fästning
3 Lasse-Maja/inte laga god mat/inte få arbeta i köket
4 Lasse-Maja/inte sitta på Carlstens fästning/inte bli sjuk

H Tänk på era liv och gör egna exempel. Exempel:

> – Om jag inte hade träffat NN skulle jag inte ha...
> – Om jag hade tagit jobbet som... skulle jag ha...
> – Om jag inte hade lärt mig svenska...

ÖB 11:4

Rd, rn, rs, rt uttalas som ett ljud, tjockt *d, n, s, t*.
Rl uttalas ofta som *l*. Detta gäller inte i södra
Sverige. Lyssna på hur man pratar där du är.

I   Lyssna på *r* + *d/l/n/s/t* i de här orden. Hör man *r*? Hur låter *d/l/n/s/t*?   (84)))
     Uttala sedan orden själv och gör små fraser med så många av orden
     som möjligt.

     1 mord, rekord, vård

     2 allvarlig, förlåt, annorlunda

     3 barn, gärna, efternamn

     4 person, försvinner, varsin

     5 svårt, gjort, bortrest

                                                                    ÖB 11:5–9

Skriv!

Korta nyhetsnotiser är oftast uppbyggda efter formeln:
intresseväckande rubrik + en första mening som beskriver vad som har
hänt + kortfattad bakgrund eller mer detaljerad information av händelsen.
Typiskt för nyhetsspråk är bland annat att man använder mycket passivformer
(s-passiv eller *blir/är* + perfekt particip).

A   Läs olika nyhetsnotiser i tidningen och studera språket i dem.

B   Skriv en kort notis till en av rubrikerna här nedanför.

Besviken tjuv lämnade klagobrev

Jultomte gripen – misstänkt för snatteri

Pensionär åtalad för bedrägeri – lurade till sig miljoner

12

1 Att våga eller inte våga

 A Läs citaten här nedanför. Förklara med egna ord vad de betyder. Håller ni med?

85))

> Friskt vågat, hälften vunnet.
>
> TRADITIONELLT ORDSPRÅK

> Framgång är att gå från miss-
> lyckande till misslyckande utan
> att förlora entusiasmen.
>
> WINSTON CHURCHILL

> MOD ÄR OFTA BRIST PÅ KUNSKAP,
> MEDAN FEGHET I MÅNGA FALL ÄR
> BASERAD PÅ GOD INFORMATION.
>
> PETER USTINOV

> Det är bättre att ångra vad man
> har gjort än att ångra det som
> aldrig blev gjort.
>
> ELMER DIKTONIUS

B Diskutera vilket eller vilka citat ni tycker bäst om. Berätta för paret bredvid vilka citat ni har valt och varför.

C Lyssna på tre dialoger som handlar om små och stora utmaningar.
  Titta inte i boken. Vilka utmaningar pratar de om? Skriv nyckelord.

D Berätta för din partner vad du har hört.

E Läs dialogerna i par och kontrollera om ni har hört rätt.

Små och stora utmaningar

1

– Jag läste i tidningen om en kille som ska bestiga sju berg på sju kontinenter på sju månader. När han har gjort det ska han paddla kajak jorden runt sju varv på sju år.
– Men herregud! Det låter ju inte klokt. Tror du att han klarar det?
– Jag vet faktiskt inte … Han har nog förberett sig noga.
– Ja, det får vi verkligen hoppas.

2

– Jag är så stolt över mig själv! Idag sa jag äntligen till min kollega att jag är trött på att hon alltid sitter och klagar på allt och alla och skapar dålig stämning.
– Då blev hon väl arg?
– Ja, det blev hon faktiskt. Hon sa att jag inte hade med det att göra och att jag inte behövde lyssna på henne om jag inte ville.
– Jag tycker att det var jättebra att du vågade i alla fall. Du har ju irriterat dig på hennes gnäll länge.

3

– Min sambo vill att vi ska flytta till Kina för han har fått jobb där.
– Vad spännande! Då är du väl glad?
– Nja, jag tycker att det verkar svårt. Jag kommer nog inte att trivas. Det är så annorlunda där.
– Men, tänk på alla nya saker du kommer att få se. Det är väl spännande?!
– Hmm, vi får se hur det blir när vi har flyttat dit. Det blir nog bra …

> Jag kommer nog inte att trivas.
> Då är du väl glad?
> Du har ju irriterat dig på hennes gnäll länge.

Satsadverb: *nog, väl, ju*

 F Kombinera satsadverb med förklaring. Varje satsadverb har två förklaringar.

1 Nog…

   a använder vi när vi hoppas på något, eller vill att den andra håller med.

   b ger en signal om att något är självklart.

   c använder vi när den andra personen vet, eller borde veta, vad vi menar.

2 Väl…

   d betyder att den som pratar är nästan säker.

   e är synonym till troligen.

3 Ju…

   f gör ett påstående till en retorisk fråga.

ÖB 12:

> Hmm, vi får se hur det blir, när vi har flyttat dit.
> När han har gjort det, ska han paddla kajak…

Presens perfekt om framtid

G Säg meningar enligt modellen:

När jag har … ska jag …
Jag kan/vill inte … förrän jag har …

– När jag har lärt mig perfekt svenska ska jag börja läsa danska.
– Jag vill inte gå ut förrän jag har skrivit klart.

ÖB 12:

H Lyssna på dialog 2 och 3 igen. Ringa in de ord som är betonade.
Markera lång vokal eller lång konsonant i de betonade orden.
Har satsadverben *nog, väl, ju* och *inte* betoning? Exempel:

Jag är så (stolt) över mig (själv)! (Idag) sa jag (äntligen) till min (kollega)…

I I dialogerna *Små och stora utmaningar* finns exempel på utmaningar för
olika personer: att ta en konflikt med någon, att bli äventyrare, att flytta
till ett nytt land. Utmaningar kan förstås vara mycket annat.

Fundera själv en stund över de här frågorna. Anteckna gärna
nyckelord. Berätta sedan för din partner.

- Vilka utmaningar har du gått igenom?
- Vilken har varit din största utmaning i livet hittills?
- Vad tror du kommer att bli en utmaning för dig i framtiden?

2 Eva Dickson – en svensk äventyrerska

 A Lyssna på historien om Eva Dickson. Fokusera på det du kan förstå.

Eva Dickson
år 1933.

 B Gå igenom orden och fraserna i rutan och kontrollera
att ni vet vad de betyder.

en äventyrare	slösaktig	anta en	än en gång
en rallyförare	äventyrslysten	utmaning	en kurva
bila	modig	utrusta	volta
en bröllopsresa	"full i fan"	bosätta sig	hamna
förändra	orädd	en rastlöshet	överleva
kringflackande	en bilförare	en äventyrslust	
ett äktenskap	slå vad	uppfylla en dröm	

 C Lyssna igen och anteckna nyckelord. Berätta för varandra
vad ni har hört.

D Läs igenom frågorna här nedanför. Lyssna igen och svara på dem. Skriv **R** för *rätt*, **F** för *fel*, – för *sägs inte*.

1   Eva Dickson var den första svenska kvinnan som tog flygcertifikat   _____

2   Olof Dickson och Eva gifte sig inom ett år.   _____

3   Sonen Dicke blev också en duktig rallyförare.   _____

4   Dicke brukade bo hos släktingar när föräldrarna reste.   _____

5   Olof och Eva var ovänner efter skilsmässan.   _____

6   Eva bestämde sig för att korsa Sahara efter att ha slagit vad med en man.   _____

7   Hassan Ali var bra på att läsa kartor.   _____

8   I början av resan genom Afrika gick allt fint.   _____

9   Eva påbörjade sin resa till Peking den 13 juni 1937.   _____

10   I Calcutta tvingades Eva att vända hemåt.   _____

11   På väg till England körde Eva fortare än vanligt för att vinna ett nytt vad.   _____

12   På väg tillbaka till Bagdad efter en middag dog Eva och en brittisk dam i en bilolycka.   _____

13   von Blixen lämnade Afrika efter 45 år.   _____

E Ta reda på mer om:

Salomon August Andrée	Göran Kropp
Renata Chlumska	Linda Västrik
Christer Fuglesang	

3 Att flytta till ett nytt land

A Har du själv erfarenhet av att flytta till ett nytt land? Vilka saker upplevde du som positiva respektive negativa? Skriv en lista med 3–5 positiva och 3–5 negativa saker. Berätta sedan för några andra personer i gruppen.

Kulturchock

Att flytta till ett nytt land med en annorlunda kultur än den man är van vid är en stor utmaning för många. Det är vanligt att man efter en tid i en ny kultur upplever vad man ibland kallar en kulturchock. Det är ofta mycket jobbigt men helt normalt och en del i en större process som innehåller tre faser: turistfasen, chockfasen och anpassningsfasen.

Turistfasen

I den första fasen, turistfasen, ser man på den nya kulturen med en turists ögon och det mesta är nytt och spännande. I denna fas är det vanligt att man har en förlåtande attityd till det som är nytt och annorlunda, eftersom man känner att de egna kulturella värderingarna är de absolut rätta. Vi kan ta Petra som exempel. Hon flyttar från Sverige där det är rätt att komma i tid, till Spanien där det är rätt att komma ungefär i tid. När hon har stämt träff med sina spanska vänner klockan åtta på en bar, står hon ensam och väntar från klockan åtta (ibland fem i åtta) medan hennes vänner inte kommer förrän halv nio eller nio (ibland senare). Men eftersom Petra är i turistfasen, skrattar hon mest åt det hela och tycker att hennes spanska vänner är lite lustiga som inte kan hålla reda på tider.

Chockfasen

Sedan kommer många in i chockfasen. Det nya, som tidigare var konstigt och lustigt, blir nu jobbigt istället. Petra börjar irritera sig på sina vänner. Varför kan de aldrig passa tider? Och varför ringer de inte när de är sena? Kanske vill de egentligen inte träffa henne?

Petra börjar undra om det kanske finns ett system i det hela. Kanske ska man komma för sent i Spanien? Hon börjar ifrågasätta sina egna värderingar. Varför är det så viktigt att komma i tid? Och varför kan hon inte slappna av och läsa en bok eller dricka en kopp kaffe medan hon väntar på sina vänner? Petra tänker mycket på Sverige och känner hemlängtan. I Sverige är allt så enkelt och självklart, tänker hon.

I den här chockfasen har man ännu inte accepterat eller förstått det nya landets värderingar och man blir osäker på om de egna värderingarna är de rätta. Det är lätt att känna sig nedstämd och man kan till och med bli deprimerad.

Anpassningsfasen

Efter den här fasen följer den så kallade anpassningsfasen där man kan lära in och förstå de nya kulturella normerna och på så sätt undvika misstag. Petra har gradvis accepterat och förstått vad som gäller i Spanien. Om man bestämmer att träffas klockan åtta betyder det inte prick åtta. När hon har förstått det kan hon i lugn och ro vänta på sina vänner och börjar till och med själv komma efter den bestämda tiden. När (om) man har gått igenom de här faserna är man ofta lite förändrad. Om man sedan flyttar tillbaka till det ursprungliga landet kan en ny chock vänta, hemkomstchocken. Det man har längtat tillbaka till ser man på med nya ögon. Nu är man inte samma person och därför kan man bli besviken och irritera sig på det som förut verkade helt naturligt.

Ulf Frövi är psykolog och arbetar som konsult med personer som ska flytta utomlands. Här ger han några råd som kan underlätta processen:

- När det känns jobbigt, tänk på att livet till stor del består av små och stora problem som ska lösas, även i ditt hemland.
- Försök lära dig så mycket som möjligt om den nya kulturens historia, politik, konsthistoria o.s.v. Ju mer du vet, desto mer förstår du.
- Glöm inte bort dina intressen och hobbyer. Om du förut var medlem i någon klubb, försök då att hitta motsvarande klubb i ditt nya land. Det kan vara svårt att få nya vänner, men ett bra sätt är att försöka hitta personer som har samma intressen som du.

- Värdera inte och jämför inte olika länder. Konstatera bara att man gör på olika sätt i olika länder.
- Om du är frustrerad över hur dina nya landsmän beter sig, tänk då på att du inte kan ändra på ett helt folk. Du kan bara ändra på din egen attityd och ditt eget beteende.
- Om du har en partner från ett annat land, försök då att vara flexibel utan att glömma bort värderingar och principer som är viktiga för dig. Välj dina krig. Det är kanske viktigare t.ex. att vara överens om hur barnen ska uppfostras, än exakt vilka jultraditioner ni ska ha.

 B Beskriv med egna ord de olika faserna.

C Diskutera:

- Känner ni igen er i de olika faserna i processen som beskrivs i texten *Kulturchock*?

- Vad tycker ni om Frövis tips? Kan ni komma på fler tips för den som ska flytta till ett nytt land eller som lever med en partner från ett annat land?

- Vad tror ni att en svensk skulle få problem med om han eller hon flyttade till ett annat land?

ett land med en annorlunda kultur
… man gör på olika sätt i olika länder.

Jämförelse

ÖB 12:4

4 Konflikter och svåra situationer

 A Läs först frågan till Annika Sundberg. Känner ni igen problemet?
Hur tycker ni att väninnan ska agera? Läs sedan Annikas svar.
Vad tycker ni om det?

90))

Fråga Annika

**Skriv till vår relationsexpert Annika
Sundberg och fråga om livet, identitet
och relationer.**

Hej Annika!

Jag behöver verkligen hjälp! En av
mina bästa vänner har gått i någon
sorts terapi och nu har hon fått lära
sig att hon alltid måste vara ärlig och
våga ta konflikter. Det är ju bra, men
problemet är att jag tycker att det har
gått för långt. Helt plötsligt kan hon
säga saker som: "Men gud, vad tjock
du har blivit!" eller "Jag är jättearg för
att du inte svarade på mitt sms direkt!"
Ofta börjar hon med att säga: "Jag
vill inte göra dig ledsen, men …". Hon
verkar inte förstå att jag faktiskt blir
både sårad och ledsen. När jag försöker
säga till henne blir hon bara arg och
förstår inte vad jag menar. Hur ska
jag göra?
Väninnan

Kära Väninnan!

Jag förstår att det här är svårt för dig.
Din vän har fått lära sig att hon måste
vara ärlig, men det verkar som om hon
går för långt i sin ärlighet. Kan det vara
så att hon hade svårt att uttrycka sina
åsikter tidigare? Hon kanske tolkar sin
terapeut lite för bokstavligt? Jag har
svårt att tro att terapeuten menar att
din vän alltid ska säga exakt vad hon
tycker. Det man säger ska självklart
vara sant, men alla sanningar behöver
ju inte sägas. Innan man säger en så
kallad sanning till en annan person
tycker jag att man ska tänka efter lite.
Behöver jag verkligen säga det här?
Varför vill jag säga det? Hur kommer
den andra personen att uppfatta det jag
tänker säga? Man måste alltid tänka på
att den andra personen kan bli sårad
och känna sig kränkt. Vi har inte rätt
att kritisera andra människor hur som
helst.

Jag tycker att du ska prata med din
vän. Försök att förklara hur du känner
när hon säger kränkande saker. Säg till
exempel: "När du säger att jag är tjock
känner jag …". Var noga med att inte
kritisera henne som person, utan visa
bara hur du reagerar på det hon säger.

Jag hoppas att mina råd hjälper och
att du och din vän får en fin relation
i fortsättningen.
Annika

B Välj någon av situationerna i rutan här nedanför. Den ena i paret formulerar sitt problem och berättar om det, den andra spelar relationsexperten Annika.

> Du irriterar dig på att din svärmor ringer så ofta.
> En vän till dig har alkoholproblem, men vill inte erkänna det.
> Du vet att din väns sambo träffar en annan.
> Du tycker att din chef favoriserar andra.

C Välj ett nytt problem och byt roller. Berätta sedan för paret bredvid om de råd ni har gett varandra.

5 Sociala medier – åsikter, kränkningar och näthat

 A Diskutera frågorna. Motivera och utveckla era svar.

- Vilken typ av sociala medier använder ni?
  Till vad/Varför använder ni dem? Hur ofta?

- Vilken typ av bilder bör man inte
  lägga ut på nätet? Varför inte?

- Är det okej att googla andra människor
  i sin närhet, grannar och kollegor t.ex.?

- Varför är många hatiska och elaka i sina
  inlägg och kommentarer,
  tror ni?

Vad är näthat?
"Med näthat avses krän-
kande och hatiska kommentarer
på exempelvis bloggar, facebook
och instagram. Kränkningarna kan
även ske genom publicering av
bilder eller videoklipp
på internet."

Institutet för juridik & internet

91))

Kränkningar på nätet

I en artikelserie har vi skrivit om olika typer av kränkningar på nätet.
Artiklarna har bland annat handlat om näthatet som en av våra mest
kända bloggare har upplevt, om flickorna som dömdes för grovt förtal
efter att ha spridit kränkande texter och bilder på sociala medier. Läsar-
reaktionerna har varit många och här publicerar vi ett par av dem.

B Läs igenom insändaren här nedanför på max fem minuter och svara
   sedan på frågorna. Använd inte ordbok.

 C Jämför dina svar med en partner. Läs sedan insändaren tillsammans
   och kontrollera att ni förstår allt.

D Gör på samma sätt med den andra insändaren på sidan 168.   92))

DET ÄR VERKLIGEN TRAGISKT att folk inte kan uppföra sig på ett vettigt sätt på nätet. På bloggar och diskussionsforum verkar folk glömma bort att det faktiskt är människor av kött och blod och inte robotar som får ta emot alla hemska kommentarer. En del tycker att bloggare och andra som skriver på nätet får skylla sig själva – men så kan man väl inte säga? Vad har vi för rätt att angripa personer med elaka ord bara för att de själva har skrivit på nätet? Ingen.

En stor del av debatten runt näthatet handlar om att folk är anonyma när de skriver. Man menar att det är lättare att skriva fula ord och annat om man inte behöver uppge sitt riktiga namn. Det kan jag hålla med om. Men en sak får vi inte glömma, det finns faktiskt personer som av olika anledningar inte *kan* träda fram med sitt namn. Tänk på dem som lever med skyddad identitet till exempel.

Vad händer med deras rätt att uttrycka åsikter om det skulle vara förbjudet att vara anonym? Eller de som har flytt från länder där de har varit förföljda på grund av sina politiska åsikter – ska de inte heller ha rätt att framföra sina åsikter? Tänk om de kan bli spårade av det landets hemliga polis. Den som aldrig har levt i ett land där man när som helst kan bli gripen av polisen om man uttrycker obekväma åsikter har nog svårt att föreställa sig hur det är.

Nej, låt folk vara anonyma på nätet, men se till att alla forum har en ansvarig redaktör som plockar bort olämpliga kommentarer. Och vi måste se till att våra barn och ungdomar förstår vad elakheter kan leda till. Så lyft frågan och ta diskussionen, hemma, i skolan och på jobbet!
Fröken X

1 Fröken X menar att

   a folk som skriver på nätet är som robotar.
   b folk inte tänker på att riktiga människor läser det som skrivs.
   c bloggare får skylla sig själva om folk skriver elaka saker.

2 Fröken X anser att

   a ett förbud mot anonymitet skulle vara bra för demokratin.
   b alla som har något att säga ska träda fram med sitt namn.
   c samhället har ett ansvar att se till att folk inte beter sig illa på nätet.

NU ÄR DET PÅ TIDEN att någon sätter stopp för de här idiotierna som människor ägnar sig åt på internet! Folk mår dåligt, känner sig hotade och det händer till och med att unga människor väljer att ta livet av sig efter att de har blivit mobbade och trakasserade. Hur är detta möjligt? En trolig förklaring är att man tycker att man kan bete sig hur som helst då man inte behöver använda sitt riktiga namn på nätet. Jag tror knappast att någon skulle skriva dessa hemskheter om han eller hon inte kunde vara anonym. Enligt min uppfattning ska man stå för sina åsikter och då behöver man inte gömma sig bakom ett alias. Däremot anser jag inte att vi ska gå så långt som att förbjuda anonymitet på nätet. Vi har lagar så att det räcker.

Tack och lov har folk rätt att uttrycka sina åsikter både i tal och skrift i vårt land. Dessvärre tror jag att en del har missuppfattat vad vår yttrandefrihet innebär. Hets mot folkgrupp, kränkning och förtal är faktiskt förbjudet enligt lag. Så, låt oss fortsätta att ha debatt i alla möjliga och omöjliga frågor, men kan vi hålla oss till sakfrågorna och diskutera dessa på ett civiliserat sätt? Personangrepp och elakheter hör inte hemma i vårt samhälle. Och för man en saklig debatt finns det ingen anledning att *inte* underteckna sina inlägg med namn.
Arne B Lundström

3 Arne B Lundström anser att

a vi ska fortsätta diskutera på nätet men på ett annat sätt.

b yttrandefriheten ger oss rätt att uttrycka alla åsikter.

c man borde införa censur på nätet.

4 Arne B Lundström menar att

a man kan skriva vad som helst bara man använder sitt riktiga namn.

b det är onödigt att vara anonym när man uttrycker sina åsikter.

c ett förbud mot anonymitet skulle göra debatten mer saklig.

… där man när som helst kan bli gripen av polisen.
… en perfekt plats där vem som helst kan skriva vad som helst.
… man tycker att man kan bete sig hur som helst.

… som helst

ÖB 12

E Gör ordfamiljer med orden i rutan. Exempel:

substantiv	verb	adjektiv/particip
hat	hatar	hatad

hotar	skrift	uppmaning	förföljd	~~hat~~
förklaring	ansvarig	missuppfattar	väljer	tal

 F Säg exempel med orden i ordfamiljen.

– Varifrån kommer allt hat?

– Jag hatar råttor!

– Förstår du varför den här personen är så hatad?   ÖB 12:5–8

De flesta tidningar och tidskrifter har en insändarsida där läsarnas brev
publiceras. En insändare handlar ofta om en aktuell fråga.

Jämställdheten har gått för långt!

Nu är jag trött på den här feminist-
debatten som länge har rasat i media.
Även män har börjat kalla sig feminister.
Det är ju löjligt!

Visst är det bra att även kvinnor kan
arbeta och göra karriär, men är det någon
som tänker på hur barnen har det? Tänk
på de små liven som lämnas på förskola
tidigt på morgonen och hämtas sent på
kvällen. Är det någon som tror att de inte
längtar efter sin mamma på hela dagen?
Det kan väl aldrig vara hälsosamt att
tillbringa fler timmar per dag med 30
andra barn? Förskollärarna gör säkert
ett fantastiskt arbete, men det bästa för

barnen är att få vara med sin mamma och
sina syskon i hemmiljö de första åren.
Nu kanske någon invänder att pappan
lika gärna kan vara hemma med barnen.
Det finns säkert många duktiga pappor,
men det är mer biologiskt naturligt att
mammorna sköter barnen i första hand.

Låt oss därför införa en pensions-
grundande hemmafrulön till alla kvinnor
som lägger karriären åt sidan för att ta
hand om hem och barn! Kvinnorna bör
kunna vara hemma åtminstone i fem år.
Sedan är det lagom att barnen börjar i
skolan.

Det var bättre förr

A Svara på insändaren om jämställdhet på sidan 169.
När du svarar på en insändare kan du göra så här:

- Börja med att referera till den insändare du svarar på.

- Ta upp de olika argumenten som finns i insändaren och ge dina egna kommentarer.

- Sammanfatta.

> Signaturen "Det var bättre förr" skriver i sin insändare den 2 februari att jämställd-hetsdebatten är överdriven och att kvinnor borde ...

Inleda
Signaturen X skriver att ...
Du [signatur], som skrev om ...

Argumentera
X skriver att ... men det kan jag inte (riktigt) hålla med om.
X har rätt i att ... men ...

Avsluta
En bättre idé vore att ...
Skulle det inte vara bättre att ...

B Skriv en egen insändare om ett valfritt ämne.
När du skriver en insändare kan du göra så här:

- Börja med att introducera ditt ämne. Se till att din tes är tydlig.

- Beskriv så livfullt som möjligt vad du upplever som bra eller dåligt.

- Ta upp ett par argument som talar för din tes. Ta gärna upp motargument också och bemöt dem.

- Presentera din åtgärd, gärna med något argument.

Introducera ämnet
Varför ...?
Jag är så trött på ...
Har ni också undrat varför ... ?
Jag blev så glad när ...
Nu måste det bli ett slut på ...

Beskriva problemet
Det är/dåligt/hemskt/oacceptabelt/ inte så bra att ...

Föreslå lösningar
Därför bör vi/man ...
Jag tycker/anser att man bör ...
Varför kan vi inte ...?
Låt oss ...!

C Svara på en partners insändare.

1 Högtider

 A Titta på bilderna. Vilka är högtiderna?

B Läs meningarna här nedanför och gissa var de olika siffrorna ska stå.
Kontrollera sedan med facit längst ner på nästa sida.

90	6	75	10	65
25	61	3 000	5	

1 Nästan _____ procent av svenskarna firar midsommar.

2 Julhandeln i Sverige omsatte cirka _____ miljarder kronor år 2014.

3 På påskafton äter man ungefär _____ miljoner ägg i timmen i Sverige.

4 Under påskhelgen besöker cirka _____ procent av svenskarna en
gudstjänst.

5 Cirka _____ procent av svenskarna vet inte varför vi äter ägg under påsken.

6 Sveriges nationaldag firas av _____ av den svenska befolkningen.

7   Under midsommar äter svenskarna _____ ton sill.

8   Julskinka är viktigast för att det ska kännas som en riktig jul,
    tycker _____ procent av svenska folket.

9   Under julhelgen brukar svenskarna gå upp sammanlagt _____
    miljoner kilo i vikt.

C   Var något i B intressant eller överraskande? Hur är det i andra länder,
    tror ni?

 D   Lyssna på tre dialoger om högtider. Titta inte i boken.
    Vilka högtider pratar de om? Välj bland följande högtider:

| födelsedag | påsk | nyårsafton | midsommar | studenten | jul |

94))

1

– Om alla kommer, blir vi 18 personer. Förra året var det så himla krångligt när
alla skulle ta med sig mat, så jag tror att jag fixar maten själv i år.
– Ja, men tänk på att farfar måste ha sin speciella sill, mormor kommer inte om
det inte finns skinka, Micke måste ha hemmagjorda köttbullar och sedan är
det mammas nya killes dotter som är vegan …
– Hmm … Vi kanske ska ses lite senare i stället? Efter Kalle Anka? Och hoppa
över lunchen?
– Va??!! Vi brukar vi ju alltid äta lunch tillsammans och sedan se Kalle Anka.
– Herregud, du är ju precis som ett litet barn … Men okej, då har jag en idé.
Vi kanske kan vara hos er den här gången?
– Eeh … Det blir nog lite svårt …

1:90, 2:65, 3:6, 4:10 %, 5:75, 6:25, 7:3 000, 8:61, 9:5

2

– Ska vi fira på samma sätt i år, tycker du?
– Ja, det tycker jag. Mickan bakar jordgubbstårta, Fatima och Allan fixar sill och potatis, Maj tar med sig snaps och vi ordnar mat till barnen. Klockan tre går vi till fotbollsplanen så att barnen får dansa *Små grodorna* runt stången och äta mer tårta. Och sedan är det ju tävlingar.
– Okej, men kan vi inte sitta inne i år? Förra året höll jag på att frysa ihjäl!
– Näe, det är klart att vi ska sitta ute! Det är väl bara att ta på sig en extra tröja om det är kallt.
– Okej då. Men om det regnar tänker *jag* i alla fall sitta inne.

3

– Mamma, jag vet inte vad jag ska ha på mig.
– Jag tycker att du ska ha kjol och en prickig blus. Och så kan du ha en kudde under, som en tjock mage. Och häxor ska väl ha någon typ av hatt och gå med käpp?
– Men tänk om vi inte får något godis när vi går runt? Det kanske inte är någon hemma?
– Jodå, det är klart att folk är hemma. De väntar ju på att ni ska komma. Som barn gick jag alltid runt och jag brukade få en massa godis!

E Lyssna igen och följ med i dialogerna 1–3. Var hör man nedanstående fraser? Stryk under motsvarande fras i dialogerna.

a [vare]   d [tamese]   g [devälbaåtapåse]

b [ooppaöve]   e [satt]   h [jallafall]

c [vaoser]   f [åsenereju]   i [åså]

F Läs dialogerna i par med naturligt uttal. Spela gärna in er själva och lyssna sedan.

Du är ju precis som ett litet barn …
Som barn gick jag alltid runt …
Jag tycker att du ska ha kjol och en prickig blus.
Häxor ska väl gå med käpp?

Substantiv obestämd form med eller utan artikel

ÖB: 13:1

G Läs texterna *Jul*, *Påsk* och *Midsommar* nedan och sätt in meningarna
a–g där de passar.

a Men hönorna la förstås lika många ägg som vanligt under fastan,
så det fanns ovanligt mycket ägg just till påsk.
b Vi kokar den med dill och äter den med en klick smör, en högtid
för alla potatisälskare.
c Det är mycket som ska ordnas till julafton den 24 december.
d Man fick inte arbeta och barnen fick inte leka.
e För många barn är kanske julklapparna viktigast.
f Denna natt var förr i tiden en mystisk natt, då mycket kunde hända.
g Som tack delar de ut påskkort som de ofta har ritat själva.

95))

Jul

Julen är en av årets största högtider i Sverige. De
flesta svenskar tar ganska lätt på julens kristna
bakgrund och ser juldagarna mer som ett tillfälle
att fira med god mat och levande ljus. 1 _____.

Redan fyra söndagar före julafton börjar jul-
firandet så smått med första advent, när man
tänder det första av fyra ljus, äter pepparkakor och saffransbullar
(som på Lucia kallas lussebullar) och dricker glögg eller kaffe.

Några veckor före jul är det många som känner julstress. 2 _____.
Julmaten ska lagas, huset ska julpyntas och sedan ska en massa dyra
julklappar köpas (även om de minsta barnen tror att de kommer från
tomten). Det kan också vara komplicerat för alla ombildade familjer.
Vem ska fira med vem och hos vem?

Före jul tar man in julgranen och klär den med elektriska ljus,
glitter och andra prydnader. Under granen lägger
man julklapparna, om det inte är tomten som
kommer med dem. Bredvid granen står ofta
en bock av halm, en julbock. Det är en rest
från det urgamla firandet som fanns innan
den kristna julen. Bocken var symbol för
guden Tor.

Klockan tre
varje julafton sätter
sig många svenskar framför
teven och tittar på *Kalle Anka
och hans vänner önskar god jul*.
Programmet har sänts varje år i
svensk television sedan 1960.
År 2014 tittade 3,7 miljoner
personer.

Maten på julafton är mycket traditionsbunden. Många äter julbord, en buffé med varma och kalla rätter. Viktiga inslag är sill i olika former, lax, köttbullar, kokt skinka och lutfisk. Till julbordet dricks det öl och snaps och till snapsen sjunger man snapsvisor.

Dagarna efter julafton, på juldagen och annandagen, fortsätter många firandet och träffar släktingar och vänner.

96))

Påsk

Påsken har inte lika många fasta ritualer och traditioner som julen. Egentligen inleds påsken med fastlagen, de tre dagarna före den 40 dagar långa fasta som man hade inför påsk så länge Sverige var katolskt. Under fastlagen skulle man äta så mycket som möjligt för att förbereda sig för fastan, då man inte fick äta kött eller ägg. 3 _____ . Därför är det inte så konstigt att äggätande har blivit synonymt med påsk.

En gammal sed under påsken är att ta in ett björkris, ett så kallat påskris. Förr i tiden slog man varandra med riset, mest på skoj. Idag dekorerar vi riset med färgade fjädrar och njuter av de små björklöven som slår ut efter ett tag och påminner om att våren är på väg.

Torsdagen före påsk är skärtorsdagen. Då klär många barn ut sig till påskkärringar och går runt och knackar på hos grannar och hoppas på att få lite godis eller en slant. 4 _____ . På vissa ställen kommer påskkärringarna på påskdagen istället.

Att påsken firas till minne av Jesus död och uppståndelse bryr sig inte så många om idag. Men för inte så länge sedan var långfredagen en viktig religiös dag. 5 _____ . Fram till 1970-talet var alla nöjeslokaler stängda och på radio hördes bara religiös musik. Man skulle i stillhet tänka på att Jesus korsfästes just den dagen.

Själva påskafton brukar firas med familj eller vänner. Populär påskmat är lax, sill, och lammstek. Många målar ägg som sedan äts upp. Barnen får påskägg, färgglada ägg gjorda av papp, fyllda med godis.

Midsommar

Denna högtid har firats mycket länge i Sverige, längre än kristendomen funnits i landet. Idag firas midsommar alltid på fredagen som infaller mellan den 19 och 26 juni. Men från början firades den vid sommarsolståndet, den 21 juni, årets kortaste natt. 6 _____ . Flickor plockade sju sorters blommor och la under huvudkudden för att drömma om den som de skulle gifta sig med. De kunde också äta salt för att drömma om att deras framtida man skulle komma med vatten.

På midsommarafton roade man sig med dans runt en lövad stång dekorerad med blommor. Man brukade också klä ut sig till lövgubbe genom att täcka sig med blommor och blad. Idag dansar vi fortfarande runt midsommarstången, men lövgubben har nästan helt försvunnit.

Till midsommar äts mycket sill, faktiskt mer än under andra högtider. För det mesta finns den första svenska färskpotatisen i affärerna då. 7 _____ . Och de första svenska jordgubbarna brukar snabbt ta slut. Jordgubbar med lättvispad grädde eller jordgubbstårta är en självklar dessert på midsommarafton.

 H Ställ frågorna här nedanför till varandra. Försök att svara utan att titta i texten.

1 Vad brukar man göra på första advent?

2 Vad hänger man i julgranen?

3 Vad symboliserar julbocken?

4 Vilka rätter finns ofta på julbordet?

5 Vad gjorde man med påskriset förr i tiden?

6 Vad heter torsdagen före påsk?

7 Vad skulle man göra på långfredagen förr?

8 Vad brukar man äta på påsken?

9 Vad är påskägg?

10 När firar man midsommar?

11 Varför plockade flickor sju sorters blommor på midsommarafton?

12 Varför åt en del flickor salt på midsommarafton?

13 Vad är en midsommarstång?

14 Vad brukar man äta till dessert på midsommarafton?

I Vad finns det för viktiga högtider i andra länder? Skriv först ner stöd-
ord. Berätta om dem. Den som lyssnar antecknar viktiga ord och åter-
berättar sedan det viktigaste.

Årets julklapp

Varje år sedan 1988 utser HUI Research Årets julklapp. För att en vara ska kunna bli
utsedd till Årets julklapp ska ett eller flera av dessa kriterier vara uppfyllda:

- Produkten ska vara en nyhet eller ha fått ett nyväckt intresse för året.
- Produkten ska svara för ett högt försäljningsvärde eller säljas i stort antal.
- Produkten ska representera den tid vi lever i.

 J Gissa vilket år produkterna här nedanför blev valda till Årets julklapp.
Kontrollera sedan med facit längst ner på sidan om ni gissade rätt.

> 1988   1996   2000   2004   2008   2014

1 internetpaket _____   4 dvd-spelare _____

2 aktivitetsarmband _____   5 en upplevelse _____

3 bakmaskin _____   6 platt-tv _____

K Vilken vara/produkt tror ni kommer att bli Årets julklapp nästa gång?
Motivera era svar.

2 Högtidsångest

Många älskar högtider och helgdagar. För andra är det mest stressigt och   (98)))
ångestfyllt. Att många tycker att högtider är en plåga kan bero på olika
saker. Man kanske känner sig tvungen att träffa
släktingar som man egentligen inte gillar, man har
inte tillräckligt med pengar för att fira och köpa
presenter eller man kanske inte har någon att
fira med. Sociala medier bidrar troligen också
till ångesten. De fylls av bilder på perfekta,
pyntade hem, hemlagad mat och jättelyckliga
familjer, bilder som kan vara svåra att leva
upp till.

> En sökning
> på ångest på internet gav
> följande träffar:
> jul + ångest 460 000
> nyår + ångest 211 000
> påsk + ångest 127 000
> midsommar + ångest
> 138 000

1:1996, 2:2014, 3:1988, 4:2000, 5:2008, 6:2004

A På ett internetforum om högtider skriver folk om sina problem med att fira. Ett virus har tyvärr blandat ihop olika inlägg med varandra. Pussla ihop de fyra inläggen.

a Dans runt stången, hej och hå! Snart närmar sig årets största ångesthögtid för mig. Vi ska fira ute på landet hos mina svärföräldrar. Igen. Det blir nog som vanligt med sillunch ute trots regn och sedan dans runt stången som tyvärr alltid ramlar omkull för att ingen i släkten kan resa en stång ordentligt.

b Eftersom vi inte fått någon inbjudan i år, tänkte jag och min sambo att vi skulle ordna en fest själva. Jag skickade ut inbjudan i god tid.

c Alla vill vara med och bestämma om allt, vilken mat vi ska äta, när vi ska äta, om alla måste titta på Kalle Anka, hur många julklappar vi ska ha och vem som ska vara tomte. Sedan blir det bara en massa gräl hela kvällen och barnen gråter. Vad ska jag göra?? Tacksam för svar/Paula

d Det blir alldeles för mycket och barnen äter godis tills de nästan kräks. Och de vägrar såklart att äta vanlig mat (som jag har lagat i timmar). Jag har försökt säga till alla att de inte behöver ge barnen påskägg, i alla fall inte så stora ägg. Men de blev jättearga och sa att jag inte kan bestämma en sådan sak. "Oroliga mamman"

e Hittills har jag inte fått några svar alls. Ingen kan bestämma sig. De väntar väl på att något roligare ska dyka upp? Det känns inte så kul att planera för fest om man inte vet om någon kommer./Ledsen värdinna

f Jul = problem
Hej alla julhatare och julälskare! Nu närmar sig julen och paniken är här. Min granne har redan pyntat hela huset och alla verkar jättelyckliga.

g Men det stora problemet för mig är att min fru dricker lite för mycket. Det börjar redan vid lunchen med öl och snaps och sedan fortsätter det till grillningen med vin. Sedan sitter hon med släkten och dricker hela natten.

h Gott nytt år?
Snart är året slut, och det måste firas, eller hur? Gärna hemma hos goda vänner med en lyxig middag och sedan fyrverkerier och champagne vid midnatt.

i I vår familj har julbråken bara börjat. Min sambo vill absolut att hans föräldrar ska komma hem till oss. Problemet är att våra föräldrar inte alls funkar ihop.

j Tandläkarakuten nästa?!
Finns det någon där ute med samma problem som jag? Eftersom jag är frånskild, får mina tre barn påskägg från mig och mina föräldrar, från min nya sambos familj, från min exmans familj och från hans nya frus familj.

k Vad ska jag göra? Jag vill ju att midsommar ska bli ett fint minne för våra barn. Det är lite svårt med en mamma som alltid blir full på midsommar. I vanliga fall brukar hon dricka "lagom"… /En pappa som bryr sig

B Välj ett inlägg och skriv ett svar. Byt svar med paret som sitter bredvid er, och skriv en kommentar till det svar som ni får. Exempel:

Hej Paula!
Jag tycker att du ska ...
Hälsningar Kurt

Hej Kurt!
Du skriver att Paula borde ... Jag tror inte att det är
en så bra idé. Skulle det inte vara bättre att ...?

3 Tre högtidsfigurer

A Välj varsin text att läsa, *Påskkärringen*, *Tomten* eller *Sankta Lucia*.
Välj verb ur rutorna och skriv dem i rätt form där de passar in i texten.

 B Berätta för varandra om figurerna.

| måla | trolla | lägga | klä | delta |
| använda | skydda | tro | rida | gömma |

99))

Påskkärringen

Förr i tiden 1 _____ man på häxor. Det var kvinnor som kunde

2 _____ och som samarbetade med djävulen. Skärtorsdagsnatten var

häxornas natt, då häxorna flög till Blåkulla för att 3 _____ i en stor fest

hos djävulen. De 4 _____ oftast dit på något djur

(en ko eller en get) men de kunde också

5 _____ kvastar eller andra redskap.

Ibland tog de barn med sig som sedan

skulle hjälpa djävulen.

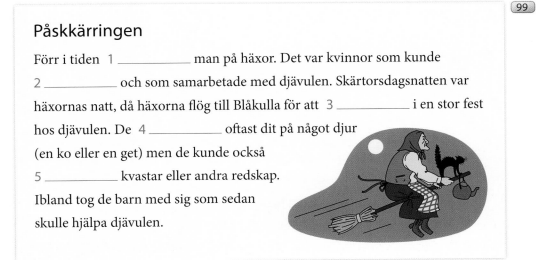

Människor var rädda för häxornas ondska och försökte 6 _____

sig mot dem på olika sätt. Natten mellan skärtorsdagen och långfredagen

stängde man alla dörrar och 7 _____ undan allt som en häxa kunde

rida på. Och på dörren till stallet 8 _____ man kors för att häxorna

inte skulle kunna ta djuren för att flyga till Blåkulla.

Man tror att dagens tradition att gå påskkärring började någon gång på

1800-talet. Då var det ungdomar och vuxna som 9 _____ ut sig till

häxor med skrämmande masker och kvastar. De kunde slänga ner stenar

i skorstenen eller 10 _____ en glasskiva över den så att huset blev fullt

av rök. Dagens påskkärringar är snälla, som tur är.

Tron på häxor fick tragiska konsekvenser under 1600-talet. Mer än 200

kvinnor anklagades för att vara häxor och dödades genom att brännas på bål,

ofta efter hemsk tortyr. Inte förrän i början på 1700-talet dömdes den sista

häxan, men lagen om dödsstraff för trolldom fanns kvar fram till slutet av

samma århundrade.

Tomten

få	väcka	ställa	sköta	fundera
missköta	handla	banka	klä	gälla

100))

Tomten

Jultomten har faktiskt två släktingar: den ena är den snälla tomten från

Tyskland som är lång, vitskäggig och rödklädd, den andra är den svenska

hus- eller gårdstomten. Den svenska tomten är mycket liten och gråklädd för

att inte 1 _____ uppmärksamhet. Han bor på bondgårdar hos djuren

och hjälper till med det mesta som behöver 2 _____ på en bondgård.

Tomten är ganska argsint och kan hämnas om man behandlar honom

respektlöst eller 3 _____djuren. Då kanske tomten flyttar till grannarna och då kan det gå illa för gården. Därför är det viktigt att man

4 _____ ut en tallrik gröt på trappen på julaftonskvällen som tack för

tomtens arbete.

Dagens svenska tomte kommer med en säck julklappar den 24 december.
Pappan i familjen eller någon manlig släkting brukar

5 _____ uppdraget att vara tomte på julafton. Det 6 _____

förstås att ha en bra utklädning så att barnen inte ser vem det är. För att

kunna gå och 7 _____ om brukar man säga att man ska gå ut och

köpa kvällstidningen. Tomten 8 _____ på dörren och kommer in

och frågar:

– Finns det några snälla barn här?

En av de mest kända svenska dikterna är *Tomten* av Viktor Rydberg
(1828–1895). Man brukar läsa den på julen, men den 9 _____

egentligen inte om jultomten utan om den svenska

tomten och hur han på natten kontrollerar att djur

och människor mår bra på gården där han bor.

Han 10 _____ också på varifrån

människorna kommer.

Tomten

Midvinternattens köld är hård,
stjärnorna gnistra* och glimma*.
Alla sova* i enslig gård
djupt under midnattstimma.
Månen vandrar sin tysta ban,
snön lyser vit på fur och gran,
snön lyser vit på taken.
Endast tomten är vaken.

* Gammal pluralform av verbet = infinitiv

kasta	sticka	sätta	klaga	bränna
be	dö	förbli	bota	skänka

(101)〉

Sankta Lucia

Lucia föddes i Syrakusa på Sicilien år 286. Hennes föräldrar var rika, men
fadern 1 _____ tidigt. Modern var kristen och redan som barn lovade
Lucia Gud att hon aldrig skulle gifta sig, utan 2 _____ jungfru hela
livet. Det här berättade hon inte för någon.

Lucia växte upp till en vacker kvinna och modern bestämde att Lucia
skulle gifta sig med en hednisk man. Stackars Lucia 3 _____ till Gud
att hon skulle få slippa.

Så blev modern svårt sjuk och ingen läkare kunde 4 _____ henne.
Lucia bad till den heliga jungfrun Agatha att modern skulle bli frisk. I bönen
visade sig jungfrun och sa att Lucias tro hade botat modern. Som tack för
detta mirakel lovade modern att Lucia inte behövde gifta sig och att hon
skulle få 5 _____ sina pengar till de fattiga.

Det här var tiden för blodiga förföljelser av de kristna, och Lucias
tilltänkta man som blev rasande angav henne för kejsar Diocletianus. Lucia
6 _____ i fängelse och blev torterad, men hon 7 _____ inte.
Då dömdes Lucia till *ad lupanare*, att bli skickad till en bordell som straff.
Tusen man och en kärra dragen av flera oxar skulle föra Lucia genom staden.
Men de lyckades inte flytta på Lucia. Då bestämde man att Lucia skulle
8 _____ på bål. Man la ved runt hennes fötter och försökte
9 _____ eld på henne; men än en gång blev hon räddad av Gud.
Till slut lyckades man döda Lucia genom att 10 _____ ett svärd i
halsen på henne. Men Lucia levde så länge att en präst hann ge henne sista
smörjelsen.

182 • RIVSTART B1+ B2 Textbok

Luciafirande

Tidigt på morgonen den 13 december kommer Lucia, vitklädd med en krona av ljus på huvudet. Hon och hennes följe av tärnor, stjärngossar och tomtar, sjunger och bjuder på lussebullar.

Den 13 december var Sankta Lucias dag och lucianatten var tidigare årets längsta – en natt då det hände många konstiga saker. Bland annat kunde djuren tala och troll och andra figurer blev synliga. Man blandade ihop namnen Lucia och Lucifer, alltså djävulen, så många var lite rädda för henne. Eftersom så mycket konstiga saker hände på lucianatten var det bäst att hålla sig vaken. Ungdomar gick också runt och sjöng och tiggde bland gårdarna.

Lucian med ljus i håret som bjuder på lussebullar och kaffe dök upp på 1700-talet i västra Sverige, kanske med inspiration från Tyskland där ett Jesusbarn med ljus bjöd på saffransbröd. Det moderna, offentliga luciafirandet och sångerna är ett 1900-talsfenomen. Det var Stockholmstidningen som år 1927 ordnade ett luciatåg genom stan.

Idag har man luciatåg på förskolor, i skolor och på arbetsplatser och ofta också i kyrkor, trots att den svenska luciatraditionen egentligen inte har så mycket att göra med kristendomen. Men många njuter av de vackra sångerna och alla levande ljus som lyser upp den mörka decembermorgonen.

C Vilka högtidsfigurer finns i andra länder?

D Svara på frågorna.

1 Vad gjorde häxorna på skärtorsdagsnatten?

2 Varför målade människor kors på stalldörren natten till långfredagen?

3 Vad kunde hända om man behandlade gårdstomten respektlöst?

4 Vad handlar Viktor Rydbergs dikt Tomten om?

5 Vilket löfte gav Lucia till Gud när hon var barn?

6 Hur kunde Lucias mamma bli frisk?

Småord i talspråk

I talspråk använder vi ofta småord för att signalera olika saker. Om du känner till de här småorden blir det lättare att förstå talad svenska, men du bör vara försiktig med att använda dem själv. Det är ofta yngre personer som använder de här småorden.

Alltså används för att inleda eller avsluta en fras. *Typ* och *liksom* används för att ge rytm eller emfas åt det man säger. *Typ* betyder också 'ungefär'. *Så här* har liknande betydelse och funktion. De kan sättas framför ord som man vill betona eller i slutet av en fras. Exempel:

Alltså, farsan var typ sjuk och min brorsa typ vägrade.
Vad pinsamt det var, liksom.

Ordet *ba* som från början är en förkortning av ordet *bara* används i talspråk med betydelsen sa, frågade, tänkte, gjordes ofta tillsammans med att man visar med kroppsspråk hur man själv eller en annan person gjorde. Exempel:

Jag ba: Har ni varit snälla i år? De ba: öhhh.

I talspråk används ofta *då* (uttalas [rå] efter vokal) eller *då då* [dårå] i slutet av en fras. Exempel:

Var var ungarna, då?

ÖB 13:2

E Gör övningen i övningsboken s. 131 innan ni börjar med nästa övning.

 F Lyssna på tre personer som pratar om när de var påskkärring, Lucia   (103)))
och tomte. Vad hände i de tre olika episoderna? Hur gamla är personerna,
tror du? Anteckna nyckelord och jämför sedan med din partner.

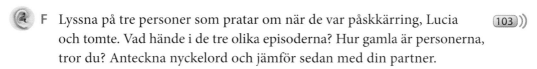

Hallå! Vilken pinsam jul det var!
Å gud vad gulliga ni är!

Utrop

ÖB 13:3

4 Årstidssnack

A Stäng boken och lyssna. Vilka årstider talar de om?

(104))

1 _____

– Åh, jag älskar den här årstiden! Solen skiner och färgerna är så vackra!
– Hmm … Jag känner mig stressad av att komma tillbaka från semestern. Det är så många måsten. Allt ska hända nu och jag har svårt att komma igång.
– Jo, det är klart att det är mycket som händer nu med skolstart och nya projekt på jobbet. Men på kvällarna är det så härligt att sitta inomhus och tända ett ljus och bara mysa.
– Nej, usch. Jag sitter bara och tänker: Nu går vi mot mörkare tider. Hu!

2 _____

– Gud, vad jag är trött! Ingenting känns kul längre. Och jag orkar ingenting.
– Du kanske har fått en årstidsbunden depression.
– Det brukar man väl få när det blir mörkare?
– Ja, men det är vanligt den här årstiden också, när ljuset kommer tillbaka. Många är faktiskt som du. Hjärnan har anpassat sig till mörkret och sedan när ljuset kommer blir man deprimerad.
– Där ser man. Jag får väl gå till doktorn om det inte blir bättre.

3 _____

– Hur är läget?
– Så där. Jag kan inte sova. Fåglarna börjar kvittra klockan fyra på morgonen när solen går upp. Jag blir galen på dem!
– Oj då. Jag tycker att det är härligt med fågelsång. Jag brukar gå upp jättetidigt och sätta mig på balkongen och titta på soluppgången.

4 _____

– Jag tycker att mörkret är så tungt, speciellt nu när det inte finns någon snö. Det är mörkt när man vaknar och mörkt när man går hem från jobbet.
– Ja, det är lite jobbigt. Men de säger att det ska komma snö till helgen. Då blir det lite ljusare i alla fall.

B Vilken tycker du är den bästa årstiden i Sverige eller i andra länder? Varför?

Ett grönt blad
på marken

Grönt! Gott,
friskt, skönt vått!
Rik luft, mark!
Ljuvt stark,
rik saft,
stor kraft!
Friskt skönt
grönt!

Gustaf Fröding (1910)

Gustaf Frödings porträtt målat av Richard Berg 1909.

Gustaf Fröding

(1860–1911) är en av de mest folk-
kära svenska poeterna. Han skrev
ofta om ensamhet och olycklig
kärlek. Hans dikter var ibland mycket
sorgliga men de kunde också vara
mycket roliga. Ibland skrev han på
Värmlandsdialekt.

Gustaf Fröding var periodvis
psykiskt sjuk. Dikten "Ett grönt blad"
skrev han i slutet av sitt liv när han
var intagen på mentalsjukhus. Den
publicerades efter hans död.

C Vad handlar dikten om? Vilken är årstiden som Fröding beskriver i dikten?

D Vilka rim finns i dikten?

ÖB 13:4

Skriv!

När man skriver en dikt kan man använda olika metoder.
Fri vers följer inga regler. Man kan använda sig av repetition
och kontraster för att få struktur på dikten. Exempel:

> Vintern är en grå trasa.
> Vintern är en skidfärd på gnistrande snö.
> Vintern är storm och ensamhet.
> Vintern är en middag med vänner
> med tända ljus och en brasa som värmer.

I en dikt med bokstavsrim rimmar ord som börjar på samma ljud.
Exempel:

> Hösten är här med hosta
> gula glada glansiga blad
> och jag jagar gärna min jakthund
> genom parken.

I en mer traditionell dikt låter man sista orden på varje rad rimma.
Man kan låta dem rimma på lite olika sätt. Exempel rim AABB:

> Sommaren är grön
> och jag åker till ön.
> Jag ska köpa fisk
> av den blir jag så frisk.

Exempel rim ABAB:

> Sommaren är grön
> och luften mycket frisk.
> Jag har fått min lön
> och ska köpa fisk.

Skriv en egen liten dikt om din favoritårstid. Använd någon
av modellerna ovan.

1 Hur är du?

A Titta på adjektiven här nedanför och sätt ett kryss där du tycker
att det passar bäst in på dig själv.

	100 %	50 %	0	50 %	100 %	
lugn						temperamentsfull
tystlåten						pratsam
eftertänksam						impulsiv
ordentlig						slarvig
pessimistisk						optimistisk
självsäker						osäker
grälsjuk						konflikträdd
ensamvarg						social

B Berätta för varandra om hur ni är.

Det är lite olika i olika situationer, men oftast är jag ...
Jag är inte ett dugg..., däremot är jag ...
Andra tycker nog att jag är ..., men personligen/själv tycker jag ...
När jag var yngre var jag ... men numera är jag ...
Jag har förändrats en hel del sedan ...
Tyvärr är jag ganska ...
Jag skulle gärna vilja vara mer ...
Jag är inte så nöjd med att jag är så ... men jag jobbar på det.
Jag har verkligen försökt att vara mer ... men det går bara inte.

C Skriv en text om dig själv. Låt dig inspireras av orden i uppgift A.

2 Kontorskaos

Det kan vara svårt när olika personlighetstyper ska jobba tillsammans, till exempel när slarviga och ordentliga personer ska dela arbetsplats. På ITEK har man mycket att göra. Vaktmästaren har varit sjuk i två veckor och det börjar bli kaos på kontoret. Personalen är mycket irriterad och överallt hittar man olika lappar.

A Lyssna på dialogen från ITEK med boken stängd. Vad är de olika person- erna irriterade på? Läs sedan dialogen högt i smågrupper och kontrollera era svar.

Avdelningschefen bestämmer sig för att det är dags att omedelbart ha ett möte och diskutera trivselfrågor. Han kallar alla till möte samma eftermiddag. Kollegorna är arga på varandra och för första gången i ITEK:s historia blir det öppet gräl.

Chefen: Vad fint att alla kunde komma med så kort varsel. Som ni säkert har märkt finns det viss irritation här på kontoret vad gäller ordningen. Eller oordningen, kanske man skulle kunna säga.

Maggan: Ja, det vill jag lova. Så här rörigt har det inte varit på flera år. Och det är inte bara jag som är störd över det. Varför är det ingen som fyller på kopieringspapper till exempel?

Chefen: Ja, jag är medveten om att det är mycket som behöver göras. Just nu är situationen extra stressad eftersom vaktis är sjuk och alla har fullt upp ...

Bengt: Ja, jag är fortfarande förbannad över att någon åt upp min kanelbulle. Och förrförra veckan var det någon som tog min frukt. Jag har faktiskt problem med blodsockret på eftermiddagarna. Så jag skulle vara tacksam om …

David: Det var ett himla tjat om din bulle. Om du vill kan jag gå ner och köpa en ny åt dig.

Bengt: Jaha, så det var *du* som tog den!?

David: Skyll inte på mig, det var inte jag som åt upp den. Men jag är bara så trött på ditt tjat. Det kanske finns något viktigare att diskutera än dina kanelbullar.

Chefen: Hör ni, kan vi återgå till ordningen? Som jag sa så har vi problem med …

Elin: Och min mjölk! Vem är det som dricker upp den hela tiden? Jag blir galen när jag ska ta en kaffe och mjölken är borta!

David: Herregud, ska vi börja med mjölken nu också …

Elin: Men vadå, jag vill faktiskt ha min mjölk!

Chefen: Okej, jag hör vad ni säger, men nu måste vi faktiskt lösa den här situationen …

> Vem är det som har ätit upp min kanel-bulle? Jag var faktiskt otroligt sugen på den!!

> Vem i h-e är det som alltid dricker upp min mjölk? Det är jag som har köpt den och jag vill ha den själv!!

> Är det någon som har sett mina nycklar? Jag tror att det var i måndags jag glömde dem.

> Vem är det som inte diskar efter sig! Är det någon som tror att disken diskar sig själv??

> Varför är det ingen som har fyllt på kopieringspapper? Är det bara jag som gör det??

 B I texten *Kontorskaos* finns fraser som är typiska för talspråk. Diskutera. Hur kan man säga de understrukna fraserna på mer formell svenska?

1. Alla har <u>fullt upp</u>.
2. Jag är fortfarande <u>förbannad</u> över att …
3. Det var ett <u>himla</u> tjat om din bulle.
4. <u>Skyll inte på</u> mig.
5. Jag <u>blir galen</u> …!
6. … <u>vaktis</u> är sjuk …

C Fortsätt dialogen muntligt eller skriv ett slut på dialogen. Försök att komma överens om några regler de ska ha på kontoret.
Spela upp er dialog för de andra i gruppen.

D Diskutera: Finns det något som irriterar er på arbetsplatsen eller på skolan/universitet?

> Vem **är det som** har ätit upp min kanelbulle? (Vem har ätit upp …?)
> **Det är** jag **som** har köpt den … (Jag har köpt den.)
> **Är det** någon **som** har sett mina nycklar? (Har någon sett mina nycklar?)
> … **det var** i måndags jag glömde dem. (Jag glömde dem i måndags.)

Emfatisk omskrivning (fokus på någon eller något)

E Titta på meningarna här nedanför. Säg dem utan emfatisk omskrivning. Exempel:

Vem är det som inte diskar efter sig?

– Vem diskar inte efter sig?

1 Är det någon som tror att disken diskar sig själv?
2 Vem är det som alltid dricker upp min mjölk?
3 Varför är det ingen som har fyllt på kopieringspapper?
4 Är det bara jag som gör det?

> Var **är det** du bor **nu igen?**
> Eller: Var **var det** du bodde **nu igen?**

Emfatisk omskrivning när man borde veta

F Ställ frågor till varandra om sådant ni borde veta. Välj frågor ur rutan eller hitta på egna. Exempel:

– Varifrån är det du kommer (nu igen)?

Varifrån kommer du?
Vad heter din sambo?
Var bor du?
När fyller du år?

Vad heter du i efternamn?
När började du läsa svenska?
Hur kommer du till kursen?
Vilka språk talar du?

ÖB 14:1

3 Trasigt

A Kombinera ord och fraser.

1 Skjortan kanske	a kraschar eller hänger sig.
2 Datorn	b hackar om den får fel bensin.
3 Spegeln	c torrfäller innan man tvättar dem.
4 En del otvättade jeans	d går av om du åker över en stor, vass
5 Någonting som är av dålig kvalitet	sten i backen.
6 Motorn	e spricker om du tappar den i golvet.
7 Hjärtat	f håller inte måttet.
8 Skidan	g krymper om du tvättar den i för hög temperatur.
	h brister när ens älskade lämnar en.

B Berätta för varandra om någon vara eller tjänst som ni har varit missnöjda med. Vad var fel? Hur klagade ni? Hur gick det? Blev ni nöjda till slut? Läs sedan dialogen.

Mobilproblem

A: Hej. Kan jag hjälpa dig med något?

B: Ja. Jag köpte den här mobilen för två veckor sedan och den har redan gått sönder.

A: Aj, då, det var inte bra. Vad är det som har hänt?

B: Jag vet inte varför, men den stänger av sig hela tiden.

A: Du har inte tappat den i marken eller i vattnet eller något sådant?

B: Absolut inte. Jag har varit jätterädd om telefonen.

A: Hmm. Vi får ta in din telefon och titta närmare på den.

B: Men, jag behöver ju min telefon! Kan jag inte få en ny direkt istället?

A: Nja. Vi måste som sagt undersöka telefonen för att se om det är ett fabrikationsfel. Men vi skulle kunna låna ut en annan telefon till dig under tiden. Det blir en enklare variant, men den har de viktigaste funktionerna. Har du kvittot med dig?

B: Javisst. Här är det.

A: Okej, då gör vi så här. Vi tar in din telefon och ser om vi kan laga den. Om det inte går får du en ny. Det går naturligtvis på garantin, så det kostar dig ingenting. Om jag får namn och telefonnummer så hör vi av oss så fort telefonen är klar. Vi sätter i simkortet i lånetelefonen så kan du börja använda den direkt.

C Diskutera hur ni skulle reagera i de olika situationerna.

1 Du har bokat rum på ett hotell i en vecka. På hotellets hemsida står det att hotellet har pool, men när du kommer till platsen visar det sig att poolen är stängd i tre dagar på grund av reparation.

2 Du bjuder en vän på restaurang för att fira hans eller hennes födelsedag. Du har bokat bord långt i förväg. Ni blir placerade i en mörk hörna av restaurangen och ni får vänta länge på maten.

3 Du köper ett par exklusiva jeans som du använder en månad innan du tvättar dem. Trots att du följer tvättråden krymper jeansen mer än en storlek i första tvätten.

D Välj en av situationerna (1–3) och skriv en dialog där ni klagar på det som är fel. Använd dialogen ovan som inspiration.

Att klaga
Ursäkta, men den här … var alldeles …
Jag har bara haft den/det/de här … i …, och
   den/det/de har redan …
Jag skulle vilja reklamera den/det/de här …
Det här var faktiskt inte vad jag hade väntat mig.
Jag har beställt … men …
Ni sa att … men det stämde inte alls. Istället …

Att säga vad man vill
Jag vill att ni lagar/reparerar …
Jag vill ha en ny …
Jag vill lämna tillbaka …
Jag vill få pengarna tillbaka …
Jag vill ha avdrag på priset …

Att ta emot klagomål
Det var tråkigt att höra.
Aj då, det var inte bra.
Jag ska genast …
Jag är hemskt ledsen, men …
Jag ska se vad jag kan göra åt saken.
Jag kanske kan … som kompensation.
Tyvärr är det ingenting vi kan göra.

E Spela upp er dialog för de andra i gruppen.

F Välj en av situationerna i uppgift C (1–3) och skriv ett mejl där du klagar
på det du är missnöjd med. Exempel:

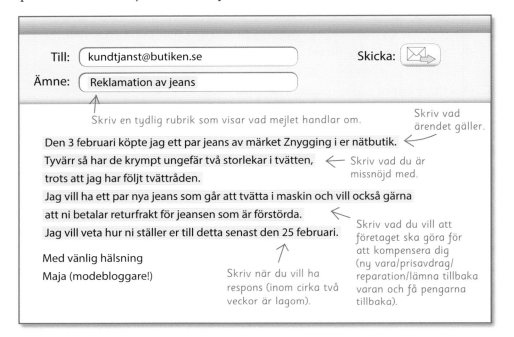

Till: (kundtjanst@butiken.se)   Skicka:

Ämne: (Reklamation av jeans)

↑
Skriv en tydlig rubrik som visar vad mejlet handlar om.   Skriv vad
                                                                  ärendet gäller.

Den 3 februari köpte jag ett par jeans av märket Znygging i er nätbutik. ←

Tyvärr så har de krympt ungefär två storlekar i tvätten, ← Skriv vad du är
trots att jag har följt tvättråden.   missnöjd med.

Jag vill ha ett par nya jeans som går att tvätta i maskin och vill också gärna
att ni betalar returfrakt för jeansen som är förstörda. ←

Jag vill veta hur ni ställer er till detta senast den 25 februari.   Skriv vad du vill att
                                                                     företaget ska göra för
                                                              ↑   att kompensera dig
Med vänlig hälsning   (ny vara/prisavdrag/
Maja (modebloggare!)   Skriv när du vill ha   reparation/lämna tillbaka
                              respons (inom cirka två   varan och få pengarna
                              veckor är lagom).   tillbaka).

 G Lyssna på dialogen och anteckna vad Gittan klagar på.   (108))
Lyssna igen och anteckna hur Märta bemöter klagomålen.

 H Jämför dina anteckningar med din partner och diskutera hur man bemöter
klagomål på bästa sätt – i jobbet och i privatlivet?

4 Konsumentregler

A Sök svar på frågorna med hjälp av rubrikerna, men utan att läsa
hela texten. Svara kort.

1 Hur länge gäller ett tillgodokvitto?

2 Ge två exempel på vad du har rätt att kräva om en vara går sönder
under garantitiden.

3 När finns det risk att ett presentkort blir värdelöst?

4 Vad betyder "öppet köp"?

5 Vad heter lagen som gäller om säljaren inte har gett dig någon garanti?

6　Vilka två saker måste man tänka på om man vill lämna tillbaka en vara och få pengarna tillbaka (öppet köp)?

7　Brukar man kunna få pengar för ett tillgodokvitto?

8　Hur måste informationen om garanti vara?

9　Hur länge gäller normalt ett presentkort?

10　Vad betyder bytesrätt?

(109))

Konsumentregler

Öppet köp

Öppet köp betyder att du kan återlämna en vara och få pengarna tillbaka om du ångrar ett köp. Det finns ingen lag som automatiskt ger dig rätt till öppet köp, men de flesta varuhus och affärer brukar erbjuda öppet köp utan att du behöver be om det.

Du bör kontrollera om affären tillämpar öppet köp innan du betalar en vara. Det är viktigt att det står på kvittot att öppet köp gäller. Spara alltid kvittot. Om du ångrar ditt köp måste du lämna tillbaka varan innan öppet köp-tiden går ut. Återlämna varan i samma skick som när du köpte den.

Bytesrätt

En del affärer som inte erbjuder öppet köp kan istället ge dig bytesrätt. Det betyder att du kan lämna tillbaka varan och välja en annan i stället. När det är rea i affärer står det ofta: "Reavaror bytes ej", vilket är lätt att missförstå. Du har naturligtvis rätt att klaga på en reavara om det är något fel på den.

Tillgodokvitto och presentkort

Om du vill byta en vara som du har köpt, men affären inte har något som du vill ha, kan du få ett tillgodokvitto. Du kan använda tillgodokvittot att handla för vid ett annat tillfälle. Ett tillgodokvitto kan vanligtvis inte växlas till pengar och du kan inte heller få kontanter i växel om du handlar för en mindre summa än vad tillgodokvittot är utställt på.

Ett presentkort kan du vanligtvis inte lösa in i pengar och inte heller få kontanter i växel om du handlar för mindre än vad presentkortet är värt. Både tillgodokvitton och presentkort gäller i allmänhet 10 år, om det inte står något annat på. Vänta dock inte för länge. Om affären byter ägare, upphör eller går i konkurs kan de bli värdelösa.

Garanti

Garanti betyder att säljaren ansvarar för att en vara fungerar och behåller kvaliteten under en bestämd tid. Det är frivilligt för säljaren att lämna garanti. Normalt brukar garantin gälla för en viss tid, till exempel ett år. Säljaren måste ge tydlig information om vad garantin innehåller. Informationen ska vara skriftlig. Om varan försämras eller går sönder under garantitiden har du rätt att kräva

- att varan repareras
- att du får en annan vara i stället
- att du får avdrag på priset
- att köpet hävs (går tillbaka).

I allmänhet är det reparation eller ny vara som gäller. Men om säljaren har reparerat varan och felet är kvar kan du kräva prisavdrag eller hävning av köp. Garantin gäller inte om felet beror på till exempel

- att du har misskött varan
- att du inte har följt skötsel- och serviceinstruktionerna
- att varan har blivit skadad i en olyckshändelse efter att du har fått varan.

Om du inte har fått någon garanti eller om garantitiden har gått ut så gäller konsumentköplagen. Enligt den lagen har du tre år på dig att reklamera ett ursprungligt fel på en vara. Därför kan det vara bra att spara kvitton i tre år. Tänk på att ta en kopia på kvittot. Det finns nämligen risk att texten på ett kvitto bleknar bort.

 B Leta i texten efter ord eller fraser som betyder detsamma eller ungefär detsamma som orden i rutan.

lämna tillbaka	inte obligatoriskt, inget tvång
ändra sig	bli sämre
en gång	pengar som dras bort
självklart	som fanns från början
förstå fel	blir vitare/ljusare
pengar (sedlar och mynt)	sköta dåligt
sluta att finnas	affärerna går så dåligt att man måste lägga
oftast/för det mesta	ner företaget
en produkt man köper	

... det finns nämligen risk att texten på ett kvitto bleknar bort.
Spegeln spricker om du tappar den i golvet.

Intransitiva verb

ÖB 14:2

Sju-ljudet [ʃ] och tjugo-ljudet [ç] är ganska lika ibland.
Sju-ljudet har två varianter, en bakre (som uttalas på samma ställe som k och g) och en främre (som uttalas med tungspets bakom tänderna). Den bakre används mest i södra Sverige, den främre mest i norra Sverige och i Stockholm använder man båda.

Tjugo-ljudet har bara en variant (som ett tonlöst j). Det är den främre varianten av sju-ljudet och tjugo-ljudet som låter lika. Man skriver sju-ljudet på många olika sätt och tjugo-ljudet på fyra olika sätt.
Läs mer på sidan 267 i Uttal.

C Lyssna på bakre och främre varianter av sju-ljudet. Skriv ordet och kryssa för rätt alternativ.

(110))

	bakre	främre
1 _____	☐	☐
2 _____	☐	☐
3 _____	☐	☐
4 _____	☐	☐
5 _____	☐	☐
6 _____	☐	☐
7 _____	☐	☐
8 _____	☐	☐
9 _____	☐	☐
10 _____	☐	☐

D Lyssna på *sju*-ljudet och *tjugo*-ljudet. Skriv ordet och kryssa för rätt alternativ. ((111))

		sju-ljudet	tjugo-ljudet
1	_____	☐	☐
2	_____	☐	☐
3	_____	☐	☐
4	_____	☐	☐
5	_____	☐	☐
6	_____	☐	☐
7	_____	☐	☐
8	_____	☐	☐
9	_____	☐	☐
10	_____	☐	☐

E Det finns några par som bara skiljer sig på *sju*-ljudet och *tjugo*-ljudet. ((112))
Lyssna på 8 minimala par och skriv orden.

F Uttala orden från C–E och skriv exempelmeningar med så många som möjligt
av orden. Träna på att uttala meningarna.

5 Pessimist eller optimist?

((113))

Murphys lagar och andra lagar om alltings jävlighet

- Allting som kan gå fel, går fel.
- Ingenting är så enkelt som man tror.
- Allting tar längre tid än man tror.
- En sak behöver inte nödvändigtvis falla rakt ner, utan faller
  där den kan göra störst skada.
- En smörgås faller alltid med smörsidan neråt.
- Den andra kön går alltid fortare. Konsekvens: om du byter kö
  går den första fortare.

A Diskutera frågorna.

1 Kommer allt att gå bra, eller förväntar ni er att allt ska sluta i katastrof?

2 Tycker ni att Murphys lagar stämmer? Har ni egna exempel från verkligheten?

3 Kan ni komma på fler exempel på lagar om alltings jävlighet?

B Kombinera fraserna.

1 När något *går åt skogen* eller *åt pepparn*	a är ofta på dåligt humör och klagar på allt möjligt.
2 När man har *framgång*	b kan man använda *betyda* eller *medföra*.
3 Den som *gnäller*	
4 Att något *ständigt* händer	c går det väldigt bra för en.
5 En person som *grubblar*	d tycker man att det är självklart.
6 Istället för *innebära*	e är *ganska*.
7 Om man *förutsätter* någonting	f tänker på något negativt om och om igen.
8 När man *föreställer sig* något	
9 Ett annat ord för *någorlunda*	g känner sig mycket orolig och mår psykiskt dåligt.
10 En person som *ältar*	
11 En som har *ångest*	h går det riktigt dåligt.
	i tänker och funderar mycket.
	j målar man upp en bild av det för sig själv.
	k betyder att det händer mycket ofta eller till och med hela tiden.

Lär av pessimisterna

(114)))

Är du säker på att en presentation eller anställningsintervju ska gå åt pepparn? Hur många gånger har du hört från andra: "Tänk positivt – sluta gnälla!"?

Under de senaste årtiondena har medierna varit fulla av tips om hur man ska se positivt på livet. Budskapet har varit att optimism är nyckeln till framgång. För de mer pessimistiskt lagda människorna har det säkert varit jobbigt att ständigt höra dessa uppmuntrande ord.

På senare tid har man dock börjat se annorlunda på pessimisterna. En del forskare och psykologer menar att pessimister i vissa fall faktiskt är lyckligare än optimister. Pessimisten tar det onda i världen för givet och gläds över de ljusa stunder som trots allt finns, medan optimisten sitter och grubblar över klimatfrågor, krig och världens orättvisor.

En amerikansk psykologiprofessor, Julie K Norem, menar att det till och med kan vara en fördel för vissa att tänka negativt. Hon kallar en typ av negativt tänkande för defensiv pessimism. Den innebär i princip att man förutsätter att alla ens prestationer kommer att sluta i katastrof. Tester har visat att defensiva pessimister presterar sämre om de tvingas att tänka positivt. Om de får vara ifred med sin pessimism klarar de sig däremot minst lika bra som optimisterna.

Det som fick professorn intresserad av pessimismen var att hon gång på gång såg att mycket framgångsrika människor faktiskt var pessimistiskt lagda. Om de skulle hålla en föreläsning, gå på jobbintervju eller affärsmöte gick de runt och förberedde sig på ett stort misslyckande. Kanske hade det gått bra tidigare, men den här gången skulle det garanterat gå åt skogen. Trots de här negativa tankarna lyckades dessa personer nästan alltid, både socialt och i karriären.

Enligt Norem är de negativa tankarna ett sätt att hantera olika utmaningar i livet. En defensiv pessimist spelar för sig själv upp allt som kan gå fel: Datorn kanske hänger sig under föreläsningen, jag kanske glömmer vad jag ska säga eller föreläsningssalen kanske är dubbelbokad. Men en defensiv pessimist ger inte upp på grund av de negativa tankarna. Tvärtom kanske han eller hon arbetar extra hårt för att lyckas.

Med "vanliga" pessimister är det annorlunda. De ser ofta negativt på hela sin livssituation, ältar misslyckanden och undviker helst ångestskapande situationer. De vanliga pessimisterna skulle kunna lära sig att använda de defensiva pessimisternas strategier, att faktiskt föreställa sig värsta tänkbara scenario i olika obehagliga situationer.

Kan ett samarbete mellan en optimist och en defensiv pessimist fungera bra i arbetslivet? Enligt Norem är det svårt, men hon påpekar att det är mycket viktigt att den defensiva pessimisten förklarar vilka strategier han eller hon använder för att klara sig i livet. På så sätt kan förståelsen mellan dem bli större.

D Svara på frågorna. Försök att svara utan att titta i texten.

1 Hur kan, enligt texten, en pessimist ibland vara lyckligare än en optimist?

2 Vad är typiskt för en defensiv pessimist?

3 Varför blev professor Norem intresserad av att studera pessimister?

4 Vad är typiskt för "vanliga pessimister"?

5 Vad säger Norem om möjligheterna för optimister och defensiva pessimister att samarbeta bra?

6 Vad tyckte ni om texten? Känner ni igen personlighetstyperna som beskrivs? Berätta om några personer ni känner.

ÖB 14: 3–9

Skriv!

Ett referat är en kortare version av en längre text (25–30 % av ursprungstexten). Innan man skriver ett referat måste man läsa ursprungstexten noga, så att man verkligen förstår den och kan återge den med egna ord.

I början av referatet anger man källa, varifrån och när ursprungstexten är hämtad och vem som har skrivit den. Första gången man nämner en person bör man ange personens titel. När man skriver vad en person har sagt eller tyckt använder man ofta referatmarkörer: *Enligt Norem är de negativa tankarna …/men hon påpekar att …*

Ett referat som är fullt av citat blir ansträngande att läsa. Citera så lite som möjligt. Citera ordagrant och inom citattecken. Det är viktigt att man är helt objektiv i referatet; man får alltså inte framföra några egna synpunkter på textens innehåll.

Välj en artikel ur en tidning eller tidskrift och skriv ett referat av den.

Källa: I [tidning] den [datum] skriver NN om …
Referatmarkörer: Enligt NN …
NN anser/betonar/förklarar/menar/påpekar att …

NN varnar för …
NN kommer in på frågan …
NN inleder/avslutar med att …

1 Jobbsökande och nätverk

A Hur kan man göra för att hitta ett jobb? Gör en lista med vanliga och ovanliga sätt att hitta jobb. Jämför er lista med paret bredvid.

B Kolla att ni förstår orden i prickrutan innan ni läser texten.

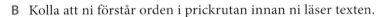

allra flesta	en spontanansökan	löna sig
dra sig för	förmedla	skänka
en ansökan	en handfull	sprida
ett nätverk	dold	ett plakat

Dolda jobb

(115))

Hur gör arbetslösa (eller arbetssökande som man också säger) för att hitta jobb? De allra flesta jobb publiceras aldrig som annonser hos Arbetsförmedlingen eller i dagstidningar. Företag drar sig nämligen för att sätta ut jobbannonser eftersom det är dyrt och de får för många ansökningar att välja bland. Idag använder de ofta webbtjänster för professionella nätverk istället. Dessutom får de flesta företag många spontanansökningar.

När Arbetsförmedlingen på sin nätsida bad om ovanliga sätt att hitta jobb, svarade många att det ovanligaste var att få jobb via dem, alltså den myndighet som ansvarar för att förmedla jobb. En undersökning visar att de anställda på förmedlingarna bara förmedlar en handfull jobb om året var.

Hur gör man då för att hitta dessa dolda jobb? Så många som 7 av 10 har enligt Statistiska centralbyrån fått jobb via kontakter, alltså eget nätverk. Och de viktigaste kontakterna verkar inte vara förstahandskontakter, som familj och nära släktingar, utan snarare kontakters kontakter, som barnens tränares fru eller exkollegans tidigare affärspartner. Så det kan alltså löna sig att så många som möjligt får veta att man söker jobb.

Det finns också mer extrema sätt att hitta dolda jobb. En kvinna i Malmö tryckte upp sitt cv på 10 000 pizzakartonger som hon skänkte till pizzerior för att de skulle spridas till pizzahungriga potentiella arbetsgivare. Graffitikonstnären Pärra "Ruskig" Andreasson i samma stad hjälpte folk att spraya sina cv:n på en laglig klottervägg. Och en tjej som spelade onlinespel fick jobb genom kontakter i den virtuella spelvärlden. En man i Lund ställde sig utanför Centralstationen med ett stort plakat med texten "Jag är jävligt trött på att vara arbetslös!" och information om vad han kunde jobba med. En annan man med kite-surfning som intresse ordnade en tävling där den som ordnade bästa jobbet åt honom fick en kite-surfningskurs.

Hur hittar arbetslösa eller arbetssökande jobb? de anställda på Arbetsförmedlingen	Adjektiv och particip som substantiv ÖB 15:1
Hur gör man då för att hitta dessa dolda jobb?	Demonstrativt pronomen ÖB 15:2

C Titta på orden i rutan och kontrollera att ni förstår dem. Lyssna 116))
sedan på de två personerna som berättar om hur de hittade nytt jobb.
En person koncentrerar sig på Samiras berättelse och den andra på
Kenneths berättelse. Anteckna och berätta för varandra.

gå trögt	en polare	påläst
pinsam	kartlägga	(ett) smicker
ordna	en årsredovisning	bli uppsagd på grund
avlägsna bekanta	en nyckelperson	av arbetsbrist
en kursare	en jobbtiggare	ett stamfik
få napp	skapa en ny tjänst	peppa

D Fundera på vilka personer i din omgivning som skulle kunna hjälpa dig
jobbmässigt.

• Gör en så detaljerad karta som möjligt av ditt nätverk.

• Skriv en lista över företag där du skulle vilja jobba. Beskriv varje före-
tag kort, varför du vill jobba där och vad du skulle kunna bidra med
på det företaget.

• Fråga folk du känner: Hur har du hittat jobb? Har du
några tips om bra eller ovanliga sätt att hitta jobb.
Anteckna och berätta sedan för andra i gruppen.

> Jag är interaktionsdesigner och jobbar på ITEK-NU. Jag hjälper företag att få snyggare och mer lättanvända webbplatser så att de kan få nöjdare kunder och öka sin försäljning.

Hisstal

Ett hisstal (från engelskans elevator pitch) är en mycket
kort presentation av en produkt, service, projekt eller dig
själv. Det heter hisstal eftersom cheferna i stora företag
ofta sitter högst upp i en skyskrapa. Så den tid man har på
sig att fånga deras uppmärksamhet är den tid det tar för
hissen att nå till översta våningen, alltså max 30 sekunder.

117))

När man letar jobb kan det vara bra att ha ett förberett
tal på temat "Jag". Det kan användas i många samman-
hang då man snabbt behöver berätta vad man gör och
vad någon annan kan ha för nytta av det.

Så här kan man strukturera ett superkort hisstal: "Jag
är … Jag hjälper … göra/förstå/ändra/skapa/hitta … så
att (de kan)…"

E Skriv ett eget hisstal. Träna så att du kan det utantill och testa på några andra i gruppen.

F Ta reda på mer om:

dolda jobb	att nätverka	spontanansökan	hisstal

2 Att söka jobb på annons

A Gör quizet. Turas om att läsa frågorna för varandra och diskutera svaren tillsammans. Svaren hittar ni i texterna som följer.

TESTA DIG SJÄLV!

1 Hur långt bör ett ansökningsbrev vara?

a Max en sida.

b En halv sida.

c Ju längre desto bättre.

2 Vilka är de två viktigaste frågorna du ska behandla i ditt personliga brev?

a "Vad har jag för erfarenheter?" och "Vilka är mina starkaste egenskaper?"

b "Vad har jag för mål med min karriär?" och "Varför vill jag ha jobbet?"

c "Vad är det som lockar mig att söka det här jobbet?" och "Vad kan jag bidra med?"

3 Du ska lämna referenser för ett jobb du söker. Du känner på dig att din senaste chef inte har så mycket positivt att säga om dig. Vad gör du?

a Du lämnar den chefen som referens i alla fall.

b Du lämnar andra referenser istället.

c Du säger att du inte har några referenser att lämna.

4 Du ska bli intervjuad av en av cheferna på ett företag där du har sökt jobb. Hur tilltalar du honom/henne?

a Du duar (säger du till) honom/henne.

b Du niar (säger ni till) honom/henne.

d Du säger herr/fru + efternamn.

Att skriva cv

Ditt cv ska vara en lättöverskådlig
uppställning av dina erfarenheter och
kunskaper. På ett par sekunder bör
ditt cv kunna fånga en rekryterares
uppmärksamhet. Därför ska ett cv
ha en tydlig grafisk formgivning som
gör det lätt att överblicka och lätt att
läsa. Ett foto av dig själv på cv:t ger
ett trevligt och personligt intryck.

Försök att skapa ett cv som visar det du själv vill framhäva och
det du är duktig på och vad du lyckats med hittills. Hoppa över
erfarenheter som du själv inte är stolt över, eller erfarenheter
långt tillbaka i tiden som inte alls är relevanta för jobbet du söker.
Kontrollera att ditt cv är anpassat för varje nytt jobb du söker och
gör nödvändiga justeringar.

Skriv tydliga rubriker och lista dina meriter i omvänd kronologisk
ordning, d.v.s. du börjar med det du gjort senast och går bakåt i tiden.
Ett cv kan innehålla följande rubriker:

Person- och kontaktuppgifter
Skriv ut namn, adress, telefonnummer, mejladress (inte till ditt
nuvarande arbete, om du har ett sådant) samt det datum du är född
(inte hela personnumret).

Utbildning
Ange tidsperiod, utbildningens namn och eventuell inriktning, samt
utbildningsinstitution.

Kurser/fortbildning
Ange tidsperiod, kursbeteckning, kursinnehåll och eventuellt var du
läste kursen. Presentera bara de kurser som är intressanta med tanke
på tjänsten du söker.

Arbetslivserfarenhet
Ange tidsperiod, tjänst eller tjänstebeteckning och företag/organisa-
tion. Berätta kort vilka arbetsuppgifter tjänsten innebar och vilka
eventuella framgångar du hade.

Språkkunskaper

Lista de språk du har kunskaper i. Använd termer som *flytande*, *mycket goda*, *goda* och *grundläggande kunskaper*. Om du vill kan du komplettera med GERS-nivå (A1–C2).

IT-kunskaper eller datakunskaper

Ange vilka program du behärskar och på vilken nivå. Använd termer som *mycket goda kunskaper*, *goda kunskaper* och *grundläggande kunskaper*.

Övriga kunskaper och erfarenheter

Skriv övriga uppgifter som kan vara av intresse för arbetsgivaren, t.ex. körkort, stipendier, längre utlandsvistelser och ideellt arbete. Ideellt arbete kan handla om oavlönat arbete inom exempelvis idrottsföreningar eller politiska organisationer. Ange föreningens eller organisationens namn, tidsperiod för uppdraget, samt namnet på din funktion eller ditt uppdrag. Skriv exempel på dina uppgifter och eventuella framgångar du har haft.

Referenser

Skriv *Referenser lämnas på begäran* istället för att skriva ut referens-personerna i cv:t. Referenspersoner kan vara före detta arbetsgivare, handledare, lärare eller kolleger. Glöm inte att fråga personerna innan du ger ut deras namn och telefonnummer och berätta för referenspersonen vilket jobb du sökt och vad arbetsgivaren har för krav och önskemål.

... du börjar med det du gjort senast ...

Presentera bara dem som är intressanta med tanke på tjänsten du söker.

ÖB15:3

Presens perfekt eller preteritum perfekt utan *har* eller *hade*.

ÖB 15:4

Relativa bisatser utan *som*.

 B Leta reda på en jobbannons som du tycker verkar intressant. Skriv ett cv som matchar tjänsten.

 C Läs varandras cv:n och ge återkoppling på dem.

Att skriva ansökningsbrev/personligt brev

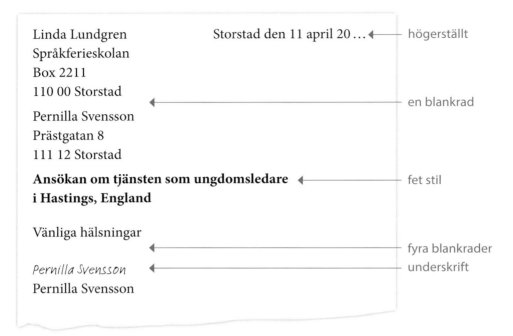

Linda Lundgren   Storstad den 11 april 20 … ← ──── högerställt
Språkferieskolan
Box 2211
110 00 Storstad

← ──────────────────────────────── en blankrad

Pernilla Svensson
Prästgatan 8
111 12 Storstad

Ansökan om tjänsten som ungdomsledare ← ──── fet stil
i Hastings, England

Vänliga hälsningar

← ──────────────────────────── fyra blankrader

Pernilla Svensson ← ──────────────── underskrift
Pernilla Svensson

Innan du börjar skriva ansökningsbrevet kan det vara bra att ta reda på så mycket som möjligt om både tjänsten och företaget. Skriv ett nytt personligt brev till varje jobb du söker. Om du skriver samma brev till olika arbetsgivare finns risken att du blir lite för allmän i dina formuleringar.

Ansökningsbrevet ska vara välstrukturerat och lättöverskådligt. Det bör inte vara längre än en A4-sida. Gör brevet lättläst genom att bara använda ett typsnitt och lämna marginaler på minst 3,5 centimeter både till höger och vänster. Då kan rekryteraren också göra anteckningar i ditt brev.

Anpassa innehållet och tonen i brevet efter företagets kultur. Tilltalet kan vara olika beroende på om du söker jobb på en reklamfirma eller en advokatbyrå. Försök att skriva enkelt och personligt, utan att för den skull bli alltför privat. Undvik långa och tunga meningar. Skriv bara om sådant som är viktigt för jobbet du söker.

Det viktigaste med brevet är att få fram varför du är intresserad av jobbet och vad det är som gör att just du passar för det. Försök att sätta dig in i arbetsgivarens situation. Varför ska han eller hon anställa just dig?

Lyft fram dina starka sidor och kvalifikationer, men utan att överdriva. Undvik klyschor i brevet, även om platsannonsen är full av dem. Exemplifiera istället dina starka sidor genom att beskriva erfarenheter och egenskaper som kan vara relevanta för jobbet du söker. Du kan även skriva om dina fritidsintressen för att lyfta fram dina erfarenheter och starka egenskaper.

Så här kan du disponera ditt personliga brev:

Första stycket

Det här stycket ska göra läsaren nyfiken och locka denne att läsa vidare. Skriv varför du söker tjänsten och varför just du ska anställas. Beskriv i några korta meningar dina egenskaper och drivkrafter som är relevanta för den aktuella tjänsten. Tänk på att rekryteraren kanske får hundratals ansökningsbrev att läsa. Försök att redan i öppningsfrasen få in hur du passar in i profilen arbetsgivaren söker.

Andra och tredje stycket

Utgå från exempel från ditt cv på arbeten och egenskaper (som är relevanta för jobbet du söker) och utveckla dem. Berätta om vad du har lärt dig av dina erfarenheter. Var ärlig och överdriv inte, men skriv inte om erfarenheter och kunskaper du saknar. Berätta i de här styckena om fritidsintressen och andra engagemang som kan vara intressanta för arbetsgivaren att veta något om.

Fjärde stycket

Avsluta brevet. Beskriv eventuellt mycket kort din arbetssituation just nu, till exempel: *Just nu arbetar jag som … Nu söker jag nya utmaningar* och *Jag tror att arbetet som … är en utmaning som passar mig.* Skriv någon mening om att du gärna berättar mer om dig själv vid en anställnings-intervju. Påpeka att du bifogar cv, *Bifogat: cv.* Avsluta med *Med vänlig hälsning* eller *Vänliga hälsningar.* Undvik förkortningen *MVH*, som ger ett opersonligt intryck.

D Läs de olika inledningarna här nedanför och diskutera frågorna.

1 Vilka inledningar väcker mest intresse?

2 Innehåller inledningarna nödvändig information (varför söker personen tjänsten och varför ska han eller hon anställas)?

3 Ska någon information strykas eller läggas till?

> "Jag heter Per Persson och är mycket intresserad av ovan nämnda tjänst. Just nu arbetar jag på ..."

> "12 års erfarenhet av ... där det har ställts höga krav på ... gör nu att jag med stort intresse söker arbetet som ... hos er. Jag har förstått att ni vill ha/söker ... och jag tror att mina meriter och egenskaper ..."

> "Jag heter Juan Molino och kommer från Spanien. Jag har bott i Sverige i åtta år och pratar flytande svenska."

> "Här har ni mig! En kreativ projektledare med lång erfarenhet av ... som jag tror kan matcha ert företags behov på ett bra sätt."

> "Efter ett trevligt telefonsamtal med Dig igår, vill jag nu med detta brev söka tjänsten som ... hos er. Arbetsuppgifterna låter mycket intressanta och överensstämmer med mina tidigare erfarenheter och meriter."

> "Mitt namn är Alf Bengtsson. Jag har varit arbetslös ganska länge men vill komma ut i arbetslivet igen. Mitt senaste jobb var på ..."

> "Det som fångade mitt intresse i er annons var ... Jag har alltid velat ... och har erfarenhet från ..."

Serveringspersonal till Restaurang Lyxlaxen

RESTAURANG LYXLAXEN söker serveringspersonal inför sommarsäsongen. Du måste vara beredd på att ge varje gäst ypperlig service och ett trevligt och professionellt bemötande. Vi har en internationell kundkrets, varför goda kunskaper i framför allt engelska är nödvändiga. Övriga språkkunskaper är meriterande.

Eftersom restaurangen är mycket välbesökt krävs det att du är stresstålig. Gedigen erfarenhet av servering på högklassig restaurang samt dokumenterade mat- och vinkunskaper är ett krav.

Skicka din ansökan med bifogat cv till personalchef Klara Svensson, Restaurang Lyxlaxen, Box 5050, 112 12 Storstad.

E Läs Sten Nilssons ansökningsbrev här nedanför. Diskutera vad som är bra och mindre bra i brevet. Skriv sedan om det så att det blir bättre.

Ansökan om tjänsten som servitör på Restaurang Lyxlaxen

Jag blev mycket glad då jag såg att Restaurang Lyxlaxen söker serveringspersonal inför sommarsäsongen. Min dröm har alltid varit att få arbeta på en prestigefull restaurang som Lyxlaxen. Jag är en 37-årig, ogift man med oerhört lång erfarenhet av restaurangbranschen.

Redan som liten grabb brukade jag glädja min mormor och morfar med egenhändigt lagade middagar då och då. Jag serverade och passade upp på dem när de hade gäster ute på vårt sommarställe. Ända sedan dess har jag ägnat mig åt service på olika sätt. Efter gymnasiet tillbringade jag till exempel en vintersäsong i franska alperna, där jag städade på ett mycket exklusivt hotell. Under den perioden bättrade jag också på min skolfranska.

En sommar arbetade jag på en hamburgerkedja. Där lärde jag mig vad stress vill säga. Hamburgarna skulle stekas, pommes fritesen friteras och sedan skulle man betjäna kunderna med ett glatt leende på läpparna.

För två år sedan började jag arbeta som diskplockare på Restaurang Gyllene Fasanen. En arbetsplats som passar mig som hand i handske. Och för två veckor sedan började jag servera. Det går väldigt bra för mig.

→

Folk säger att jag är en trevlig kille med hjärtat på rätta stället. Jag är väldigt bra på språk. Förutom svenska pratar jag engelska ganska bra och min franska är inte heller så dum. På fritiden tycker jag om att titta på film tillsammans med mina kompisar. Att gå på krogen är ett annat intresse jag har och jag älskar vin. Det finns inget bättre än att öppna ett härligt lådvin och dricka tillsammans med polarna.

Jag är arbetsam och kvick och nu känner jag mig redo att pröva mina vingar hos er. Jag tror att Restaurang Lyxlaxen skulle ha stor glädje av mina erfarenheter. Ring mig och boka tid för intervju så berättar jag gärna mer.

Tjingeling!

Sten Nilsson
Sten Nilsson

3 Anställningsintervjun 122))

Att bli kallad till intervju är ett kvitto på att du har lyckats med din ansökan. För att även intervjun ska bli framgångsrik är det viktigt att du förbereder dig noga.

Förberedelser
Tänk igenom vilka frågor du kan få. Fundera på hur du ska svara på frågorna, men undvik att träna in helt färdiga svar. Risken finns att det ger ett stelt intryck. Be gärna en kompis att öva med dig ifall du inte är så van vid intervjusituationer. Annars kan du öva själv framför spegeln. Fundera också på ett par frågor du kan ställa om företaget och tjänsten. Förbered dig på att du kan få en uppgift som ett rollspel eller ett case att lösa under intervjun.

Första intrycket

Tänk på att det första intrycket är viktigt. Man brukar säga att man har 30 sekunder på sig att göra ett bra första intryck. Glöm inte att din klädsel säger något om dig som person. Försök att ta reda på vilken klädkod som gäller inom den aktuella branschen. Se till att du varken är för nerklädd eller för uppklädd.

Kom i tid, ta i hand med ett fast grepp (ingen gillar att hälsa på en död fisk, men man vill heller inte få sin hand sönderkramad). Titta personen i ögonen, le och presentera dig med för- och efternamn. Uppträd vänligt, småprata och försök att inte visa eventuell nervositet.

Intervjun

Var dig själv under intervjun och svara så ärligt och naturligt du kan på frågorna. Lyssna aktivt på de frågor du får och håll dig till ämnet. Det är bättre att ta en stund för att tänka igenom svaren än att börja pladdra.
Låt din samtalspartner

tala till punkt. Risken finns att man blir för ivrig och vill leverera svar så snabbt som möjligt. Ställ gärna frågor om arbetsplatsen som visar att du är uppriktigt intresserad av att jobba just där och att du samtidigt vet något om företaget.

Tänk på ditt kroppsspråk. Ha ögonkontakt och skapa kontakt med alla som deltar i intervjun. En flackande blick kan vara tecken på osäkerhet. Sitt inte och sväng med benen och pilla inte med håret och peta dig inte i ansiktet. Lägg inte heller armarna i kors över bröstet. Det kan se arrogant ut. Lägg händerna i knät så ger du ett mer samlat intryck.

Vanliga frågor

- Kan du berätta lite om dig själv? (Börja inte rabbla ditt livs historia.)
- Varför har du sökt det här jobbet?/Varför vill du arbeta just hos oss? (Är du seriöst intresserad av jobbet? Har du tagit reda på tillräckligt om företaget och tjänsten?)
- Vad har du att erbjuda oss? (Vad får arbetsgivaren om de anställer dig?)
- Vilka är dina starka sidor? (Tänk igenom att de egenskaper du nämner är relevanta för jobbet du söker.)
- Vilka är dina begränsningar eller svaga sidor? (Har du någon svag sida som du kan uppväga med hjälp av en av dina starka sidor?)
- Vad har du lyckats bra med/mindre bra med på dina tidigare arbeten? (Berätta framför allt om någon framgång du har haft, men nämn även någon mindre motgång.)
- Varför vill du lämna ditt nuvarande jobb? (Prata inte illa om dina tidigare chefer och kolleger.)
- Var ser du dig själv om fem år? (Finns det till exempel någon högre befattning inom företaget som du skulle kunna tänka dig?)
- Hur klarar du av pressande situationer? (Försök att vara konkret.)

A Välj någon platsannons från en tidning eller från internet och intervjua varandra. Låt en tredje person lyssna på intervjun och ge kommentarer efteråt. Vad gick bra? Vad gick inte så bra?

B I många idiomatiska uttryck förekommer namn på olika kroppsdelar. Om en person som är mycket opraktisk kan man säga att "han har tummen mitt i handen". Välj ord ur rutan och skriv dem i rätt form där de passar in. Några av orden ska användas mer än en gång.

mage	ben	näsa	tumme	armbåge
rygg	öga	näve	nacke	tand

1   Vi håller _____ för dig på intervjun i morgon.

2   Jag tycker att Mona får ta förhandlingarna. Hon har skinn på

_____ .

3   En penningplacerare måste ha is i _____ . Det gäller att han

eller hon inte blir nervös när börsen går ner.

4   Se upp för Melinda. Hon är en riktig karriärist med vassa

_____ .

5   Kan du hålla _____ på de här papperen medan jag hämtar

kaffe?

6   Nu är det bråttom! Mötet börjar om fem minuter i en annan byggnad.

Nu får vi lägga _____ på _____ !

7   Nu tycker jag att vi slår _____ i bordet och sätter stopp för

de här idiotierna!

8   Hon är så glad för sitt nya jobb och längtar efter att sätta _____

i alla utmanande arbetsuppgifter.

9   Försök inte göra något i hemlighet här på kontoret. Vår chef har

_____ i _____ . Hon ser allt!

C Lyssna på uppläsningen av texten här nedanför.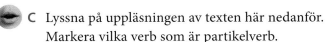
Markera vilka verb som är partikelverb.

För fem år sedan bläddrade jag igenom tidningen och av en slump slog jag upp sidorna med platsannonser. Jag hoppade till när jag såg att Bio Rio sökte extrapersonal. På den tiden var jag tokig i film. Jag kunde se om en film jag gillade hur många gånger som helst. När jag såg annonsen kände jag på mig att det var mitt öde att jobba inom filmbranschen. Jag hade för mig att jag hade pratat om att bli filmregissör redan när jag var fyra år.

Jag kastade mig över telefonen och bad att få komma på intervju redan samma eftermiddag. Hela dagen gick jag runt och försökte komma på fantastiska saker jag skulle säga under intervjun. Jag var rädd att jag skulle komma av mig om de bad mig berätta något så jag höll på länge och övade på vad jag skulle säga.

När jag kom till Bio Rio var det totalt kaos. Ingen visste var personalchefen höll hus. Datasystemet hade gått sönder och de hade ingen popcornpersonal som kunde hoppa in till kvällen. Och sekreteraren hade tagit en Medelhavskryssning för att vila ut. Det var visst nerverna som krånglade. Jag beklagade röran, men sa samtidigt att jag kunde ställa upp och jobba samma kväll. Det blev startskottet för en intressant karriär inom filmbranschen, men jag ska inte trötta ut er med fortsättningen på historien just nu.

 D Jämför med din partner om ni har strukit under samma ord.
Vad betyder de partikelverb som ni har strukit under?
Läs texten i par med rätt betoning.

E Spåna om hur den här personens karriär inom filmbranschen utvecklade sig och skriv sedan en historia.

ŋ-ljudet finns bara i mitten och i slutet av ord. Man uttalar inte något **g** i slutet av ŋ-ljudet. ŋ-ljudet stavas på tre olika sätt: mellan vokaler med **ng**, före **k** med **n** och före **n** med **g**.

F Lyssna på och uttala de här orden och fraserna. Stryk under alla ŋ-ljud. (124)))

Magnus	tanke	krånglig
ägna	funktion	många

Jag har sagt många gånger att de här långa rasterna inte funkar.
Det har regnat länge nu.
Sätt dig i lugn och ro och tänk lite.

G Det finns många adjektiv som betyder ungefär samma sak men där det ena kan ha en positiv klang, medan det andra har negativ klang.
Para ihop adjektiv ur rutan här nedanför och diskutera vilka som har en positiv och vilka som har en negativ klang.

social	orealistisk	tanklös	snål
underlig	slösaktig	ovanlig	modig
~~noggrann~~	fantasilös	fantasifull	splittrad
dumdristig	saklig	sällskapssjuk	generös
~~petig~~	pedagogisk	mästrande	framfusig
ekonomisk	mångsidig	framåt	spontan

Exempel:
noggrann (positiv) – petig (negativ)

ÖB 15:5–11

Skriv ett ansökningsbrev med hjälp av informationen i det här kapitlet.
Hitta en riktig jobbannons som intresserar dig eller hitta på ett drömjobb.
Du kan också skriva en spontantansökan.

16

1 Familjeliv

 A Läs citaten tillsammans. Förklara med egna ord vad citaten betyder. 〔125〕))
   Vilka citat tycker ni bäst och sämst om? Jämför med ett annat par.
   Kan ni andra ordspråk på samma tema?

> *Barn börjar med att älska sina föräldrar. Efter en tid dömer de dem. Sällan, om någonsin, förlåter de dem.*
>
> OSCAR WILDE

> **Barndomen är en lycklig tid – efteråt.**
>
> SVENSKT ORDSPRÅK

> **Släkten är värst.**
>
> SVENSKT ORDSPRÅK

> *Den främsta orsaken till alla skilsmässor är äktenskapet.*
>
> ANONYM

> *Det är klart att jag tror på äktenskapet, eftersom jag har varit gift tre gånger.*
>
> JOAN COLLINS

> **Barnen av idag är tyranner. De säger emot sina föräldrar, glufsar i sig maten, och tyranniserar sina lärare.**
>
> SOKRATES

B Titta på texten i ungefär en minut. Diskutera med några andra vad texten handlar om.

C Läs texten. Ingressen och första delen står i rätt ordning, i resten av texten är styckena omkastade. Sätt styckena i rätt ordning.

Bestämmer syskonen våra liv?

(126)

"Säg mig vilken plats du har i syskonskaran och jag ska säga dig vem du är."

Det finns forskare som anser att upp till hälften av vår personlighet bestäms av våra syskon. Andra anser att faktorer utanför familjen spelar minst lika stor eller större roll för hur vi utvecklas som individer.

Idén om syskonens betydelse är över hundra år gammal och kommer från en engelsk vetenskapsman, Francis Galton, kusin till Charles Darwin. Han märkte att det fanns ovanligt många storebröder i samhällets topp. Idag forskar läkare, sociologer och psykologer om detta. De som säger att vi påverkas av vår plats i syskonskaran, anser att flera faktorer spelar in; hur många syskon vi har, om vi har bröder eller systrar, om vi är yngst, äldst, mellan- eller endabarn. Vi verkar påverkas mest av de syskon som ligger närmast oss i ålder. Är åldersskillnaden mer än sju år anses man vara endabarn. Så hur ser då typiska syskonroller ut?

a _____ Om vi börjar med förstabarn, alltså storasystrar och storebröder, kan man säga att de ofta blir ansvarstagande och vill visa sig kompetenta som vuxna. Detta kan bero på att förstabarnet måste ta ansvar för småsyskonen. Ju fler syskon förstabarnet har, desto mer dominant och regelstyrd kan han eller hon bli. I värsta fall utvecklas förstabarnet till en person som gärna kör över andra. Hur påverkas då det sista barnet i en syskonskara?

b _____ Till skillnad från de som har syskon får endabarnet all uppmärksamhet av föräldrarna och har därför ofta gott självförtroende. Det kan dock kännas tungt för endabarnet att vara den enda som kan leva upp till föräldrarnas förhoppningar, men många endabarn är plikttrogna och prestationsinriktade. Eftersom de aldrig har tvingats konkurrera med syskon kan de få problem som vuxna, då de inte har tränats i att hantera konflikter. Vår plats i syskonskaran sägs också påverka vårt val av partner.

Kopiering av detta engångsmaterial är förbjuden enligt lag och gällande avtal.

c ____ Vissa av dessa kritiker håller med om att syskonrelationer kan bestämma hur vi beter oss inom familjen. Men de anser att detta inte behöver påverka hur vi beter oss utanför familjen. Andra menar att det finns faktorer som spelar större roll för vår personlighet, som gener, vänner och lärare.

Det verkar också som om skillnaderna mellan syskon är tydligare i samhällen där man har mer traditionella livsmönster, t.ex. om den äldste sonen förväntas ta över gården medan de yngre syskonen blir tvungna att söka arbete på annat håll.

d ____ Storasyskon passar sällan bra med andra storasyskon i en relation, eftersom de båda vill leda och bestämma. Därför passar storasyskon bättre ihop med småsyskon. De flexibla mellanbarnen tycks passa ihop med i princip vem som helst. I relationer kan dock

mellanbarn ha problem med svartsjuka om de som barn har fått kämpa för föräldrarnas uppmärksamhet. Endabarnet gifter sig ofta med en person som också saknar syskon och får ofta bara ett barn. Men det finns forskare som kritiserar teorierna om syskonens betydelse.

e ____ Men det finns statistik som tyder på att äldsta barnet ofta är mer välutbildat och också har högre lön än de yngre syskonen. Och en undersökning av börs-vd:ar visade att de oftast är äldst eller yngst i syskonskaran. Även vår hälsa verkar påverkas av vår plats i syskonskaran. En amerikansk studie har visat att hjärtinfarkt är en vanligare dödsorsak

bland storasyskon än bland småsyskon. Men om de överlever infarkten lever de oftast längre än sina mer äventyrliga småsyskon. Fast livsstilsfaktorer som t.ex. rökning har större påverkan på vår hälsa. Och medan forskare diskuterar vidare om vad som är spekulationer och vad som är fakta kan vi titta på våra egna familjer och se vilka mönster vi upptäcker där.

f ____ Småsyskon har ofta mindre förväntningar på sig än storasyskon och blir älskade av föräldrarna för den de är. Många småsyskon har därför god självkänsla. De är lite rebelliska och äventyrliga. De har sällan behövt ta ansvar för någon annan och kan ha svårt att lyda auktoriteter. Mellanbarn har ibland ansetts som "klämbarn" som hamnar mitt

emellan det första barnet som får all uppmärksamhet och småsyskon som får all uppmuntran. Om det är liten åldersskillnad mellan syskonen får mellanbarnet lätt en medlande roll, eftersom han eller hon lärt sig att anpassa sig till olika situationer och kompromissa. För mellanbarnet är ingenting svart eller vitt.

D Vilka yrken tror ni passar äldstabarn, yngstabarn, mellanbarn
och endabarn? Motivera era svar.

programledare	brandman	chef
entrepenör	ekonom	grafisk formgivare
diplomat	konstnär	partiledare

E Har ni syskon? Vilken plats i syskonskaran har ni? Hur har det påverkat
er, tror ni?

 ingenting är svart eller vitt   Uttryck med färger   ÖB 16:1

 F Läs texten *Familjeliv i siffror* tillsammans. Är något överraskande?
Hur är det i andra länder, tror ni?

Familjeliv i siffror

Mer än 3,2 miljoner personer i Sverige är gifta. Medelåldern vid första giftermålet
var 33,4 år för kvinnor och 35,9 för män. Varje år separerar föräldrar till omkring
50 000 barn i Sverige. Det är nästan dubbelt så vanligt att barn med sambo-
föräldrar är med om en separation än de som har gifta föräldrar. Vid 17 års ålder
har nära vart tredje barn varit med om en separation.

   År 2012 var andelen barn med särlevande (separerade) föräldrar 25 procent.
Av dessa barn bor 35 procent växelvis hos sina respektive föräldrar. I mitten av
1980-talet var andelen 1 procent.

   I genomsnitt hemarbetar männen cirka 45 minuter mindre än kvinnor per vecko-
dag (räknat på veckans alla dagar), och på helgerna tillbringar papporna närmare
1,5 timme mindre med barnen än mammorna. Män lägger dubbelt så mycket tid
som kvinnor på underhållsarbete (t.ex. reparation av bostad och fordon). Var sjätte
man tycker själv att han gör för litet i hushållet.

Källa: SCB 2012, 2013, SOU 2014

G Välj ett av påståendena i rutan. Förbered en diskussion där den ena
ska vara för, den andra emot. Skriv varsin lista med argument innan
ni börjar diskutera.

> Det är bättre att leva som sambo än att gifta sig.
> Det är bra när föräldrarna väljer vem man ska gifta sig med.
> Man måste hålla ihop för barnens skull.
> Det är viktigt att man alltid delar lika på hemarbetet.
> Livslång kärlek finns inte.
> Mammor och pappor ska dela lika på föräldraledigheten.

2 Vardagsjobb

A Vilken av följande aktiviteter tycker du är tråkigast respektive roligast?
Berätta för din partner. Jämför med ett annat par.

städa	diska	tvätta
putsa fönster	laga mat	stryka

B Till vilken aktivitet i A kan man associera dessa ord?

en mopp	sortera	en trasa	hacka
en torktumlare	hänga	skölja	en klädnypa
skura	ett rengörings-	steka	en strykbräda
en dammsugare	medel	putsa	en galge
en fönsterskrapa	en garderob	ett mjukmedel	damma
ett strykjärn	våttorka	fräsa	en diskborste
damma	sopa	vika ihop	en stekpanna
en kastrull	plocka undan	ett skåp	skära

C Välj en av aktiviteterna från A och leta efter fler ord som har att göra
med aktiviteten.

D Lyssna på de tre dialogerna om hemmaliv, utan att titta på nästa sida.

E Lyssna på dialog 2 eller 3 och skriv ner alla ord som handlar om
städning respektive mat och matlagning. Jämför det ni har hört med
varandra.

F   Läs dialogerna i par.

Snack om hemmaliv

127))

1   En pappa som tröttnar

– Hör ni ungar! Jag blir galen på er! Varför ligger det alltid en massa skor i hallen? Skorna ska stå ordentligt i skohyllan. Är det så svårt?

– Jaja ... Vi vet ...

– Ja, men om ni vet det, varför är det då så svårt att ställa skorna på rätt ställe?! Och här i badrummet hänger det en massa blöta kläder på tork. Nu kan jag inte duscha. Kan någon ta bort dem?

– De är mina. De måste torka.

– Ja, men då får du hänga dem någon annanstans.

– Jaja ... Jag ska.

– Nu! Och när de har torkat måste du vika ihop dem och lägga in dem i garderoben. Jag är så trött på att det ligger kläder precis överallt. Du Emma! Är det inte din tur att sköta köket?! Här står det ju en massa disk överallt. Kan du sätta in den i disk-maskinen? Och när den är klar kan du väl ställa in allt porslin i skåpen och lägga besticken i rätt lådor!!! Och du! Du har inte gått ut med soporna heller ...

– Jaja ... Jag ska.

2   Maria har just flyttat hemifrån ...

– Du, Maria. Det var ett tag sedan du städade, va?

– Nä, vad då?! Det gjorde jag i förrgår.

– Men, titta, här är ju en ketchup-fläck på kylskåpet!

– Oj då. Jag såg den inte när jag städade. Jag ska hämta en handduk.

– Nej, ta inte den! Ta en trasa i stället. Hur är det med dina städkunskaper egentligen?

– Inte så bra, tror jag ... Hur ska man göra?

– Du kan ju börja med att plocka undan alla grejer som ligger och

skräpar överallt. Sedan torkar du bort allt damm med en fuktig trasa. Efter det är det dags för dammsug-ning. När du har dammsugit kan du våttorka golven med en mopp för att få bort gammal smuts.

– Å, vad jobbigt! Fönstren, då? Vad kan man göra åt dem?

– Ja, de behöver putsas helt enkelt. Man köper en fönsterskrapa och putsar fönstren med fönsterputs-medel och vatten på en tvättsvamp. Sedan skrapar man bort vattnet med skrapan.

– Huu. Kan inte du hjälpa mig, pappa?

3 Magnus har problem med maten

– Alltså, matlagning är det tråkigaste jag vet. Jag kan knappt koka ägg…

– Nej, men det är både lätt och roligt om man bara kan några grunder.

– Hur menar du?

– Jo, om man vet hur man gör en tomatsås till exempel kan man ju sedan variera den hur mycket som helst.

– Hur gör man en tomatsås då?

– Man hackar lök, morot och en liten bit selleri fint. Det fräser man sedan i olja i en kastrull på spisen tills det blir mjukt. Sedan tillsätter man lite tomatpuré, en burk tomater, salt och peppar och en nypa socker. Såsen får koka i minst en halvtimme på svag värme.

– Jaha, det låter ju inte så jobbigt.

– Om du sedan vill variera, kan du använda vitlök, ha i lite rödvin, krydda med örtkryddor eller annat. Om du steker köttfärs med löken blir det köttfärssås och om du tillsätter chili och en burk bönor blir det en mexikansk chili. Jag är galen i chili! Det går att variera hur mycket som helst.

– Vad bra!

Varför ligger det en massa skor i hallen?
Skorna ska stå ordentligt i skohyllan.

Ligger och *står*

ÖB 16:2

Jag såg den inte när jag städade.
Nej, ta inte den!

Satsadverb och obetonat objektspronomen

ÖB 16:3

Jag blir galen på er.
Jag är galen i chili!

Prepositioner för känslor

ÖB 16:4

G Skriv en instruktion för något man gör i hemmet. Tänk dig att den som ska få instruktionen inte vet någonting om ämnet. Läs upp för varandra.

3 Familjens historia i Sverige

A Läs påståendena och gissa om de är rätt (R) eller fel (F).
Läs sedan texten och kontrollera svaren.

1 I Sverige har man alltid gift sig av kärlek. ⎯⎯⎯

2 Det var tillåtet för en man att aga (slå) sin fru i början av 1800-talet. ⎯⎯⎯

3 På 1800-talet var det i princip inga som levde som sambor. ⎯⎯⎯

4 Många yrken var stängda för kvinnor på 1800-talet. ⎯⎯⎯

5 Var tredje person född på 1980-talet har halvsyskon. ⎯⎯⎯

6 Den vanligaste familjetypen idag är kärnfamiljen. ⎯⎯⎯

Familjens många ansikten

(128))

Ordet familj betyder enligt ordboken "föräldrar och barn". Men i andra kulturer, och historiskt även i Sverige, är familjen något mycket större som inkluderar den äldre generationen och andra släktingar som bor under samma tak. I det gamla bondesamhället räknades även alla anställda på gården in i familjegemenskapen.

I dagens Sverige ser vi det som självklart att man lever tillsammans eller gifter sig av kärlek, men så har det inte alltid varit. I bondesamhället var äktenskapet i första hand en arbetsgemenskap. Man arbetade hårt tillsammans för att få mat på bordet och för att gården skulle bevaras till nästa generation. Kärlek var något som kanske växte fram mellan makarna under livet, men inte en anledning till att gifta sig. Viktiga egenskaper när föräldrar valde en man eller hustru till sina barn (för det var ofta föräldrarna som valde) var arbetskapacitet och fysisk styrka både för män och kvinnor.

Frun i huset hade ansvar för djuren och gårdens matförråd. Symbolen för hennes makt var nyckelknippan som hon alltid bar med sig. Hon hade huvudansvaret för barnen, men till vardags tog ofta släktingar och anställda på gården hand om dem. Men det var mannen som bestämde i familjen enligt lagen. Han hade rätt att slå sina barn och sin hustru.

Enligt en gotländsk lag från 1300-talet hade mannen till och med rätt att bestämma om nyfödda barn skulle bli del av familjen eller sättas ut i skogen. Det var inte förrän år 1858 som det blev förbjudet enligt lag för män att aga sin hustru.

Det var på 1700-talet som idén om en familj som bara bestod av mamma, pappa och barn växte fram och det var i städerna bland medelklassen. Man ville skilja sig från de "primitiva" bönderna och arbetarna, som man tyckte levde lite hur som helst. Nu kom också idéerna att kvinnan skulle stanna hemma med barnen istället för att arbeta. Det växte fram en tydlig skillnad mellan det privata och det offentliga. Kvinnan skulle hålla sig i den privata sfären med barnen.

I bondesamhället hade inte alla rätt att gifta sig, bara personer som hade en egen gård och som därmed kunde försörja en familj. Under 1800-talet var det allt fler som flyttade in till städerna för att slippa det hårda arbetet i jordbruket. Kvinnor tog jobb som hembiträde i någon familj eller jobbade på en fabrik. I städerna var det många som bodde tillsammans och fick barn utan att vara gifta. Denna typ av sammanboende kallades Stockholmsäktenskap.

Många kvinnor valde att fortsätta vara ogifta eftersom de blev omyndiga när de gifte sig. Det innebar att mannen övertog alla kvinnans pengar och också hennes företag om hon hade något. Ogifta kvinnor ur medelklassen hade stora problem, eftersom kvinnor på den tiden inte hade möjlighet att utbilda sig och många yrken var stängda för kvinnor. Men kvinnor fick under 1800-talets gång möjlighet att arbeta i vissa yrken, t.ex. som lärarinna i den obligatoriska folkskolan eller som telefonist.

Vid 1900-talets början infördes "familjelön", ett system där gifta män hade högre lön för att kunna försörja en hemmafru och barn. Mannen gick till jobbet på morgonen och lämnade kvinnan hemma med barn och hushåll. Den här familjeformen kritiserades av många, bland annat av Alva Myrdal som var en socialdemokratisk politiker och forskare. Hon ansåg att det inte var bra för barnen att vara hemma med mamman, eftersom de blev för isolerade. För Myrdal var det också viktigt att alla kvinnor hade möjlighet att yrkesarbeta. Därför propagerade

hon för daghem. Men inte förrän på 1970-talet blev dagis en rättighet för alla. På den tiden var det också många som provade på andra sätt att leva, exempelvis i kollektiv där många personer bodde under samma tak. Man hjälptes åt med hushållsarbete och matlagning och hade ibland gemensam ekonomi.

Idag yrkesarbetar svenska kvinnor i nästan lika stor utsträckning som män. Många kvinnor och män tycker att jämställdhet mellan könen är viktigt. Det är dock fortfarande ofta kvinnan som har huvudansvaret för hemarbetet och många anser att mannen borde göra mer av hushållsarbetet. Men det har också blivit vanligare och mer socialt accepterat att anställa städare, speciellt i familjer där både mannen och kvinnan har krävande arbeten.

Nuförtiden lever vi inte så ofta i storfamiljer som förr, men istället har andra familjeformer t.ex. bonusfamiljen vuxit fram. Varannan relation (men bara vart tredje äktenskap) slutar i separation. Så det är vanligt att en eller båda parterna i ett förhållande har barn från tidigare förhållanden. Bonusfamiljen kan bestå av låtsassyskon, bonusmamma, plastmormor och mammas nya kille, alltså nya familjemedlemmar och släktingar som inte är de biologiska. Var tredje person född på 1980-talet har halvsyskon. En annan ny familjetyp är regnbågsfamiljen där en eller båda föräldrarna lever i en samkönad relation. Men det är viktigt att komma ihåg att den vanligaste familjetypen idag faktiskt är ensamhushållet. Mer än en tredjedel av alla vuxna svenskar lever ensamma utan barn vilket gör svenskarna till världens mest ensamstående folk.

B Skriv ner 2–3 saker som var nya och intressanta i texten. Jämför med några andra personer i gruppen.

C Skriv 6–7 frågor på innehållet i texten. Ställ frågorna till varandra.

> för **hela** familjen
> för att sköta **allt** hemarbete
> I bondesamhället hade inte **alla** rätt att gifta sig …

hel – all

ÖB 16:5

Olika familjetyper

Många tänker på mamma, pappa och två barn när de hör ordet familj.
Men idag finns det många olika sorters familjer. Här är några av dem.

 D Kombinera. Vilka personer hör ihop med varandra, och vilken familjetyp tillhör de?

> regnbågsfamilj   bonusfamilj   iblandbo/kulbo   särbo
> adoptivfamilj   ensamstående   sambo

1 Katarina är omgift. Hennes nuvarande man har två barn från ett tidigare äktenskap. Hon har själv tre barn från tidigare. De väntar nu ett gemensamt barn.

2 Gudrun har två vuxna barn som har flyttat hemifrån. Hon är inte gift eller sambo, utan bor ibland med en person som hon har ett förhållande med.

3 Cecilia och Göran har inga egna barn. De har adopterat en flicka från Kina.

4 Jens och Jan ingick partnerskap för tre år sedan. Deras dotter bor hos dem varannan vecka.

5 Anna är singel. Hon har ingen partner men hon har en hund. Hon har haft några förhållanden men inget som har varat.

6 Emma har en pojkvän i USA. De träffas ungefär en gång i månaden.

7 Nils vill absolut inte gifta sig. Han tycker inte att det behövs. Det räcker med kärleken säger han.

a Anne och Renata har en dotter tillsammans med ett killpar. Deras dotter bor varannan vecka hos mammorna och varannan vecka hos papporna.

b Johanna skulle gärna vilja ha ett romantiskt bröllop i en kyrka på landet. Men hennes partner vill inte det. De bor tillsammans i alla fall.

c Felicia bor inte med sina biologiska föräldrar.

d Matt bor inte tillsammans med sin partner. Hans partner hälsar på honom ganska ofta.

e Jack är frånskild och har barn som bor i Norge med sin mamma. När han är i Sverige bor han hos sin partner, men ofta är han i Norge där han jobbar och är med sina barn.

f Fredrik har tre bonusbarn som han tycker väldigt mycket om.

g Peters matte är ensamstående.

E Diskutera. Finns det några andra familjetyper? Hur ser familjer ut
   i andra länder?

> Det finns sex olika sätt att stava j-ljudet. J-ljudet stavas ofta med *j* framför *a*,
> *o, u, å* och ibland framför *ä*.
> Framför *e, i, y, ö* och ibland *ä* brukar det stavas med *g*.
> I början av en del ord kan j-ljudet stavas med *dj, gj, hj* eller *lj*. Det är en
> "historisk stavning" och förr uttalade man båda bokstäverna.
> Sist i ett ord stavas j-ljudet med *j* eller *g*.

F Lyssna och säg efter.

(129))

hjälpa	djur	djungel	ljuga
generation	ljus	hjärta	djup
helger	gjorde	Göteborg	jeans

4 Kristina Lugn (1948–)

(130))

De flesta har en åsikt om Kristina Lugn. Inte alla
har läst hennes dikter eller sett hennes pjäser
men många har hört hennes lite släpiga, karakte-
ristiska röst på radio och sett hennes stora röda
hår på teve.

Lugn bestämde sig för att bli författare som
6-åring efter att ha fått en dikt publicerad i Kalle
Anka. Hon studerade litteraturhistoria i Uppsala
och debuterade som poet år 1972. Hon har gett ut
en rad diktsamlingar där hon utforskar familje-
livet, ensamheten och döden. Hon har också
skrivit många pjäser och drivit en egen teater. År
2006 blev hon invald i Svenska Akademien.

Familjen är hos Lugn ganska instängd och obehaglig och fylld med tråkig vardag
och ensamhet. Dikterna är ofta skrivna i jag-form. Personen som talar verkar inte
må så bra och är bortvald, som barn eller i en kärleksrelation. En dikt börjar så här:

Jag vill att du ska komma nu!
Jag vill att du ska komma nu genast!
Miniräknaren ska du ta med dej.

Sedan följer en lång önskelista: en flygel, plåster, värktabletter, parfym, desinficeringsmedel, ramlösa, gin, whiskey, en tandborstmugg, fönsterputsmedel, sömnmedel, en krukväxt, en pizza och en respirator. Diktens jag verkar ha en hel del problem som behöver lösas och behov som behöver uppfyllas.

Lugns läsare har nog ofta blandat samman dikternas jag med den privata Kristina Lugn. Men om henne vet vi ganska lite. Den offentliga bilden har påverkats mycket av ett teveprogram där hon diskuterade samtidsproblem och rökte i teverutan. Vissa blev då så provocerade att de anmälde programmet, och under samma period blev hon till och med attackerad av okända på stan.

Idag är Kristina Lugn en av våra mest folkkära poeter. Hennes dikter är inte alltid lätta att förstå, men hon tar upp teman som många kan relatera till. Och hennes dikter och tankar ger tröst till många människor. Hon har också haft ett uppskattat program i radio där hon svarade på lyssnarnas frågor om livet.

Lugn leker med språket, hon blandar allvar och humor och hon är skicklig på att skriva och säga saker man minns. I samband med att hon blev invald i Svenska Akademien fick hon frågan: ”Kommer Akademien förändras nu när du kliver in?” av en journalist. Svaret blev: ”Allting förändras när jag kliver in …”

 A Titta på sakerna i rutan. Det är sådant diktens jag vill ha i dikten som börjar: ”Jag vill att du ska komma nu”. Diskutera vad hon behöver de olika sakerna till. Exempel:

— Jag tror att hon vill ha en flygel för att hon vill höra romantisk musik.
— Ja, eller för att…

en miniräknare	desinficeringsmedel	fönsterputsmedel
parfym	en tandborstmugg	en respirator
whiskey	en pizza	värktabletter
en krukväxt	plåster	gin
en flygel	ramlösa	sömnmedel

B Läs de två första och de två sista raderna av dikten här nedanför.
   Vad tror ni resten av dikten handlar om?

C Läs hela dikten. Vad handlar den om? Vad vill Kristina Lugn säga?
   Till vem är dikten skriven, tror ni?

D Titta på alla de olika saker och egenskaper som diktens jag ger bort.
   Om ni fick välja 3 saker eller egenskaper att ge bort till någon ni älskar,
   vilka skulle ni då välja?

(131))

Du ska få ett panoramafönster
i barnbidrag.
Stjärnhimlen ska vara din vardagsrumstapet
och Mozart ska skriva musiken.
Du ska få ett hem
som älskar dig.
Du ska få sinne för humor.
Och Strindbergs samlade verk.
Och alla mina barnbarn.
Min present till dig är att du ska tala många språk
och tåla allt slags väderlek.
Du ska få god markkontakt
och svindlande takhöjd med stuckaturer.
Du ska få ett liv
som förlåter dig allt.
Klar i tanken ska du vara.
Och stark i känslan.
Du ska få ha roligt.
Allt detta står i hemförsäkringen.
Du ska få vara i fred.

Mitt underhållsbidrag till dig är att du aldrig någonsin
kommer att sluta hoppas.
Du ska få ett modigt hjärta.
Och ett dristigt intellekt.
Och ett gott omdöme.
Den du litar på
släpper inte din hand.
Min julklapp till dig är att om du faller
ska medmänniskorna glädjas åt att få ta emot dig.
Ett vänligt leende ska gå genom hela din resa.
En frisedel ska jag sända från min ensamhet.
Du ska inte få ärva någonting alls av mig.
Men du ska få alla pengarna.

Kristina Lugn

E Är det några rader i dikten som ni tycker är speciella eller intressanta?   ÖB 16:6–7

Skriv!

Personbeskrivningar hittar vi i många sammanhang: i tidningar, i intervjuer med kända personer, i romaner för att beskriva karaktärer och i biografier för att beskriva verkliga personer.

- Välj en person ur gruppen som du ska beskriva. Följ schemat här nedanför.

- Förbered en intervju. Tänk igenom vilket fokus du vill ha, t.ex. familjeliv. Skriv upp några intervjufrågor.

- Intervjua personen. Tänk på att ställa följdfrågor om sådant du tycker är intressant under intervjun. Notera också dina egna intryck av personen, t.ex. vad du tänkte första gången du såg personen, hur han eller hon reagerar på frågorna.

När du sedan börjar skriva kan du tänka på detta:

- Försök att väcka intresse redan i första meningen. En text som börjar: *Carla är 28 år och kommer från Italien,* lockar knappast till fortsatt läsning. Du kan inleda med en replik i stället: – *Nej, det där med livslång kärlek, det tror jag inte på. Jag…* Eller börja med att beskriva ditt första intryck av personen: *Det första jag hör när jag kommer in i rummet är Carlas klingande skratt.*

- Beskriv personen så exakt som möjligt. Försök att ge exempel på hur personen agerar. Istället för att bara använda adjektiv: *Carla är snäll mot sin mamma,* kan du ge exempel från verkliga livet: *Carla ringer sin mamma varje dag för att höra hur hon har det.*

- Fundera över varför du tar med viss information. Säger det något om personen? Att Carla har fyra småsyskon kan bli intressant om du berättar hur det har påverkat henne. *Carla har bestämt sig för att inte skaffa fler barn, eftersom hon minns hur jobbigt det var att ta hand om en massa griniga småsyskon.*

- Välj en rubrik som väcker läslust.

1 Vikingarna och deras religion

 A Vad vet ni om vikingarna? Gissa och skriv R (rätt) eller F (fel) efter frågorna.

1 Vikingarna var ett folk som levde i Sverige, Norge och Danmark
under vikingatiden. _____

2 Ordet viking kommer från ordet "vika". _____

3 På 1800-talet hämtade man inspiration från vikingatiden. _____

4 Kristendomen kom till Sverige på 600-talet. _____

5 Många vikingar arbetade i Istanbul. _____

6 Vikingar reste till Nordamerika. _____

7 Trälar var en sorts trubadurer som sjöng och spelade på fester. _____

8 Kvinnorna på vikingatiden hade inga rättigheter. _____

9 Vikingar offrade ibland människor till gudarna. _____

 B Lyssna utan att titta i texten och kontrollera om ni gissade rätt
i uppgift A.

Rövare, handelsmän och bönder

132))

Ordet "viking" användes från början inte som namn på ett folk eller en kultur utan betydde snarare pirat, rövare eller handelsresande. Att någon dog "i viking", som det står på en del runstenar, har tolkats som att personen dog på en långresa. Det är oklart varifrån själva ordet kommer. En teori är att det kommer från ordet "vik", eftersom vikingarnas båtar snabbt och tyst kunde komma långt in i vikar på sina plundringsresor och överraska lokalbefolkningen.

Resor

Det är svårt att sätta tydliga gränser för när vikingatiden börjar och slutar. Det man vet är att nordborna började resa mycket under en period som inleds på 700-talet, både för att plundra, för att handla och för att grunda bosättningar. Den perioden har inget tydligt slut, men på 1000-talet när kristendomen hade etablerats i Norden, minskade resandet och ersattes av korståg mot Finland och Baltikum.

Man har länge trott att vikingar från dagens Norge och Danmark reste västerut och att vikingar från dagens Sverige reste österut, men forskning visar att de svenska vikingarna reste både i västerled och österled. Vikingar seglade över Östersjön, österut till Finland och Baltikum och söderut till det område som idag utgörs av Tyskland. De färdades på floder till Ryssland, Svarta havet och Kaspiska havet. I Istanbul tog de anställning som soldater hos den östromerske kejsaren. De seglade till Storbritannien där flera vikingar blev kungar, till Irland där de grundade Dublin, till Frankrike där de bosatte sig i Normandie och in i Medelhavet till Italien. De koloniserade också öar i Atlanten som Island och Färöarna. Från Island färdades de västerut till Grönland och Nordamerika. Vikingar hade också en bosättning under en kort period i dagens Canada.

Vardagsliv

Så hur var livet för alla dem som inte var vikingar i ordets ursprungliga betydelse? Vi vet att de flesta levde som jordbrukare, jägare och fiskare. Några var handelsmän och hantverkare. Samhället var hierarkiskt och uppdelat i flera klasser. *Jarlarna* hade makten och levde ganska gott. De klädde sig i päls och importerade sidenkläder, åt god mat och drack mjöd, en sorts öl. De njöt också av vackert konsthantverk och smycken. *Karlarna* var fria män som bildade samhällets mellanskikt, medan *trälarna* var slavar som kunde köpas och säljas och saknade rättigheter. Det fanns flera anledningar till att någon blev träl men vanligast var att ens föräldrarna var trälar, eller att man hade blivit tagen till fånga av vikingar och såld som träl. Viking-arna tjänade mycket pengar på handeln med trälar.

Familj och släkt

Familjen och släkten var mycket viktig. Utan stöd från släkten var det svårt att klara sig. Om någon från en släkt dödade en person från en annan släkt, kunde de två släkterna hamna i långa strider med varandra, så kallade blodsfejder. På den tiden var det vanligt att kräva blodshämnd, alltså att döda någon för att hämnas. Eller så kunde man kräva blodsbot, en ekono-misk ersättning, vid tinget som var den tidens beslutande organ. Vid tinget fick bara fria män delta. Kvinnor, barn och trälar var uteslutna.

Kvinnans ställning under vikingatiden var på vissa sätt bättre än under medeltiden som följde. Kvinnor kunde ärva, skilja sig och kräva tillbaka sin hemgift om äktenskapet tog slut. Det ansågs inte heller skamligt för kvin-nor att ha barn utanför äktenskapet. Kvinnan var gårdens och hushållets självklara chef. I några kvinnogravar från tiden har man hittat gyllene stavar som man tror använts i religiösa ceremonier. I andra kvinnogravar har man hittat vapen och hjälmar, så vissa forskare tror att kvinnor ibland deltog i krig.

Offer till gudarna

I vikingarnas religion spelade *blot*, offer till gudarna, en viktig roll. Man offrade mat, boskap och i vissa fall även människor. Magiker, som lika ofta var kvinnor som män, spådde framtiden genom att ta kontakt med dolda krafter och kunde också säkra bra vind eller ge ett svärd extra kraft. När mäktiga personer dog, begravdes de ibland i skepp tillsammans med dyrbarheter och mat. I en grav har man hittat en oxstek, en skinka och ett fårhuvud. Det var viktigt att ha mat med sig i livet efter döden. I vissa gravar finns också dödade trälar som sällskap åt den avlidne.

reste **österut** | Sammansatta adverb

Två vanliga myter om vikingar är att de var smutsiga och att deras hjälmar hade horn. Vikingarnas hjälmar hade inga horn och var oftast av läder med detaljer av metall. I en engelsk text från tiden kan man läsa att kvinnor sökte sig till nordmän eftersom de kammade sig och tvättade sig ofta.

Ordet lördag kommer troligen från ett gammalt ord som betyder tvätta. Vikingarna var också mycket hårintresserade och både friserade och blonderade hår och skägg.

C Gör en lista med 10–15 nya ord och fraser i texten som du tycker är användbara. Gå igenom dem i par.

D Skriv 10 frågor till texten. Ställ dem till varandra.

Asarna

Vikingarna såg världen som ett enormt träd, asken Yggdrasil. Vid askens fot bodde tre kvinnor, nornorna, som spann livets tråd. De bestämde människornas och världens framtid. Mitt i trädet låg Midgård, människornas värld, och i havet runt denna värld låg en jättelik orm, Midgårdsormen, och bet sig själv i svansen. Asagudarna bodde i Asgård som låg i trädets topp.

E Välj fraser ur rutan och skriv bokstaven vid rätt asagud.

a bara ett öga	**d** en stor hammare	**g** skörden	**j** åskan
b dvärgarna	**e** problem	**h** vad som helst	**k** åtta ben
c en jättekvinna	**f** päls av guld	**i** vishetens brunn	

Oden

Ledare för asagudarna och människornas viktigaste gud.

Brukar visa sig bland människor ibland.

Kännetecken: _____ (1)

Ansvarsområde: krig

Familj: hustrun Frigg
- sonen Balder (med Frigg) och Tor
- många andra barn som han fått tillsammans med människor, troll och jättar

Husdjur:
- hästen Sleipner med _____ (2)
- de två korparna, Hugin och Munin, som berättar vad som händer i världen

Historia:
- skapade världen tillsammans med sina bröder
- gav liv åt människorna
- släppte ner sitt ena öga i _____ (3) och kan därför se allt

Förmågor:
- kan förvandla sig till _____ (4)
- kan förstöra vapen genom att titta på dem

Veckodag: onsdag

Frej

Frejas bror och fruktbarhetens gud. Kallas också Frö.

Kännetecken: reser på ett skepp som har plats för alla gudar men som ändå kan stoppas ner i fickan

Ansvarsområden: fred och jordbruk

Familj: gift med jättinnan Gerd

Husdjur: en gris med _____ (5) som han rider på

Historia: gav bort sitt svärd och sin häst för att få gifta sig med Gerd

Förmågor: gör så att folk kan föda barn och att _____ (6) blir bra

Veckodag: fredag (tillsammans med Freja)

23. Frej

14. Oden

Freja

Kärlekens gudinna.

Kännetecken: ett halssmycke som _____ (7) tillverkat

Ansvarsområde: kärlek och fruktsamhet

Familj: oklar familjesituation, eventuellt gift med en vanlig människa, särbo

Husdjur: två jättekatter som drar hennes vagn

Historia: togs som gisslan av asagudarna tillsammans med sin bror Frej och sin far Njord

Förmågor: har många förvandlingsdräkter, speciellt fågeldräkter, som hon gärna lånar ut till de andra gudarna

Veckodag: fredagen (delar den med sin bror Frej)

33. Loke

09. Freja

02. Tor

Loke

Opålitlig figur som både skapar och löser _____ (8) för gudar och människor.

Kännetecken: mycket vacker men ändrar ofta utseende

Ansvarsområde: handel

Familj:

- frun Sigyn, har en son tillsammans
- har tre monsterbarn tillsammans med _____ (9).
- är också far (mor?) till Odens häst som han födde när han själv var förvandlad till häst

Historia: har varit med i många intriger, den mest kända när han lurade en gud att döda Balder, ljusets gud

Förmågor: att trolla och luras

Tor

Odens son och den starkaste av asagudarna, åskgud.

Kännetecken: rött skägg och _____ (10)

Ansvarområde: att försvara världen mot jättar

Familj: frun Siv och två barn

Husdjur: två bockar som drar hans vagn (en öltunna)

Historia:

- har krigat många gånger mot jättarna
- när han kastar sin hammare kommer blixten och när jättarnas huvud krossas kommer _____ (11)

Förmågor: enormt stark, extra stark med sitt styrkebälte

Veckodag: torsdag

Han gav liv åt människorna.
= Han gav människorna liv.

Verb med direkt objekt (_liv_) och indirekt objekt (_människorna_) och preposition (_åt_).

F Markera direkt objekt (do) och indirekt objekt (io).

1 Abbas skickade blommor till henne på födelsedagen.

2 Berit skickar julkort till sina barnbarn varje jul.

3 Frisören föreslog en ny frisyr för David.

4 Erki rekommenderade några bra aktier till Frida.

5 Greta visade hela staden för Hans när han var på besök.

G Ändra fraserna som i fokusrutan på s. 237. Exempel:

– Abbas skickade blommor till henne på födelsedagen.
– Abbas skickade henne blommor på födelsedagen.

ÖB 17:2

H Välj varsin asagud och ta reda på mer om hen. Berätta sedan för varandra vad ni har lärt er.

I Känner ni till några gudasagor från andra kulturer? Vilka?

J Ta reda på mer om vikingatiden. Välj ett ämne som intresserar dig eller välj ur rutan:

vikingaskepp	Birka
vikingagravar	ortnamn från vikingatiden
skeppssättningar	Yggdrasil
kvinnors rättigheter på vikingatiden	Valhall
trälar	

2 Isländska sagor från vikingatiden

Det finns många sagor om asagudarna och deras tid. Här kan du läsa hjältesagan om Sigurd och en berättelse om Utgårdaloke.

A Jobba i par. En läser *Sigurd drakdödaren* och en läser *Jätten Utgårdaloke*.

B Gör anteckningar för att kunna återberätta din saga. Sitt först tillsammans med någon som läst samma saga och återberätta för varandra. Sätt dig sedan med någon som läst den andra sagan och berätta din saga.

Sigurd drakdödaren

Familjen Völsung var mycket rik och mäktig. De hade ett stort hus, byggt runt en ek, där de ofta hade fester. På en av festerna kom en objuden gäst. Det var en äldre man med en stor svart hatt och gråa kläder. Han gick fram till eken mitt i huset och högg in ett svärd i trädets stam. Han sa att den som kunde dra ut svärdet skulle vinna det. Alla män på festen försökte, men inte ens de starkaste lyckades. Den objudne gästen försvann utan att säga vem han var, men många trodde att det var Oden, som var känd för att ibland vandra runt bland människorna.

Den yngste sonen i familjen hette Sigmund. Han ville också för-söka dra ut svärdet. Alla skrattade eftersom de aldrig kunde tro att en pojke skulle lyckas med något som alla de starka männen hade misslyckats med. Till allas förvåning drog Sigmund utan ansträng-ning ut svärdet. När han blev vuxen använde han svärdet i många strider, ända tills den mystiske främlingen en dag dök upp mitt i en strid och slog svärdet i tre delar. Sigmund förlorade striden och blev dödligt skadad. Innan han dog, bad han sin gravida hustru att bevara de tre delarna av svärdet.

Sigmunds hustru födde en son som hon döpte till Sigurd. Han var stark och duktig på alla sporter och på att kriga. Till lärare fick han Regin som var en skicklig smed. Regin kände till en guldskatt som vaktades av draken Fafner (1). Han ville att Sigurd skulle döda draken och ta guldet. Men han berättade inte att han sedan tänkte döda Sigurd för att själv få guldet.

Sigurdsristningen på Ramsundsberget i Södermanland är från 1000-talet. →

Sigurd smidde ihop de tre delarna av faderns svärd. Med svärdet skulle han döda draken. Han red till drakens håla och grävde en grop där han gömde sig. När den väldiga draken kom ut ur sin håla hoppade Sigurd fram och dödade den (2). Blodet forsade ur draken och Sigurd fick blod på sin tumme. Han brände sig och stoppade fingret i munnen (3). När han smakade på drakblodet kunde han plötsligt förstå fåglarnas sång. En fågel berättade att Regin, hans lärare, planerade att döda honom (4). Sigurd tog drakens skatt och red hem och dödade Regin (5).

(134))

Jätten Utgårdaloke

Utgårdaloke var en jätte som var mycket duktig på att trolla. Han bodde i en väldig borg och tyckte om att lura folk som vandrade förbi. En gång reste Tor, Loke och Tjalve genom jättarnas rike, och när de kom fram till Utgårdalokes borg blev de bjudna på middag. Men Utgårdaloke var ingen trevlig värd. Han var oförskämd mot sina gäster, framförallt mot Tor som blev arg och ville försvara asa-gudarnas ära.

Utgårdaloke föreslog att de skulle tävla på olika sätt för att se vem som var starkast och bäst. Först skulle Loke äta ikapp med en jätte. De skulle äta varsitt fat gröt, men när Loke var halvvägs hade jätten redan ätit klart. Han åt till och med upp grötfatet!

Efter det skulle Tjalve, som var känd för att springa snabbt, springa ikapp med en annan jätte. Tjalve sprang iväg direkt medan jätten stod kvar. Men precis innan Tjalve kom i mål passerades han av jätten som kom med blixtens hastighet.

Nu var det Tors tur. Först bad jätten honom att dricka ur ett jättestort horn med öl. Tor drack länge och mycket men ölet verkade aldrig ta slut. Till slut orkade han inte mer utan gav upp. Sedan skulle han lyfta Utgårdalokes katt. Det tyckte inte Tor verkade så svårt. Men ju mer han lyfte, desto längre blev katten. Till slut, när han nästan lyckats lyfta katten, avbröt jätten tävlingen. Istället skulle Tor brottas med jättens gamla farmor, Elle. Tor ville hellre slåss med Utgårdaloke själv, men den gamla gumman attackerade honom direkt. Tor kämpade och kämpade men jättegumman brottade till slut ner Tor på knä. Detta var en stor skam för Tor, den starkaste av gudarna.

Gudarna var besvikna men värden skålade för dem och sa att de hade varit jätteduktiga. De förstod inte alls varför, de hade ju förlorat alla utmaningar. Då avslöjade Utgårdaloke vilka de egentligen hade kämpat mot: Jätten som Loke hade ätit ikapp med var i själva verket *elden* som ju slukar allt. Jätten som Tjalve hade tävlat mot var *tanken* som rör sig snabbare än allt annat. Ölet som Tor hade försökt dricka var *havets vatten*. Katten var *Midgårdsormen* som ligger runt världen och biter sig själv i svansen. Och om Tor hade lyckats lyfta den, skulle världen ha gått under. Det var därför jätten hade avbrutit tävlingen. Och jättefarmor var *ålderdomen* och mot henne vinner ingen. Jättarna var mycket imponerade av Tor och hans vänner och de firade tillsammans hela natten.

Sammansatta ord som *vikingatiden* uttalar man med två långa stavelser, den första lite längre än den andra.
Ord med betonade prefix (*o-*, *an-*, *av-*, *miss-*, *ut-*, *åter-*) och betonade suffix (*-het*, *-dom*) uttalas också med två långa stavelser.
Obetonade prefix finns också (*be-*, *för-*, *till-*).

C Lyssna på orden och markera långa ljud. Uttala sedan orden. (135)))

1 allmänhet	9 försvann	17 motsvarighet
2 ansträngning	10 grötfatet	18 objuden
3 anteckningar	11 guldskatt	19 oförskämd
4 asagudarna	12 halvvägs	20 tillsammans
5 avbrutit	13 hjältesagan	21 utmaningar
6 berättar	14 jätteduktiga	22 ålderdomen
7 drakblodet	15 likhet	23 återberätta
8 föreslog	16 misslyckats	

Runor

Runorna var vikingarnas bokstäver och de ristades i trä, ben och sten. Det finns likheter mellan runorna och grekiska, latinska och etruskiska skrivtecknen. Från början hade runalfabetet 24 tecken och det användes i hela norra Europa.

Vikingarna förenklade alfabetet och använde bara 16 tecken. Alfabetet kallas *futharken* efter de första runorna. Runorna användes för att skriva veckans dagar på runstavar, vikingarnas kalender. De användes också för att skriva trollformler på små bronsbitar och meddelanden på träbitar. Stenar med runristningar, runstenar, gjorde man i hela Skandinavien men de var speciellt vanliga i Mellansverige.

Den absolut vanligaste texten på runstenar beskriver vem som beställt stenen, för vem stenen är gjord och på vilket sätt personerna är släkt, till exempel så här: "Gevlög och Gylla lät resa denna sten efter Styviald, sin son, broder till Illuge". Vikingarna klottrade också med runor; på en lejonstaty i Pireus skrev någon eller några "Svear anbragte* detta på lejonet" och i kyrkan Hagia Sofia i Istanbul skrev en person vid namn Halfdan sitt namn med runor, möjligen med tillägget "ristade dessa runor", men det går inte längre att läsa.

f	u	th	ą	r	k		h	n	i	a	s		t	b	m	l	R

*anbringa = gammalt verb som betyder ungefär placera

3 Det livgivande trädet

A Läs första meningen i varje stycke. Gör anteckningar. Fundera över 136)) vad du tror texten handlar om. Läs sedan hela texten.

För vikingarna var träd viktiga. Världsträdet Yggdrasil hade motsvarigheter i vardagen i form av offerträd och lundar vid heliga platser. En tradition som kan ha rötter i vikingarnas mytologi är vårdträd. Det var oftast en ask, lind eller björk som man planterade på gården. Själva ordet vårdträd kommer från det gamla ordet vård som betydde skyddsande. Trädet skulle med sin kraft skydda gården och alla som bodde där. För att få bättre skörd kunde man offra öl, mjölk eller ett mynt vid trädets rot. Vid bröllop lade man mat på en tallrik till trädets andar, för då skulle äktenskapet bli lyckligt. I vissa delar av landet kunde man fortfarande på 1600-talet se människor sitta under vårdträdet och be inför viktiga händelser. Men detta var en tradition som kyrkan inte tyckte om.

Om man på något sätt skadade trädet kunde det gå mycket illa. Inte ens ett löv fick man ta från vårdträdet. Det berättas om en man på Öland som högg ner sin gårdslind. Strax efter dog hans fru och svärmor och själv blev han utfattig.

Man trodde också att träd kunde bota sjukdomar, speciellt träd med hål i. Man drog den sjuke genom hålet för att sjukdomen skulle fastna i trädet. Dessa träd stod ofta långt från hus och gårdar eftersom de var farliga. Man kunde nämligen bli smittad av alla de sjukdomar som stannat kvar i trädet. Det var vanligt att en familj tog sitt namn efter vårdträdet. En familj med en alm på gården kunde ta namnet Almén, och namn som Lindén och Björkegren kommer nog också från de familjernas vårdträd

Många svenskar har fortfarande ett speciellt förhållande till träd. En intressant historia är den om den så kallade "almstriden" då allmänheten räddade en grupp almar i Kungsträdgården i Stockholm från att huggas ner. Året var 1971. Under 1950- och 60-talet hade stora delar av den historiska stadskärnan i många svenska städer rivits och istället hade man byggt moderna bostäder, parkeringshus och varuhus. Man ville bygga nya städer för det moderna livet och för framtiden. Viktiga tankar var nya centrum för arbete, förorter med bostäder och fler vägar för den ökande biltrafiken. Inte bara gamla trähus i dålig kondition utan också vackra palats och historiska byggnader hade rivits i Stockholm utan några större protester från allmänheten. Politikerna planerade nu en tunnelbaneuppgång i Kungsträdgården. För att ge plats åt den skulle man vara tvungen att hugga ner en grupp gamla almar.

Men detta blev droppen som fick bägaren att rinna över. En uppretad folkmassa stoppade tidigt på morgonen nedhuggningen genom att klättra upp i träden. Politikerna blev tvungna att flytta tunnelbanestationen och almarna står kvar än idag. Under träden finns fortfarande ett kafé där du kan fika och lyssna på vindens sus. Eller är det kanske almarnas skyddsandar som viskar?

B Svara tillsammans på frågorna utan att titta i texten.

1 Varför hade man vårdträd?

2 Vad gjorde man på bröllop?

3 Vad kunde hända om man skadade vårdträdet?

4 Hur kunde träd bota sjukdomar?

5 Vad var almstriden?

> Ordet *trädkramare* används om en person som hindrar träd från att huggas ner t.ex. i samband med ett motorvägsbygge. Man kan också använda ordet om en person som är mycket miljömedveten.

C Diskutera. Känner ni till någon naturreligion eller riter från andra länder?

D Almstriden är ett exempel på civil olydnad. Ge exempel på andra tillfällen då man använt metoden i Sverige eller andra länder.

E Skriv rätt trädnamn vid bilderna.

> ask   lind   hassel   björk   ek

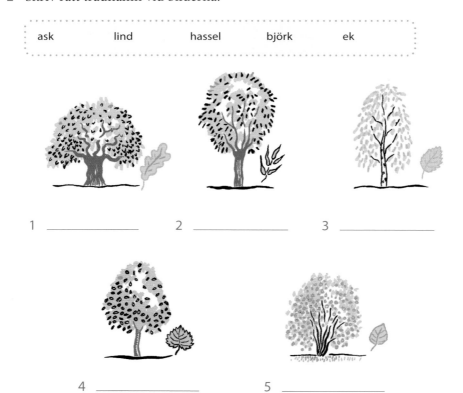

1 _____   2 _____   3 _____

4 _____   5 _____

F Skrock är folktro som handlar om vad som ger tur och vad som ger (137))) otur. Lyssna på några personer som talar om sin inställning till skrock. Gör ett schema. Exempel:

MANNEN	KVINNAN	BÅDA	INGEN
tror på:	tror på:	tror på:	tror på:

G Diskutera tillsammans 3–4 personer. Tror ni på skrock? Vad finns det för skrock i andra länder och kulturer?

Religion i Sverige idag

I en undersökning om gudstro i ett 80-tal länder där man ställde frågan "Tror du på gud?" hamnar Sverige nästan längst ner på listan. I Sverige svarade 53 procent att de tror på gud. I många länder i Mellanöstern svarar 100 procent att de tror på gud och i Europa är siffrorna i länder som Polen, Irland och Italien runt 95 procent.

Generellt är européer klart mindre religiösa än människor i resten av världen. Man kan se ett tydligt statistiskt samband mellan å ena sidan politisk stabilitet och ekonomisk trygghet och å andra sidan sjunkande gudstro. Det verkar som om man tror mindre på gud när man har ett tryggt liv och klarar sig bra ekonomiskt.

Den svenska befolkningen tycks vara delad när det gäller religion. Den ena hälften tror som sagt på gud och ber ibland. Den andra hälften ber aldrig. Och bara en av trettio går i kyrkan varje vecka. Halva befolkningen tror på ett liv efter detta, den andra halvan gör det inte. Men bara en av tio är helt och hållet ateist. Som i så många andra frågor befinner sig de flesta svenskar någonstans i mitten. – Nja till religion, verkar man säga.

ÖB17:3–11

Skriv!

När man skriver anteckningar eller sms är det bra att kunna förkorta på ett tydligt och korrekt sätt. Följande förkortningar kan man använda.

	Vanlig svenska	Förkortat
Stryka subjektet	Jag är mycket trött.	Är mycket trött.
Stryka verben *är*, *blir* och *har*	Jag är mycket trött.	Mycket trött.
	Jag har mycket att göra.	Mycket att göra.
Utelämna konjunktioner	Jag är mycket trött så jag kommer inte på festen.	Mycket trött, kommer inte på festen.
Substantiv istället för verb	Jag har tvättat klart.	Tvätten klar.

När man skriver anteckningar kan man förkorta mer, så länge man själv kan förstå vad man har skrivit.

Så här kan anteckningarna se ut till första stycket i texten *Vikingarna och deras religion*:

- "viking", ej ett folk, pirat.
- i viking = på långresa
- kunde snabbt komma in i vikar och överraska.

A   Skriv meddelandet här nedanför så kort som möjligt.

Pernilla!
Jag kan inte komma på festen ikväll för jag har brutit benet. Jag är gipsad och ligger i sängen. Jag är jätteledsen. Jag hoppas att det blir en rolig fest.

B   Skriv anteckningar till någon av texterna i det här kapitlet. Titta sedan på anteckningarna och se om du kan återberätta texten för dig själv eller för någon annan.

18

Den kungliga svenska avundsjukan
Redan på 1500-talet beskrevs svenskarna som avundsjuka. På 1800-talet började man skämtsamt prata om "den kungliga svenska avundsjukan".

1 Oskrivna regler

I alla länder finns det olika fenomen som utlänningar uppfattar som intressanta, ovanliga eller till och med konstiga. Det kan handla om seder och traditioner, men också om mer subtila saker som oskrivna regler, t.ex. hur man kommunicerar med varandra. Dessa oskrivna regler kan vara svåra att förstå och leder ibland till missförstånd.

A Lyssna på tre utlandssvenskar som pratar om oskrivna regler. Fokusera på en person var och anteckna. Återberätta sedan för varandra och lyssna igen.

B Vad tycker ni om de olika fallen? Har ni själva upplevt något liknande? Berätta för varandra om era upplevelser.

C Diskutera:

- Vilka oskrivna regler finns i Sverige och/eller i andra länder?
- Har ni någon gång gjort bort er genom att bryta mot en oskriven regel i Sverige eller i något annat land? På vilket sätt?

D Läs texten *Svenska koder* högt för varandra. Sammanfatta muntligt
vad personerna berättar. Har ni egna erfarenheter av något liknande? (139))

Svenska koder – inte alltid så lätta att knäcka

Morgonbladet startar idag en artikelserie om Sverige och svenska koder. Finns det några företeelser som är svåra att förstå för hitflyttade personer? Många traditioner och vanor är lätta att upptäcka, t.ex. att vi firar midsommar och äter surströmming. Andra svenska fenomen kan vara svårare att se och förstå. Ofta är det oskrivna regler och sådant som även vi svenskar är omedvetna om. Idag låter vi sex personer berätta om underligheter i Sverige.

Irina, 42 år, Ukraina

– Det tog ganska lång tid innan jag förstod de svenska koderna, så jag har nog gjort bort mig många gånger på min arbetsplats. Jag minns speciellt ett tillfälle. Avdelningssköterskan sa så här: "Skulle du vilja ge patienten i rum 8 den här injektionen"? Jag trodde att hon frågade om jag faktiskt hade lust att göra det. Och eftersom jag verkligen inte ville sa jag: "Nej, det vill jag inte" och gick därifrån. Det var inte så lyckat.

Chunde, 32 år, Kina

– En sak som jag har lärt mig med tiden är att man ger feedback på ett annat sätt här. I början på mitt jobb bad jag min chef läsa en rapport som jag hade skrivit och frågade vad hon tyckte. Hon sa att den såg jättebra ut. Tyvärr hade jag slutat lyssna när resten kom: "MEN, du skulle kunna skriva om inledningen och slutet och gå igenom språket och rätta alla grammatikfel". Här verkar man ge kritik i omvänd ordning jämfört med där jag kommer ifrån. Där börjar man med att påpeka allt som är dåligt och sedan kanske man avslutar med: "Annars ser det rätt okej ut" eller liknande. Och i undervisningssituationer säger lärarna här mest positiva saker. I Kina är det nästan tvärtom.

Giorgios, 39 år, Grekland

– En kollega till mig kom hem från sin semester och berättade att han hade varit i Lappland och vandrat. Han sa att det hade varit helt magiskt med en sagolik natur. Det kan jag väl förstå, men sedan sa han att det hade varit så fantastiskt för han hade inte träffat en enda människa på flera dagar! Min spontana reaktion var att det lät så hemskt. "Stackars dig", sa jag. "Det måste ha varit förskräckligt!" I min fantasi såg jag honom vandra omkring alldeles ensam och hjälplös. Hur kan man tycka att det är underbart att vara ute i naturen så länge utan att umgås med andra människor?

Sabine, 29 år, Tyskland

– Jag kunde till en början inte förstå att det finns så många framgångsrika svenska företag. Jag tyckte att det enda man gjorde var att fika. Det var morgonfika, lunchfika, eftermiddagsfika … Som tur var hade en utländsk kollega förvarnat mig och förklarat att man måste sitta med och fika. Och alla dessa möten! Innan jag vande mig tyckte jag att folk bara satt och hummade i timmar. Jag kunde aldrig förstå när ett beslut togs. Några dagar efter ett möte kunde en kollega säga till mig: "Men det bestämde vi ju på mötet". Jag hade inte förstått att något bestämdes.

Basar, 33, Turkiet

I Sverige kan man ha på sig nästan vad som helst på jobbet. Programmerarna på mitt jobb går runt i strumplästen. Sedan har alla med sig matlåda med rester som de värmer i mikron. I Turkiet skulle folk undra om du var fattig och inte hade råd med mat, men här gör alla så, också chefen. En annan sak är att alla förväntas plocka ur diskmaskinen och sätta på kaffe. Jag tycker att det är lite konstigt att folk med höga löner och mycket att göra ska sköta sådant. Men det verkar som att det är viktigt att alla hjälps åt på något sätt.

Silsa 27 år, Brasilien

– När jag har pratat i telefon med min syster i Brasilien brukar min svenska sambo fråga varför vi grälar hela tiden. Vadå grälar? Vi diskuterar ju bara! Förresten går det inte att gräla med honom. När min sambo säger: "Det där tycker jag faktiskt var lite dåligt gjort", eller: "Nu är jag faktiskt lite sur på dig", har jag lärt mig att han är rasande. Om han hade varit brasilianare skulle han antagligen ha börjat smälla i dörrar och hotat med skilsmässa, mord och andra hemskheter. Och apropå det, varför kan svenskar inte säga som det är? Nu förstår jag att om mina svenska vänner säger: "Jag mår inte så jättebra just nu", så är läget katastrofalt. Då är det dags att sitta ner och prata om problemen.

Jantelagen – att man inte ska tro att man är bättre än andra – brukar ses som något typiskt svenskt. Men Jantelagen kommer från en bok av den dansk-norske författaren Aksel Sandemose om uppväxten i en dansk småstad.

Skulle du vilja ge patienten i rum 8 den här injektionen?

Uppmaningar: Omskrivningar istället för imperativ.

E Säg fraser med omskrivningar för imperativ. Använd verktygsfraserna
som modell. Exempel:
Hämta en kopp kaffe!

– Å, du hämtar en kopp kaffe?
– Du kunde kanske hämta en kopp kaffe?
– Du kan väl hämta en kopp kaffe?

> Hämta en kopp kaffe!
> Stäng fönstret!
> Skriv färdigt rapporten idag!
> Kom in till mig klockan tre!
> Ring den här missnöjda kunden direkt!
> Ge Berit lite feedback!

Ordföljd påstående
Å, du stänger fönstret?
Du kunde kanske stänga fönstret?
Du kan väl stänga fönstret?
Du skulle (väl) inte kunna stänga fönstret?
Du skulle (väl) inte vilja stänga fönstret?
Du kan möjligen inte stänga fönstret?

Omskrivning med det
Det skulle vara bra om du stängde/kunde
stänga fönstret.
Skulle det vara möjligt att stänga fönstret?

Ordföljd fråga
Du stänger fönstret, va?
Stänger du fönstret?
Kan du stänga fönstret?
Skulle du kunna stänga fönstret?
Skulle du vilja stänga fönstret?
Vill du (inte) stänga fönstret?
Skulle du (inte) vilja stänga fönstret?
Har du lust att stänga fönstret?

 F Träna på att uttala fraserna i verktygsrutan på olika sätt: vänligt,
bestämt, bryskt. Hur kan man använda betoning och melodi för
att få fram olika budskap?

ÖB 18:1

> I min fantasi säg jag honom vandra
> omkring alldeles ensam och hjälplös.

Satsförkortning: objekt + infinitiv

ÖB 18:2

2 Svenskt arbetsliv

A Välj varsin artikel att läsa *Den svenska arbetsplatsen* eller *Fika*.
Läs artikeln ett par gånger, skriv stödord och öva dig att återberätta
den muntligt.

B Återberätta artikeln för varandra. Den som lyssnar antecknar det
viktigaste och sammanfattar sedan muntligt den andres artikel med
några meningar.

Den svenska arbetsplatsen

När man talar om svenska arbetsplatser är det viktigt att känna till att
många arbetstagare har ganska stor trygghet på grund av lagen om
anställningsskydd (LAS). Den reglerar när och hur en arbetsgivare får
säga upp någon. I s.k. kollektivavtal mellan arbetsgivare och fackförbund
regleras bl.a. lägstalöner, arbetstider och semester. De allra flesta arbetsplat-
ser har kollektivavtal; 9 av 10 arbetstagare jobbar på en sådan arbetsplats.
Medbestämmandelagen (MBL) säger att arbetsgivaren måste informera om
viktiga saker på arbetsplatsen och förhandla med facket innan förändringar
sker.

I de flesta svenska företag är hierarki och statustänkande inte så viktigt
och man har s.k. platta organisationer. Kommunikationen mellan män-
niskorna är flexibel och individuella kontakter tas både "uppåt och nedåt"
i hierarkin, exempelvis för att underlätta beslut. Det är ofta en självklarhet
att man delegerar såväl befogenheter som ansvar, och att chefer visar tillit
till att anställda genomför uppgifter på ett professionellt sätt.

En god stämning och trivsel på arbetsplatsen är mycket viktigt för de
anställda, och ledaren uppfattas som mindre auktoritär i Sverige jämfört
med i många andra länder. Högljudda konflikter är i allmänhet ovanliga på
arbetsplatsen liksom i samhället i övrigt. Samstämmighet och gruppkänsla
på jobbet är viktigt och beslut fattas för det mesta i samråd. Detta leder till
att vägen till beslut kan vara mycket lång och att beslutsfattandet föregås
av ett antal möten. Å andra sidan är beslutet, när det väl är taget, oftast väl
förankrat hos medarbetarna.

Titlar är avskaffade och man säger *du* till alla, något som kan upplevas
som ovanligt för utlänningar. På många arbetsplatser är klädseln också
relativt ledig och informell.

Svenska affärsmän och affärskvinnor

I många kulturer är socialt småprat viktigt vid ett affärsmöte. Genom små-
pratet skapar man en personlig relation till den andre och bygger upp ett
ömsesidigt förtroende. Det här är något som kan ha en avgörande betydelse
när man diskuterar kontrakt eller affärer.

Svensken är som regel mer rakt på sak. Han eller hon går med andra ord
direkt på ämnet och inte via småprat, vilket kan vara en nackdel i kontakten
med affärsmän från en del kulturer. En svensk har vanligtvis ett relativt till-
bakahållet kroppsspråk och pratar med låg röst. För den utländska affärs-
kollegan, som kanske talar högre och har ett uttrycksfullt kroppsspråk,
kan svensken ge ett något stelt och tafatt intryck.

Lite förenklat skulle man kunna visa på skillnaderna mellan svensk och
traditionell internationell arbetsplatskultur så här:

Internationell	Svensk
formellt tilltal	informellt tilltal
strikt klädsel	ledig klädsel
information i rangordning	flexibla informationskanaler
kontrollerat/övervakat arbete	självständigt/delegerat arbete
starkare hierarki	svagare hierarki

141))

Fika

Finland är det land där man dricker
mest kaffe i världen. Sverige kommer
strax efter, som god tvåa. Svenskarna
dricker 156 liter kaffe per år, vilket
motsvarar mer än tre koppar per
person och dag.

Kaffedrickandet blev vanligt bland den stora allmänheten under
1700- och 1800-talet. Den svenske kungen Karl XII tog med sig
vanan att dricka kaffe från Turkiet, där han hade tillbringat flera
år. Kaffehus växte fram i städerna som en motvikt till de stökiga
brännvinskrogarna. Där träffades männen och diskuterade politik,
vetenskap och litteratur över en kopp kaffe. Kvinnorna, som inte
hade tillträde till kaffehusen, träffades hemma och drack kaffe och
åt kakor. Med tiden spred sig vanan att bjuda på kaffe hemma, ofta

med tårta och sju
sorters kakor till.
Nuförtiden
dricker svensk-
arna allt mer av
kaffet utanför
hemmet, framför
allt på arbetet.
Fikarasten har
länge varit helig
i det svenska
arbetslivet. Ingen

vet exakt när man införde fikarasten, men den har en lång historia.
Skogsarbetare och jordbrukare hade länge tagit med sig fika ut i mar-
kerna, och när industrialismen kom behövde arbetarna ta en paus
från det hårda slitet vid maskinerna för att orka med arbetsdagen.

Från mitten av 1900-talet har fikarasten som en gemensam paus
varit en institution på kontoren. Man slår sig ner tillsammans för
att koppla av och prata om ditt och datt. Mot slutet av 1900-talet
började kaffeapparaterna göra entré på arbetsplatserna. I och med
kaffemaskinernas intåg slapp man långa diskussioner om vem som
skulle köpa kaffe och kaffebröd och vem som skulle ansvara för
kaffebryggningen under dagen.

Många utlänningar förvånas över de många fikarasterna. Men
både forskare och arbetsgivare är överens om att fikarasterna fyller
en viktig funktion och att de till och med kan bidra till framgång
för företagen. Dels ger pauserna möjlighet att rensa hjärnan, dels
fungerar de som en kontaktyta på företaget. De anställda träffas och
utbyter idéer och erfarenheter, småpratar och lär känna varandra
bättre. Ofta dröjer de kvar, diskuterar olika projekt och delar med
sig av sina kunskaper och erfarenheter. Dessutom ökar trivseln och
gruppkänslan bland personalen.

På vissa arbetsplatser är det en oskriven regel att alla bör delta
i fikandet. Risken finns att en person som undviker samvaron med
sina kolleger under fikarasten betraktas med viss misstänksamhet.
Omvänt kan man göra stor lycka bland sina medarbetare genom att
överraska och ta med bullar eller en kaka att bjuda på.

C Läs frågorna för varandra och försök att svara på dem utan att titta i texterna
Den svenska arbetsplatsen och *Fika*.

1 Vad menas med en platt organisation?

2 Hur är ledarrollen i många fall på svenska företag?

3 Nämn några saker som är viktiga på svenska arbetsplatser.

4 Nämn något som är ovanligt på svenska arbetsplatser.

5 Vilka skillnader mellan svenska och utländska affärsmän nämns i texten?

6 Vem tog vanan att dricka kaffe till Sverige?

7 Vad var kaffehus?

8 Berätta något om kafferastens historia.

9 På vilka sätt kan fikarasterna vara positiva för företagen?

10 Hur kan man göra sina medarbetare glada?

D Diskutera.

- Var något nytt, förvånande, intressant i texterna?
- Har ni egna erfarenheter av svenska arbetsplatser?
- Vad finns det för koder på arbetsplatser i andra länder?

E Jobba i grupper om 3–4 personer. Tänk er att ni har fikarast på jobbet.
Då gäller det att kunna prata om allt och ingenting. Använd fraserna
här nedanför och försök att hålla igång ett samtal i minst fem minuter.

Inleda ett samtal

Har du hört vad som hände …?
Du, apropå ingenting …
Visste du att …?
Du, jag måste kolla en sak med dig.
Stämmer det att …?
Vet du vem jag stötte på häromdagen?
Jag måste bara berätta en sak …
(som hände mig/som jag läste i
tidningen …)
Har du läst det som stod i tidningen …?
Såg du det där programmet på teve …?
Jag blev verkligen förvånad över en sak
jag läste/hörde …

Ge respons

Nej, vadå? Berätta!
Va, är det sant? Helt otroligt!
Det hade jag ingen aning om!
Skojar du?
Nej, det är inte möjligt!
Menar du det?
Det låter ju helt vansinnigt/galet/sjukt …

Avsluta ett samtal och återgå till jobbet

Jaaa (stigande ton), det var det det.
Jaha (stigande ton) … Slut på det roliga.
Okej, då är det väl dags att återgå till jobbet.
Just det. Då var det väl dags.
Okej, då säger vi det.
Nähä … Plikten kallar.

Det sägs att den svenske kungen Gustav III (1746–1792) var övertygad om att kaffe var farligt för hälsan. Han ville bevisa att kaffe var ett dödligt gift genom en "klinisk prövning" med två dödsdömda enäggstvillingar som försökspersoner. Den ena av tvillingarna fick dricka tre kannor kaffe om dagen och den andra samma mängd te. Nu var frågan vem som skulle dö först och hur lång tid det skulle ta. Kungen beordrade två läkare att övervaka experimentet och att rapportera så snart den förste av tvillingarna hade dött. Men åren gick utan att någon av tvillingarna dog. De två läkarna hann dö och Gustav III hann bli mördad. När så den förste av tvillingarna avled hade han uppnått en ålder av 83 år. Det var tedrickaren.

GUSTAVE III.
Roy de Suede.

3 Ledarskap

A Titta på adjektiven i rutan. Vilka egenskaper har en bra respektive dålig chef?

varm	beslutsam	förstående	beroende
dominerande	intuitiv	kraftfull	oberoende
rationell	tävlingsinriktad	relationsorienterad	ängslig
individualistisk	aggressiv	samarbetsinriktad	mjuk

B Fråga paret bredvid vad de tycker och jämför era åsikter. Vilka egenskaper tycker ni att en bra ledare ska ha?

C Diskutera nedanstående påståenden. Motivera era åsikter.

- Kvinnliga chefer är bättre än manliga på att lyssna.
- På en kvinnodominerad arbetsplats blir det ofta mycket konflikter.
- Manliga chefer är effektivare än kvinnliga chefer.
- På en mansdominerad arbetsplats är det svårt att tala om känslor.

D Ta reda på vad orden betyder.

en andel   ett antal   den offentliga sektorn
förhållandevis   i lägre grad   i större utsträckning
en sannolikhet   därmed   innehar
framför allt   hamnar

E Läs påståendena här nedanför och gissa om de är rätt eller fel innan ni
   läser texten *Jämställt på arbetsmarknaden?*

   1 Sverige hör till de 10 länder i Europa som har störst andel kvinnliga

      chefer. _____

   2 En majoritet av dem som jobbar inom den offentliga sektorn

      i Sverige är kvinnor. _____

   3 Svenska kvinnor är mer benägna att starta egna företag än kvinnor

      i andra länder. _____

Jämställt på arbetsmarknaden?   (142))

Sverige är inte bäst i klassen i EU när det gäller procentandelen kvinnliga
chefer. År 2007 låg landet på 16:e plats med 31,5 procent i Eurostats rank-
ning av andelen kvinnliga chefer i 30 länder. År 2012 hade Sverige arbetat
sig upp till en sjundeplacering med 36 %. Högst andel kvinnor i chefs-
position i EU har Lettland och Frankrike, med 45,3 respektive 39,7 %.

Undersökningar visar att det finns tre huvudorsaker till den förhållande-
vis låga andelen kvinnliga chefer i Sverige. För det första jobbar en ovanligt
stor andel kvinnor inom den offentliga sektorn. Där är verksamheterna
ofta större än inom den privata sektorn och därmed är antalet chefsjobb
mindre. För det andra jobbar kvinnor i Sverige deltid i större utsträckning
än kvinnor i andra länder, och sannolikheten att en deltidsarbetande ska
bli chef är inte stor. Slutligen tycks kvinnor i Sverige vara mindre benägna
än kvinnor i andra länder att starta egna företag, vilket leder till att färre
kvinnor hamnar på chefsposter.

Inom det privata näringslivet har man undersökt varför en så stor
majoritet av chefsjobben innehas av män. En förklaring man ger är att
de större företagen har rationaliserat bort många mellanchefsjobb. Detta
drabbar framför allt kvinnorna, eftersom de ofta innehar just mellan-
chefspositioner. Man har också funnit att kvinnor i lägre grad än män ges
chansen att träna på arbetsuppgifter som meriterar dem för chefsjobb.

De har därför mindre erfarenhet, och risken finns att de på grund av det sorteras bort i rekryteringsprocessen. Vissa undersökningar visar att män rekryteras för att de är lojala, medan kvinnor måste visa att de har rätt kompetens. Så kvinnor har både svårare att skaffa sig rätt kompetens för toppjobben och bedöms hårdare när de väl söker dem.

I många fall sker chefsrekryteringen genom att man handplockar en person eller uppmanar någon att söka tjänsten. Sannolikheten är stor att denna person återfinns i ett slutet nätverk. Det gynnar framför allt män, eftersom arbetslivets viktiga nätverk ofta består av just män. Maktens män tenderar att välja dem de känner till – andra män.

 F Skriv frågor till texten och ställ till varandra. Försök svara utan att titta i texten.

 G Diskutera: Hur kan man öka andelen kvinnliga chefer?
Prata gärna om dessa alternativ: uppfostran, kvotering, delad föräldraledighet, lagstiftning.

 De har därför mindre erfarenhet …

ÖB 18:4

H Läs artikeln på nästa sida snabbt och välj den rubrik som passar bäst.

a **Hästar gör som de vill**

b **Ridning – en tuff sport**

c **Hästtjej som klippt och skuren för ledarskap**

I Hitta ord och uttryck i texten på nästa sida som betyder ungefär detsamma som orden i rutan.

ge (ett djur) mat	få någon att göra något han eller hon
mycket bra	inte vill
många	borsta (en häst)
saker	ganska
den som gör något (en sport till exempel)	

En studie som gjorts vid Luleå tekniska universitet visar att stallet är en utmärkt skola för bra ledarskap. Få sporter är så krävande för utövaren som ridning. Det krävs både ansvarskänsla och flit för att ta hand om en häst. Utöver själva ridningen har hästägaren eller hästskötaren en mängd upp-

gifter som ska utföras. Hästen ska utfodras och ryktas, stallet ska mockas och alla prylar ska skötas om.

För att hantera ett djur på runt 600 kilo krävs också en stor portion mod och bestämdhet och ryttaren måste tidigt välja en överposition. Ryttaren måste övervinna sin rädsla och uppträda lugnt men ändå säkert. Samtidigt måste ryttaren och hästen samarbeta; ingen ryttare är bättre än den häst hon eller han sitter på. Att försöka tvinga en häst till något den inte vill är tämligen lönlöst. Det är ryttarens uppgift att få hästen att utvecklas och känna tillit till ryttaren. Detta uppnås genom att ryttaren är tydlig, vägleder, ger stöd och uppmuntrar hästen. Parallellerna till ledarskapet på ett företag eller i en organisation är med andra ord många.

J Välj en av personerna i rutan här nedanför och ta reda på mer om honom/henne. Försök hitta intressanta fakta om personen. Undvik att nämna för många årtal.

Svenska entreprenörer

Hanna Lindmark	Gun Nowak
Christina Stenbeck	Erling Persson
Estrid Ericson	André Oscar Wallenberg
Filippa Knutsson	Antonia Ax:son Johnson
Barbro Hjalmarsson	Anders Ruben Rausing

ÖB 18:3–8

Skriv!

Inom språkundervisning på högre nivå får man ofta skriva texter av utredande karaktär. Då är det viktigt att inte bara tänka på själva språket, utan också på hur man strukturerar en text "svenskt". I Sverige uttrycker man sig ganska enkelt jämfört med många andra kulturer. Texten bör ha en tydlig disposition och en klar, röd tråd som gör att den hänger ihop och är lätt att följa med i. Den ska vara skriven rakt på sak och inte vara onödigt krånglig.

Skriv en text på ungefär 200 ord. Spekulera i vad sömnproblem kan bero på, vilka konsekvenser dålig sömn kan få och hur man kan göra för att förbättra sin sömn? Använd nedanstående fakta:

Var tredje person i Sverige har sömnproblem då och då – främst kvinnor. 33 % av studenterna på universiteten och högskolorna har svårt att sova minst en gång i veckan. Sömnproblem är vanligare bland kvinnliga studenter.

Börja med att tänka igenom uppgiften:
- Vad förväntas du skriva om och vem är den tänkta läsaren?
- Om det finns statistik som ska behandlas, fundera över vad som är intressant och relevant för uppgiften. Skriv gärna ner tankar och idéer.

Dispositionen av texten kan i korthet se ut så här:

1 Inledning/frågeställning (Väck intresse!)

2 Fakta/statistik (Skriv objektivt. Ta bara med det som är viktigt och relevant. Uttryck dig enkelt.)

3 Resonemang om frågeställningen/temat, t.ex. möjliga orsaker – konsekvens – åtgärder (Utveckla dina tankar/hypoteser. Försök få balans i texten, så att du inte bara skriver om en sak.)

4 Avslutning (Skriv om framåtblickar, förslag på åtgärder eller en kort sammanfattning. Se upp så att du inte skriver precis samma sak som du redan har skrivit en gång till.) Välj rubrik till din text sist av allt.

Spekulera om orsaker
Det är möjligt att …
Detta kan (också) bero på …
En orsak kan vara …

Spekulera om konsekvenser
Det/detta kan leda till …
Detta kan orsaka …

UTTAL

Sammanfattning av svensk prosodi

Regel 1: I en mening har viktiga ord betoning. Se Satsbetoning.
Regel 2: Ord med betoning har lång vokal eller lång konsonant. Se Ordbetoning.
Regel 3: Man uttalar inte alla bokstäver. Se Reduktioner och assimilationer.
Regel 4: Melodin går upp eller ner på lång konsonant eller vokal. Melodin går ner i slutet av en mening (också frågor). Se Satsmelodi.

Satsbetoning (regel 1)

A I en mening har viktiga ord betoning.
   – Vem (vann) (matchen) (igår)? – Det gjorde (Pelle).   1

B Ordet *inte* har inte betoning.
   (Olof) (vann) inte.   2

C I många fraser har sista ordet betoning. Jämför:

   SUBSTANTIV + VERB   PRONOMEN + VERB
   (Petra) (läser).   Hon (läser).   3

   VERB   VERB + OBJEKT
   Hon (läser).   Hon läser en (bok).   4

   VERB   VERB + PARTIKEL
   Hon (läser).   Hon läser (om) (boken).   5

   MÅTTSORD   MÅTTSORD + DET MAN MÄTER
   Hon köper en (liter).   Hon köper en liter (mjölk).   6

   FÖRNAMN   FÖRNAMN + EFTERNAMN
   Hon heter (Petra).   Hon heter Petra (Andersson).   7

   NAMN   MANLIGA DUBBELNAMN
   Jag heter (Per).   Jag heter Per-(Erik).   8

                                  (EJ KVINNLIGA DUBBELNAMN)
   Jag heter (Anna).   Jag heter (Anna)-(Lisa).   9

Ordbetoning (regel 2)

Man måste alltid lyssna efter vilken konsonant eller vokal som är lång, men det finns några tendenser.

A Svenska ord har lång konsonant eller vokal i början (första stavelsen). Internationella ord har lång konsonant eller vokal i slutet (ofta sista stavelsen).

Jag är en (desper<u>at</u>)(internationellt) (kvi<u>nn</u>a)(svenskt).   `10 ))`

B Det finns suffix som alltid har betoning.

-ad	promenad	-era	producera	-in	maskin	`11 ))`
-al	total	-et	diet	-tion	attraktion	
-an	banan	-i	bageri	-är	populär	
-at	desperat	-ik	teknik	-ör	humör	

C Ord som slutar på *-isk* och *-iker* har betoning på stavelsen direkt före suffixet.

tek<u>n</u>isk, tek<u>n</u>iker   `12 ))`

D Det finns internationella ord som betonas som svenska ord med betoning på första stavelsen.

y<u>o</u>ga, en p<u>a</u>rtner, ett f<u>o</u>to   `13 ))`

E Ord som börjar med *be-* och *för-* har lång vokal/konsonant i andra stavelsen. Om *för-* betyder före/innan är det betonat.

ber<u>o</u>r, förbj<u>u</u>den   `14 ))`
på f<u>ö</u>rh<u>a</u>nd

F Sammansatta ord har två långa ljud. Sammansatta ord har också en speciell melodi som låter olika i olika delar av Sverige.

so<u>ff</u>pot<u>a</u>tis, hu<u>r</u>tbu<u>ll</u>e   `15 ))`

G Ord med långa prefix och/eller suffix uttalas också som sammansatta ord.

om<u>r</u>åde, sna<u>bb</u>h<u>e</u>t   `16 ))`

Reduktioner och assimilationer (regel 3)

Reduktioner

Man uttalar inte alla bokstäver.

A Man uttalar **h** i betonade ord. Man uttalar **h** i början av meningen.

– Har ~~h~~an en (hä<u>st</u>)? – Han ~~h~~ar en (hä<u>st</u>).   17))

B Finalt **r** uttalas bara före vokal.
Lycka kan inte köpas fö~~r~~ pengar. (**r** + konsonant)   18))
En guldnyckel öppna~~r~~ alla dörrar. (**r** + vokal)

C **d** blir ofta **r** efter vokal i obetonat ord.
Ha de~~t~~ bra så länge! (r ovanför det)   19))

D Adjektiv som slutar på *-ig*
Det här är vikti~~g~~t! Mina vänner är så roli~~g~~a.   20))

E Ord som slutar på *-skt*
dramatis~~k~~t   21))

F Många ord som slutar med *dag*
midda~~g~~, varda~~g~~   22))

G Verb som slutar på *-ar* (grupp 1)
Jag bruka~~r~~ träna på måndagar. Igår träna~~de~~ jag inte.   23))

          24))

Vanliga reduktioner och förändringar:		
att [å] + infinitiv MEN	är [e]	tidning [tining]
att [at] + bisats	jag [ja]	morgon [morron]
vad [va]	det [de/re*]	världen [värden]
var [va]	de/dem [dåm/råm*]	ledsen [lessen]
hur [hu]	mig [mej] dig [dej]	tjugo [tjugi, tjuge]
vilken/t/a [viken/t/a]	sig [sej]	tjugoett, tjugotvå [tjuett,
till [ti]	någon [nån] något [nå,	tjutfå]]
vid [vi]	nåt]	trettio [tretti]
med [me]	några [nåra]	fyrtio [förtti]
bredvid [brevi]	mycket [mycke]	femtio [femti]
och [å]	alltid [allti]	
sedan [sen]	aldrig [aldri]	

* Se Reduktioner C.

Assimilationer

A Tonande + tonlös → tonlös + tonlös
   tonande: **b d g v**   (25))
   tonlösa: **p t k f s**

	B	D	G	V
P	uppbyggd	uppdrag	soluppgång	uppvuxen
T	snabbt ett bi	enligt dig, att du/ den/det/de o.s.v.	bortglömd	effektivt två
K	bakben	nackdelar	bakgrund	kvinna
F	golfbana			livfull
S	substantiv	föds arbetsdag	högst inte alls glad	svara svettas

B **Rd**, **rt**, **rl**, **rn** och **rs** uttalar man som ett ljud. Det gäller också mellan
   kombinationer av **t**, **d**, **l**, **n**, **s** och **r** och mellan ord.
   borde, kort, Karl, barn, person   (26))
   torsdag, sorts, partner, störst
   Var studerar du?

C Man uttalar **n** som **ng** [ŋ] före **k**.
   enkel, tänker, punkt, drink, bank, smink   (27))

D Man uttalar **g** som **ng** [ŋ] före **n**.
   Var lugn. Ugnen är varm.   (28))

Satsmelodi (regel 4)

A Melodin går upp eller ner på långt ljud. Det låter på olika sätt i olika delar av
   Sverige. Lyssna på skillnaden i melodin på de betonade orden till vänster och
   till höger.

   – Vad **läser** du? – **Matematik.**   – Vad **pluggar** du? – **Matte.**   (29))
   – Vad **äter** du? – **Mat** ...   – Vad ska du **äta**? – **Kyckling.**
   – När **kommer** du? Klockan **två.**   – När kan du **komma**? – Klockan **åtta.**
   – Vad **köper** du? – En **liter.**   – Vad **köpte** du? – Bara **lite.**

B Melodin går ner i slutet av en mening (också i frågor).
   – Tycker du om att spela tennis? – Ja, jag gillar att spela tennis.   (30))

Vokaler

Vokalerna i, e och ä

31)

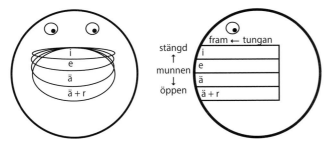

Vokalerna i och y

32)

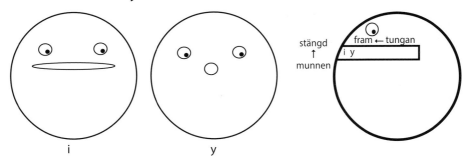

i   y

Vokalen u

33)

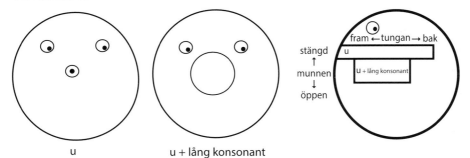

u   u + lång konsonant

Vokalerna e och ö

34)

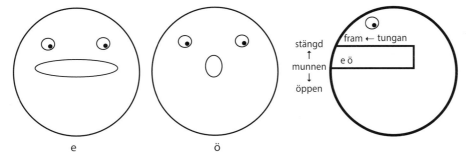

e   ö

Vokalerna o, å och a

35))

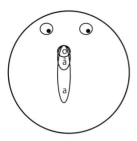
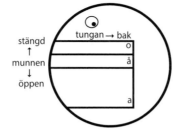

Vokalen a

36))

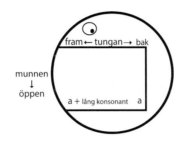

a

Konsonanter

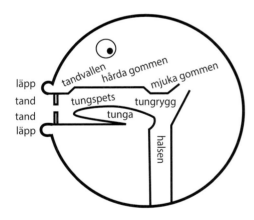

Hur\Var	läpp + läpp	läpp + tand	tungspets + tand	tungspets + tandvallen	tungrygg + hårda gommen	tungrygg + mjuka gommen	halsen
Tonlös	p	f	s t	rs rt	[ç]	k [ʃ]	h
Tonande	b m	v	d l n	rd rn r	j	g [ŋ]	

Ng-ljudet [ŋ]   37))

Tjugo-ljudet [ç] och sju-ljudet [ʃ]   38))

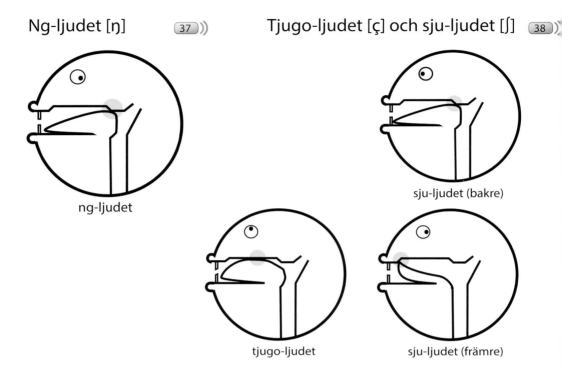

ng-ljudet

sju-ljudet (bakre)

tjugo-ljudet

sju-ljudet (främre)

Skriva och uttala

Lång konsonant

A Lång konsonant = dubbel konsonant eller två olika konsonanter.
jobbar, börjar   39))

B Långt **k** skriver man **ck**.
mycket   40))

C Långt **j** skriver man **j**.
hej   41))

D Långt **m** skriver man **mm** bara mellan vokaler.
kom → komma, gammal → gamla   42))

Undantag: ord som har med *Rom* och *dom* att göra.
romersk, domare, ungdomar

Sju-ljudet [ʃ]

A Man skriver oftast **sk** före **e, i, y, ä** och **ö**.

sked, skina, skyller, skär, skörd

`43`))

B Man kan skriva **sju**-ljudet på flera andra sätt.

choklad, charm, Charlotte

`44`))

garage, reportage

giraff

journalist

schack, duscha, usch, schema, schampo, schäfer, fräsch

shoppa

sju, själv, sjö, sjuk, sjunga, sjunker

skjorta, skjuter, skjutsa

diskussion

station, instruktion, attraktion, kondition, motion*, nation*

stjärna

* med t-ljud [motʃon natʃon]

Tjugo-ljudet [ç]

A Man skriver oftast **k** före **e, i, y, ä, ö**.

kemi, Kina, kylskåp, känsla, köpa

`45`))

B Man kan skriva **tjugo**-ljudet på tre andra sätt.

tjatar, tjugo, tjock

`46`))

charter, chatta, check, chili, chips, Chile, Chicago*

Kjell, kjol

* **Ch** används för att skriva **sju**-ljudet också.

J-ljudet

A Man skriver **j** i många ord.

jag, ja, jo, tjej, nej, välj

`47`))

B Man skriver oftast **g** före **e i y ä ö**.

geting, gick, gym, gärna, gör

`48`))

C Man skriver **g** efter **r** och **l** i slutet på ord.

berg, varg, arg

`49`))

helg, älg

D Man kan skriva **j**-ljudet på tre andra sätt: **hj-**, **dj-**, **lj-**.

djungel, djur, djup, djävul

hjortron, hjul, hjälm, hjälp, hjälte, hjärna, hjärta

ljuger, ljud, ljus, ljummet

50))

S-ljudet

Man skriver ofta **s**-ljudet med **s**. Man skriver **s**-ljudet med **c** och **z**
i internationella ord. Det finns inget tonande **s**-ljud på svenska.

cykel, jazz [sykel], [jass]

51))

Å-ljudet

Man skriver **å**-ljudet med **å** eller **o**. Det finns ingen regel så man måste
lära sig för varje ord.

håller, hål, son, pollen

52))

Hur uttalar man g, k och sk?

G, **k**, och **sk** kan ha hårt eller mjukt uttal. När det är hårt uttal uttalar man
som man skriver. När det är mjukt uttal uttalar man j, [ç] och [ʃ].

	+ a o u å = hårt uttal	+ e i y ä ö = mjukt uttal	
G	galen, godis, gullig, gång	ger, gift, gym, gärna, gör	53))
SK	ska, skojar, skulle, skåp	sker, skillnad, skynda, skär, skönt	
K	kanske, kock, kunna, kål	kemi, Kina, kylskåp, kär, kött	

Både hårt och mjukt:

kex, kilo, kilometer, kiosk

54))

MINIGRAMMATIK

Ordföljd

Huvudsats

Funda-ment	Verb 1	Subjekt	Sats-adverb	Verb 2–4	Verb-partikel	Komple-ment	Adverb Hur? Var? När?
Jag	har	—		lånat	ut	pengar	en massa gånger.
Jag	får	—	aldrig		tillbaka	dem.	
Om det inte hjäl-per	ska	du	kanske	ringa		polisen.	
Ibland	brukar	hon		ringa		mig	på nät-terna.
—	Ringde	du				polisen	igår?
Varför	lånar	du			ut	pengar	hela tiden?

Satsadverb vid obetonat objektspronomen

I en huvudsats med <u>ett</u> verb utan preposition/verbpartikel kan man variera ordföljden.

Anna älskar **honom inte**, men hon tycker mycket om honom.

(obetonat objektspronomen, betoning på verbet)

Jämför:

Anna älskar **inte honom**, utan hans bror.

(betonat objektspronomen, verbet är obetonat)

Direkt och indirekt objekt

Med vissa verb och prepositioner kan man konstruera fraser med direkt objekt (do) och indirekt objekt (io) på två sätt.

Jag gav <u>boken</u> till <u>Pelle</u>.
     do   io

Jag gav <u>Pelle</u> <u>boken</u>.
     io   do

Konjunktioner (mellan ord och satser av samma typ)

eller (alternativ)	Ska vi äta middag hemma **eller** gå på restaurang?
men (kontrast)	Jag ringde igår **men** ingen svarade.
för (orsak)	Jag jobbar extra nu **för** jag ska köpa en ny bil.
så (konsekvens)	Jag ska köpa en ny bil **så** jag jobbar extra nu.
(inte) ... utan (inte x men y)	Jag sparar **inte** pengarna **utan** (jag) gör av med allt direkt.
både ... och (x och y)	**Både** pengar **och** fritid är viktigt i livet.
antingen ... eller (x eller y)	Ett jobb måste **antingen** vara kreativt **eller** ge hög lön.
varken ... eller (inte x inte y)	Jag har **varken** jobb **eller** bostad.

Bisats

Bisats-inledare	Subjekt	Sats-adverb	Verb 1	Verb 2–4	Verb-partikel	Komple-ment	Adverb Hur? Var? När?
... att	man	alltid	ska	vara		ärlig.	
Om	du	inte	vill	hjälpa	till ...		
När	vi		var				ute förra veckan ...

Subjunktioner (inleder en bisats)

Allmän
att	Kim tycker **att** livet är toppen.

Tid
när	Jag ska städa **när** jag kommer hem.
medan	Ludvig lyssnar på musik **medan** han studerar.
innan	Tänk efter **innan** du tackar ja till jobbet!
tills	Vi sitter ute **tills** solen går ner.
(inte) ... förrän	Vi börjar inte äta **förrän** alla har kommit.

Förklaring
eftersom/därför att	Jag går hem **eftersom/därför att** jag inte mår bra.*

Villkor
om/ifall	Säg till **om/ifall** du behöver hjälp.

Kontrast
även om (hypotes)	Agneta cyklar varje dag **även om** det regnar.
trots att/fastän (faktum)	Monica är på jobbet idag **trots att** hon är förkyld.

Sätt (hur)

utan att   Olof svarade **utan att t**änka.**

genom att   Michael lärde sig svenska **genom att** se svenska filmer.**

Avsikt, plan

för att   Lena åker till stan **för att** handla.**

Resultat

så att   Skynda dig, **så att** vi inte missar bussen!

*Därför att kan inte stå först i meningen.
**För att/utan att/genom att + infinitiv om det är samma subjekt i huvudsatsen och bisatsen

Indirekt tal

Påstående

… säger/berättar/tycker/påstår/svarar … + att + bisats

Jag sa **att** jag inte kunde bestämma något.

Ja/nej-fråga

… frågar/undrar/vill veta … om + bisats

Hon frågade **om** jag hade lust att åka till Stockholm.

Frågeordsfråga

… frågar/undrar/vill veta … + frågeord + bisats

Vet du **när** tågen går på torsdagar?

Om frågeordet är subjekt i direkt tal (huvudsats) måste man använda *som* i indirekt tal.

Vad (= subjekt) hände igår? → Vet du vad **som** hände igår?

Emfatisk omskrivning

Fokus på subjektet, objektet, tid eller plats

Jag åt upp din chokladkaka igår. → **Det var** jag **som** åt upp din chokladkaka igår.*

Jag åt upp **din chokladkaka** igår. → **Det var** din chokladkaka (som) jag åt upp igår.

Jag åt upp din chokladkaka **igår**. → **Det var** igår (som) jag åt upp din chokladkaka.

Ja/nej-fråga med fokus på subjektet, objektet, tid eller plats

Åt **du** upp min chokladkaka? → **Var det** du **som** åt upp min chokladkaka?*

Åt du upp **min chokladkaka**? → **Var det** min chokladkaka (som) du åt upp?

Åt du upp min chokladkaka **igår**? → **Var det** igår (som) du åt upp min chokladkaka?

Frågeordsfråga

Vem har ätit upp min chokladkaka? → Vem **är det som** har ätit upp min chokladkaka?*

* *Som* behövs bara när man har fokus på subjektet.

Satsförkortning: objekt + infinitiv

Efter verben *se, höra, be* och *känna* använder man ofta satsförkortning.

Komplett sats	Satsförkortning
Jag såg att <u>hon</u> fuskade. subjekt	Jag såg <u>henne</u> **fuska**. objekt
Vi hörde att <u>han</u> sjöng. subjekt	Vi hörde <u>honom</u> **sjunga.** objekt

Verb

Verbgrupp	Imperativ	Infinitiv	Presens	Preteritum	Supinum
1	prata!	prata	pratar	pratade	pratat
2a	ring!	ringa	ringer	ringde	ringt
2a	kör!*	köra	kör	körde	kört
2b	köp!	köpa	köper	köpte	köpt
3	må!	må	mår	mådde	mått
4a -it	skriv!	skriva	skriver	skrev	skrivit
4b SPECIAL	säg!	säga	säger	sa(de)	sagt

* Några verb i grupp 2a har samma form i imperativ och presens, t.ex. *kör, hyr, tål.*

Verbformer

Imperativ
inget subjekt, order, uppmaning eller instruktion, inget subjekt
Vakna nu, Pia!

Infinitiv

1 efter hjälpverb
   Man får inte **parkera** här.

2 efter infinitiv-*att*
   Det är roligt att **dansa**.

Supinum

1 efter *har* (= presens perfekt)
   Pia har **arbetat** här i många år

2 efter *hade* (= preteritum perfekt)
   Vi började äta när alla hade **kommit**.

I bisats kan man stryka *har* och *hade* före supinum.
Vi började äta när alla **kommit**.

Tempus

före NU

– X ——————————————— X ——————————————— X ————————————→

före NU	NU	efter NU

PRESENS PERFEKT | PRESENS | PRESENS FUTURUM
har sovit | är | ska städa

Jag har **sovit gott** så jag **är** jättepigg. Snart **ska** jag **städa**.

före DÅ   **DÅ**   **efter DÅ**

– X ——————————————— X ——————————————— X ————————————→

PRETERITUM PERFEKT | PRETERITUM | PRETERITUM FUTURUM
hade sovit | var | skulle städa

Jag **hade sovit** gott så jag **var** jättepigg. Lite senare **skulle** jag **städa**.

Presens
NU eller generellt

Arne **diskar**.

Göteborg **ligger** på västkusten.

Presens perfekt (*har* + supinum)
1 Tiden är inte intressant (men den ligger före NU). Resultatet är intressant/aktuellt i NU.
   Jag **har studerat** mycket till provet. (Resultat: Jag kan allt nu.)

2 tillsammans med NU-adverb (idag, den här veckan, i år etc.)
   Paulina **har jobbat** hårt i år.

3 tiden är inte slut
   Anneli och Sture **har varit** gifta i sju år. (Och är fortfarande gifta.)

Presens futurum
1 *kommer att* + infinitiv (naturlig process/logisk konsekvens/prognos/subjektet planerar eller bestämmer inte)
   Det nya bostadsområdet **kommer att** bli populärt.

2 *ska* + infinitiv (vilja/beslut/plan): Roine Wigman **ska starta** ett nytt parti. (andrahandsinformation – informationen kommer inte från den som talar):
   Det **ska regna** i morgon.

3 presens (med framtidsuttryck samt i temporala och konditionala bisatser)
   Rolf **åker** till London i morgon.
   När jag **är** färdig med läxan ska jag gå till gymmet.
   Om det **regnar** imorgon åker vi inte till stranden.

4 *tänker* + infinitiv (planerar)

Sofia **tänker flytta** till Umeå.

5 presens perfekt (i temporala bisatser om en handling som kommer att vara avslutad vid en specifik punkt i framtiden)

När Richard **har lärt sig** perfekt svenska ska han börja studera kinesiska.

Preteritum

1 specifik tid i DÅ (med dåtidsadverb eller underförstått)

Vi **gick** på bio igår.

Jag **gjorde** läxan på bussen.

2 berättande tempus i DÅ

Först **åt** vi lunch och sedan **tog** vi en promenad.

3 i utrop (också om NU)

Vad gott det **var**!

Preteritum perfekt

1 Tiden är oftast ointressant (men den ligger före DÅ). Resultatet var intressant/aktuellt i DÅ.

Det gick bra på provet. Jag **hade studerat** mycket.

Alla **hade** redan **ätit** när jag kom hem.

Preteritum futurum

Ska + infinitiv, *kommer att* + infinitiv och presens (som framtid) →
skulle + infinitiv i DÅ.

1 framtid i DÅ – man pratar om vad man planerade vid DÅ-punkten/ vad man trodde skulle hända.

När han hade städat **skulle** han **tvätta** bilen.

2 När något just höll på att hända eller var på väg att hända när en annan händelse inträffade.

Telefonen ringde precis när jag **skulle duscha**.

Pågående aktivitet

Sitter och, *ligger och*, *står och*, *håller på och* + verb = man gör något just nu. Kan stå i alla tempus.

Vi **satt och pratade** hela kvällen igår.

Jag **har stått och väntat** i en halvtimme nu.

Konditionalis

Konditionalis 1

Man tänker på hur det skulle vara om det inte var som det är nu.

Om jag **vann** 100 000 kronor **skulle** jag **resa** jorden runt.

= **Vann** jag 100 000 **skulle** jag **resa** jorden runt.

Konditionalis 2

Man konstaterar efteråt.

Om jag **hade vunnit** på lotto i lördags **skulle** jag **ha köpt** en ny bil.

= **Hade** jag vunnit på lotto i lördags **skulle** jag **ha köpt** en ny bil.

Transitiva och intransitiva verb

Transitiva verb kan ha objekt: Jag **lägger** pennan på bordet.

Intransitiva verb har inte objekt: Pennan **ligger** på bordet.

En del intransitiva verb slutar på -na.		Intransitiva verb byter ofta vokal eller ändras lite på annat sätt när de blir transitiva.	
Intransitiva	**Transitiva**	**Intransitiva**	**Transitiva**
bleknar	bleker	brinner	bränner
drunknar	dränker	dör	dödar
fastnar	fäster	faller	fäller
vaknar	väcker	ligger	lägger
kallnar	kyler	sitter	sätter
slocknar	släcker	sjunker	sänker
sover/somnar	söver	spricker	spräcker
		står	ställer
En del intransitiva verb slutar på -s.			
Intransitiva	**Transitiva**		
bits	biter		
kittlas	kittlar		
knuffas	knuffar		
luras	lurar		
retas	retar		
sparkas	sparkar		

Presens particip

Presens particip är en verbform som kan fungera som:

1 adjektiv
   stickande och **bitande** djur

2 adverb (oftast efter verb som: *komma, gå, springa, sitta, ligga*)
   Gå **sjungande** eller **pratande** därifrån …

3 substantiv
   De **boende** i skärgården …
   Fästingen orsakar mycket **lidande**.

Imperativ	Presens particip
prata!	pratande
stick!	stickande
bit!	bitande
bo!	boende

Perfekt particip

Perfekt particip är en verbform som kan fungera som:

1 adjektiv
   Peter äter **stekt** potatis.

2 substantiv
   De anställda är missnöjda med den nya chefen.

3 passiv
   Olof Palme blev **mördad** 1986.

Grupp	Supinum	Perfekt particip		
		en	ett	bestämd form/ plural
1	tärna | t	en tärnad potatis	ett tärnat äpple	den tärnade potatisen det tärnade äpplet två tärnade äpplen/de tärnade äpplena
2a	fyll | t	en fylld paprika	ett fyllt äpple	den fyllda paprikan det fyllda äpplet två fyllda paprikor/de fyllda paprikorna
2b	stek | t	en stekt biff	ett stekt ägg	den stekta biffen det stekta ägget två stekta biffar/de stekta biffarna
3	bre | tt	en bredd smörgås	ett brett knäckebröd	den bredda smörgåsen det bredda knäckebrödet två bredda smörgåsar/de bredda smörgåsarna
4a (-it)	rivi | t	en riven ost	ett rivet äpple	den rivna osten det rivna äpplet två rivna ostar/de rivna ostarna
4b (SPECIAL)	sål | t	en såld bok	ett sålt hus	den sålda boken det sålda huset två sålda böcker/de sålda böckerna

Perfekt particip av partikelverb

Ebba åt upp alla kakor. → Alla kakor **är uppätna**.

Katten har sprungit bort. → Katten är **bortsprungen**.

Passiv

Passiv med *blir/är* + perfekt particip

1   *blir* + perfekt particip har fokus på en händelse eller förändring.
    blir + perfekt particip kan oftast bytas ut mot s-passiv.
    Han **blev opererad** i går. (= Han opererades i går.)

2   *är* + perfekt particip har fokus på ett tillstånd eller resultat.
    Chefen **är bortrest** på semester.
    Hotellrummen **är städade**.

    är + perfekt particip kan ofta bytas ut mot presens perfekt.
    Chefen **är bortrest** på semester. → Chefen **har rest bort** på semester.
    Hotellrummen **är städade**. → Man **har städat** hotellrummen.

S-passiv

Aktiv	**Passiv**
Ett japanskt företag presenterade idén.	Idén **presenterades av ett japanskt företag**
Man äter semlor under fastan.	Semlor **äts** under fastan.

Aktiv		**Passiv**
objekt	⟷	subjekt
subjekt	⟷	av + agent
man	⟷	—
verb	⟷	verb + s

	Infinitiv	Presens	Preteritum	Supinum
1	presenteras	presenteras	presenterades	presenterats
2a	byggas	byggs	byggdes	byggts
2b	sänkas	sänks	sänktes	sänkts
3	strös	strös	ströddes	strötts
4a it	hållas	hålls	hölls	hållits
4b SPECIAL	göras	görs	gjordes	gjorts

OBS: Grupp 2b, imperativ slutar på -s, t.ex. *läs!* → *läses* i presens

Andra verb med -s

1 reciproka (intransitiva)
   De **träffas** ute på stan. (= De träffar varandra.)

2 deponens (*minns, hoppas, andas, svettas, kräks* etc.)
   Hon **minns** inte något av händelsen.

3 En del verb som beskriver en aktiv handling (t.ex. *bita, lura, reta, slå*)
   kan med -s bli intransitiva.
   Hunden bet mig igår (= transitivt). Den **bits** ofta (= intransitivt).
   Lasse-Maja lurade polisen (= transitivt). Han **lurades** ofta (= intransitivt).

Substantiv

Substantivets former

Grupp	Singular		Plural	
	Obestämd form	Bestämd form	Obestämd form	Bestämd form
1	en kyrka	kyrkan	kyrkor	kyrkorna
2	en tävling	tävlingen	tävlingar	tävlingarna
3	en student	studenten	studenter	studenterna
4	ett arbete	arbetet	arbeten	arbetena
5	ett spel	spelet	spel	spelen
	en läkare	läkaren	läkare	läkarna

Obestämd form

Med obestämd artikel

1 ny information
   Jag såg **en orm** i trädgården.

2 i presenteringsfraser (börjar med *Det*)
   Det ligger **en katt** utanför huset.

3 med attribut/adjektiv framför yrke, religion etc. som normalt inte har artikel
   Hon är **en skicklig jurist**.

4 värderande substantiv (*idiot, geni, dumhuvud* etc.)
   Anna Andersson är **ett ljushuvud**.

5 efter *som* (= på samma sätt som/i likhet med)
   Hon uppför sig **som ett barn**.

Utan obestämd artikel

1 efter possessiva pronomen och genitiv
   Min syster bor utomlands.
   Vet du vad **Sveriges statsminister** heter?

2 i många verbfraser (generellt/inte specifikt)
   Eva **spelar piano** varje dag.
   Claes **åker buss** till jobbet.
   (Claes tar **bussen**. = specifik buss)

3 efter *nästa* och *samma*
   Nästa år ska vi göra en långresa.

4 klädesplagg, utrustning/hjälpmedel, ägodelar (inte specifika) som man normalt
   har (ett exemplar av).
   Greta går med **rullator**.
   De har **villa**. (Med attribut/adjektiv: De har **en stor villa**.)
   Linda går alltid klädd i **kjol** och **blus**. (Med attribut/adjektiv:
   Linda går alltid klädd i **en blå kjol** och **en blommig blus**.)

5 yrke, religion, egenskap, politisk åskådning, nationalitet etc.
   Mats är **kock**. (Med attribut/adjektiv: Mats är **en duktig kock**.)
   Adam är **katolik**. (Med attribut/adjektiv: Adam är **en djupt troende katolik**.)

6 ofta vid samordning av substantiv (med *och/eller*)
   Ta med dig **papper och penna** till provet.

7 efter *som* (= i egenskap av)
   Som barn var han alltid glad.

8 efter *denna, detta, dessa* (bestämt substantiv i vissa delar av Sverige)
   Vi måste lösa **detta problem**.

Bestämd form

1 det är inte första gången man nämner något
Jag såg en hund och en katt i trädgården. **Hunden** var vit och **katten** var svart.

2 ett känt koncept, lyssnaren/läsaren vet eller borde veta vad man menar
Livet är fantastiskt!
Vi träffas i **receptionen**.

3 något är en naturlig del av det man pratar om, eller man kan naturligt
associera till det
Hon jobbar i **kassan** i en mataffär.
Vi åt på restaurang igår. **Maten** var jättegod.

4 substantivet tillhör eller är en del av subjektet
Lisa biter på **naglarna**.
Jag tar **bilen** ikväll.

5 egenskap, yrke (inte titel) eller annan beskrivning + namn
Uppfinnaren Anna Andersson har lanserat en ny produkt.

6 efter demonstrativa pronomen och bestämd artikel
Du måste läsa **den här artikeln**.
Ska vi ta **den kakan**?

(Substantivet kan ha obestämd form mellan *den/det/de* och *som*:
Polisen vill tala med **den person som** såg.)

7 i många verbfraser när man inte tänker på själva byggnaden eller personen,
utan på funktionen de har
Jag ska gå på **banken** i eftermiddag.
Du borde gå till **doktorn**.

8 efter vissa ord, t.ex. *förra, hela, båda, andra, tredje* (ordningstal)
Förra veckan var vi i Köpenhamn.
Det är **andra gången** jag ser filmen.

9 före ett attribut/adjektiv har man normalt bestämd artikel
Vi köpte **den svarta bilen**.

OBS! Ingen artikel vid många namn:
Ska vi gå till **Gamla Stan** imorgon?
USA:s president bor i **Vita huset**.

Pronomen

Personliga, possessiva och reflexiva possessiva

Subjekt	Objekt	Reflexiva	Possessiva	Reflexiva possessiva
jag	mig*	mig*	min/mitt/mina	
du	dig*	dig*	din/ditt/dina	
han	honom	sig	hans	sin/sitt/sina
hon	henne	sig	hennes	sin/sitt/sina
man	en	sig	ens	sin/sitt/sina
den/det	den/det	sig	dess	sin/sitt/sina
vi	oss	oss	vår/vårt/våra	
ni	er	er	er/ert/era	
de**	dem**	sig	deras	sin/sitt/sina

* I informella texter skriver man ibland *mej* och *dej*.
** I informella texter skriver man ibland *dom* för både *de* och *dem*.

Hen är ett könsneutralt pronomen:
Om en elev vill ha hjälp med läxorna kan **hen** gå till biblioteket efter lektionerna.

Reflexiva possessiva pronomen
Sin/sitt/sina refererar till subjektet (tredje person) i samma sats.

Anita går på bio med (sin bästa vän).

Sin/sitt/sina kan inte vara del av subjektet (varken i huvudsats eller bisats).

(Anita och hennes bästa vän) går på bio. Anita säger att (hennes bästa vän) är fantastisk.
        s   s

Demonstrativa pronomen

denna = den här
detta = det här
dessa = de här
denna/detta/dessa + bestämt adjektiv + obestämt substantiv
den/det/de här + bestämt adjektiv + bestämt substantiv
Denna/detta/dessa är i de flesta delar av Sverige mer formellt än *den/det/de här/där*.

Relativa pronomen och adverb (inleder bisats)

1 *som*
   De har ett sommarställe **som** ligger vid havet.
   De har ett sommarställe (som) de gärna åker till.*

2 *där* (position)
   Ett smultronställe är en plats **där** man mår bra och kopplar av.

3 *dit* (destination)
   Det är en plats **dit** man åker när man vill koppla av.

4 *vars* (genitiv)
   Jag hjälpte en man **vars** bil hade gått sönder.

5 *vilket/något som*
   Filmen visade människor utan kläder **vilket/något som** var en skandal på den tiden.

* När *som* inte är subjekt kan man stryka det.

Adverb

Adverb beskriver:

1 verb
   De kör **snabbt**.

2 adjektiv
   Bilen är **otroligt** snabb.

3 adverb
   De kör **otroligt** snabbt.

Adverb för position, destination samt från position

position	destination	från position
där	dit	därifrån
här	hit	härifrån
var	vart	varifrån
hemma	hem	hemifrån
borta	bort	bortifrån
inne	in	inifrån
ute	ut	utifrån
uppe	upp	uppifrån
nere	ner	nerifrån
framme	fram	framifrån

Adjektiv

Obestämd och bestämd form

Obestämd form	Bestämd form
en gul bil	den gula bilen
ett gult hus	det gula huset
två gula bilar	de gula bilarna

Adjektiv + substantiv

1 Obestämt adjektiv + obestämt substantiv	
en/någon/ingen/vilken/en annan	rolig dag
ett/något/inget/vilket/ett annat	roligt arbete
tre/många/några/inga/vilka/andra	roliga dagar/arbeten
2 Bestämt adjektiv + bestämt substantiv	
den (här/där)	roliga dagen
det (här/där)	roliga arbetet
de (här/där)	roliga dagarna/arbetena
3 Bestämt adjektiv + obestämt substantiv	
min/denna/mormors/samma/nästa/följande	roliga dag
mitt/detta/mormors/samma/nästa/följande	roliga arbete
mina/dessa/mormors/samma/nästa/följande	roliga dagar/arbeten
SPECIAL: en liten sak, ett litet hus, två små saker/hus den lilla saken, det lilla huset, de små sakerna/husen min lilla sak, mitt lilla hus, mina små saker/hus OBÖJLIGA ADJEKTIV: lagom, extra, bra, gratis, kul	

Adjektiv efter några verb

Efter verben *vara, bli, känna sig, se … ut* och *verka* kommer alltid adjektiv (i obestämd form).

Bilen är **snabb**.

Vi blir **pigga** när vi tränar.

Alla på gymmet ser **snygga** ut.

Jag känner mig **ful**.

Vasaloppet verkar **svårt**.

Adjektiv + *t*

1. *Det är* + adjektiv + *t.*   Det är **härligt** att simma.
2. *Att* + infinitiv + adjektiv + *t*   Att simma är **härligt**.
3. *Att* + bisats + adjektiv + *t*   Att han simmar varje dag är **härligt**.
4. generellt   Glass är **gott**.
(Jämför: Den här glassen är god. = specifik glass)

En del adjektiv är oböjliga, t.ex. *lagom, extra, gratis.*

Komparation av adjektiv och adverb

Positiv	Komparativ	Superlativ
billig	billigare	billigast

Halvspecial		
dum	dummare*	dummast*
hög	högre	högst
lång	längre	längst
nära	närmare	närmast
stor	större	störst
tung	tyngre	tyngst
ung	yngre	yngst
vacker	vackrare	vackrast

Special		
bra	bättre	bäst
dålig	sämre/värre	sämst/värst
få	färre	(färst)
gammal	äldre	äldst
gärna	hellre	helst
lite	mindre	minst
liten	mindre	minst
mycket	mer	mest
många	fler	flest

*Långt *m* dubbeltecknas mellan vokaler.

Presens particip, perfekt particip samt adjektiv som slutar på -isk		
fascinerande	mer fascinerande	mest fascinerande
intresserad	mer intresserad	mest intresserad
praktisk	mer praktisk	mest praktisk

Jämförelser

Potatis är **billigare än** tomater.

Bananen är **lika billig som** apelsinen.

Apelsinen och bananen är **lika billiga**.

Superlativ bestämd form

1 Adjektiv

regelbundna (som slutar på *-ast* i superlativ)

Nordens **brantaste** berg- och dalbana i trä ...

oregelbundna (som slutar på *-st* i superlativ)

Sveriges **längsta** väg ...

2 Perfekt particip

En av de **mest sedda** svenska filmerna ...

En av Sveriges **mest trafikerade** vägar ...

3 Presens particip

Den **mest fascinerande** filmen ...

4 Långa adjektiv och adjektiv som slutar på *-isk*

Den **mest praktiska** apparaten är ...

Tidsprepositioner

1 Hur ofta? (Frekvens)*

om (dagen/året)	Peter tränar en gång **om** dagen.

Annars:

i (sekunden/timmen etc.)	Vi tränar 2 gånger **i** veckan.

*Annat sätt att uttrycka frekvens:

Tåget går **varannan** timme/**var tredje** timme/**var fjärde** timme …

De träffas **vartannat** år/**vart tredje** år/**vart fjärde** år …

2 Tidsperiod
Hur länge?

(*i*)	Jag springer i skogen (**i**) två timmar varje vecka.

Hur snabbt?

på	Hon sprang Stockholm maraton **på** 5 timmar.

"Negativ tidsperiod"

på	Han har inte tränat **på** en månad.

3 Tidpunkt
När? (framtid)

om	Bussen går **om** fem minuter.

När? (dåtid)

för … sedan:	De flyttade till Sverige **för** fem år **sedan**.

Bildkällor

8   Maridav, Shutterstock
    baranq, Shutterstock
    Eva Thimgren
10 Amore, Shutterstock
11 Eva Thimgren
12 Eva Thimgren
13 Cecilia Lorentzson
16 Everett Collection, Shutterstock
17 Everett Collection, Shutterstock
18 Philip Lange, Shutterstock
20 Diego Cervo, Shutterstock
    Sebastian Gauert, Shutterstock
    Vlasta Handlir, Shutterstock
21 Erik Lam, Shutterstock
24 Redcollegiya, Shutterstock
    s_oleg, Shutterstock
    Kaveryn Kiryl, Shutterstock
26 Eva Thimgren
28 Tord Lund
30 Tord Lund
31 Tord Lund
32 Stockholms stadsmuseum (fotograf
    okänd)
34 carlo dapino, Shutterstock
    Ingvar Bjork, Shutterstock
    Mattia Menestrina, Shutterstock
    Monkey Business Images, Shutterstock
35 Sfio Cracho, Shutterstock
37 Eva Thimgren
38 Mikael Damkier, Shutterstock
39 auremar, Shutterstock
    michaeljung, Shutterstock
41 Bikeworldtravel, Shutterstock
    Pressmaster, Shutterstock
44 Image Point Fr, Shutterstock
46 mirjana ristic damjanovic, Shutterstock
    Holly Kuchera, Shutterstock
    Birdiegal, Shutterstock
    Alexey U, Shutterstock
    Matteo photos, Shutterstock
    Krzysztof Odziomek, Shutterstock
    jurra8, Shutterstock
    Alexander Raths, Shutterstock
48 Ermolaev Alexander, Shutterstock
    Pakhnyushchy, Shutterstock
    Donjiy, Shutterstock
    irin-k, Shutterstock
    Eric Isselee, Shutterstock
    Peter Waters, Shutterstock
49 Maxim Kulko, Shutterstock
    Eric Isselee, Shutterstock
50 bmf-foto.de, Shutterstock
    Peter Waters, Shutterstock
52 Erik Mandre, Shutterstock
53 Holly Kuchera, Shutterstock
56 Lightspring, Shutterstock
59 Alan Bailey, Shutterstock
    Jeff Thrower, Shutterstock
    mayakova, Shutterstock
62 Eva Thimgren
65 Picsfive, Shutterstock
66 Picsfive, Shutterstock
67 Nils Z, Shutterstock
68 Kzenon, Shutterstock
70 Zelfit, Shutterstock
    Emma Glaumann
71 Emma Glaumann
73 mega4ka, Shutterstock
    Charles Hanmmarsten, IBL Bild-
    byrå
    Goodluz, Shutterstock
    Yeko Photo Studio, Shutterstock
    Tatyana Vyc, Shutterstock
75 panbazil, Shutterstock
76 Ammentorp Photography, Shutterstock

78 rook76, Shutterstock
79 Kinga, Shutterstock
    bioraven, Shutterstock
    Ecelop, Shutterstock
    hoperan, Shutterstock
    lattesmile, Shutterstock
    maximillion1, Shutterstock
82 Pakhnyushchy, Shutterstock
84 SteLuk, Shutterstock
86 Sander van der Werf, Shutterstock
    HHelene, Shutterstock
87 Science Sourc, IBL Bildbyrå
    Erich Lessing, IBL Bildbyrå
88 Rue des Archives, IBL Bildbyrå
89 IBL bildbyrå
90 BMJ, Shutterstock
92 Stig Söderlind
93 Ann Louise Hagevi, Shutterstock
    TTphoto, Shutterstock
94 IBL bildbyrå
    Jens Ottoson, Shutterstock
95 Emma Glaumann
    Roger Strandberg, Destination
    Ragundadalen
97 pockygallery, Shutterstock
    Agnes Kantaruk, Shutterstock
99 Brent Hofacker, Shutterstock
100 Onigiri studio, Shutterstock
101 Stokkete, Shutterstock
    Everett Collection, Shutterstock
    Netfalls – Remy Musser, Shutterstock
    Stokkete, Shutterstock
102 dimitris_k, Shutterstock
104 Eva Thimgren
105 Wikipedia
    Charles Hanmmarsten, IBL Bildbyrå
106 Wikipedia
107 Wikipedia
108 Wikipedia
    Charles Hanmmarsten, IBL Bildbyrå
110 Wikipedia
116 Valentina Proskurina, Shutterstock
    Eva Thimgren
119 homydesign, Shutterstock
120 Valentin Agapov, Shutterstock
124 mikute, Shutterstock
126 Inga Dudkina, Shutterstock
127 Tupungato, Shutterstock
    nra, Shutterstock
128 Piotr Krzeslak, Shutterstock
131 Filip Fuxa, Shutterstock
    Andrey Bayda, Shutterstock
    Olga Danylenko, Shutterstock
133 Leon Grimaldi, Västerås & Co
135 Mary Evans, IBL Bildbyrå
136 Pavel Hlystov, Shutterstock
138 NikoNomad, Shutterstock
141 Suzi Nelson, Shutterstock
142 yoska87, Shutterstock
144 Heiko Kueverling, Shutterstock
    frank_peters, Shutterstock
    Joe Belanger, Shutterstock
    ChameleonsEye, Shutterstock
    Ilya Andriyanov, Shutterstock
    Ammentorp Photography,
    Shutterstock
147 Everett Collection, Shutterstock
151 Everything, Shutterstock
152 Strannik_fox, Shutterstock
154 TT NYHETSBYR√ÖN
158 Dudarev Mikhail, Shutterstock
159 PlusONE, Shutterstock
161 Wikipedia
163 Sergey Peterman, Shutterstock
164 Goodluz, Shutterstock

165 Valua Vitaly, Shutterstock
171 JaroPienza, Shutterstock
    Mikael Damkier, Shutterstock
    Kennerth Kullman, Shutterstock
    Emma Glaumann
172 sasaperic, Shutterstock
    Patricia Hofmeester, Shutterstock
174 kubais, Shutterstock
175 ErickN, Shutterstock
    Emma Glaumann
176 Malivan_Iuliia, Shutterstock
178 robert_s, Shutterstock
179 Eva Thimgren
181 Eva Thimgren
    Håkan Sandbring, IBL Bildbyrå
183 Eva Thimgren
185 Milkovasa, Shutterstock
186 Anna Ivanir, Shutterstock
    Wikipedia
188 Ollyy, Shutterstock
191 harmpeti, Shutterstock
193 Eva Thimgren
196 Emma Glaumann
197 ymgerman, Shutterstock
198 YuryZap, Shutterstock
200 Ollyy, Shutterstock
202 Lennart Perlenhem, Arbets-
    förmedlingen
    Camilla Veide, Arbetsförmedlingen
203 Pärra Andreasson
204 LuckyImages, Shutterstock
206 Gajus, Shutterstock
209 Ollyy, Shutterstock
211 SS1001, Shutterstock
212 wavebreakmedia, Shutterstock
213 Lukyanov Mikhail, Shutterstock
215 Aleksei Potov, Shutterstock
217 altanaka, Shutterstock
    Katya Shut, Shutterstock
    Monkey Business Images, Shutterstock
218 Grigoryeva Liubov Dmitrievna,
    Shutterstock
220 Skylines, Shutterstock
221 Nattika, Shutterstock
224 Lloyd Smith, Shutterstock
225 Everett Collection, Shutterstock
226 Vitalinka, Shutterstock
228 Magnus Liam Karlsson, IBL Bildbyrå
230 SKY2015, Shutterstock
232 Nyhetsbyrån TT
    Almgren, Shutterstock
    Tore Hagman, IBL Bildbyrå
234 Anna Jurkovska, Shutterstock
235 chrisbrignell, Shutterstock
    Eva Thimgren
236 Eva Thimgren
237 Eva Thimgren
239 Wikipedia
240 Eva Thimgren
243 Nyhetsbyrån TT
244 Lars Esselius
245 Emma Glaumann
247 VVO, Shutterstock
248 Kovnir Andrii, Shutterstock
    Stuart Jenner, Shutterstock
    ARENA Creative, Shutterstock
249 William Ju, Shutterstock
    Blend Images, Shutterstock
    AlenD, Shutterstock
250 ra2studio, Shutterstock
252 Emma Glaumann
253 Poprotskiy Alexey, Shutterstock
255 IBL bildbyrå
258 Elena Elisseeva, Shutterstock

Texträttigheter: Kristina Lugn, s 230